新潮文庫

城塞

上巻

司馬遼太郎著

目次

悪謀	一四
墨染	五六
本町橋	七二
大風	八五
住吉	一〇一
山里郭	一二六
加賀	一三三
湖北	一四七
金沢城下	一六二
文使い	一七八

城塞

上巻

少年

唐突だが、生駒山《いこまやま》をのぼる坂はいくつかあり、そのうち古事記にもあらわれるもっともふるい坂が、孔舎衙坂《くさかざか》である。いまはこのあたりの赤土が切りひらかれて高速道路化され、阪奈《はんな》有料道路になっている。

道は生駒山を蛇行《だこう》してのぼり、やがて大和《やまと》へこえる有料の峠になってゆくのだが、のぼりつつ途中でふりかえれば、いわゆる摂河泉《せっかせん》（摂津《せっつ》・河内《かわち》・和泉《いずみ》の三国――大阪府）の大眺望が眼下にひらける。

筆者《わたし》は、この展望が日本のどこよりもすきで、大和へゆくたびに、大阪をふりかえる。ときに大阪湾が光り、神戸までが見はるかせそうなこともある。

話が移るが、徳川家康にも、その経験があったにちがいない。その生涯のうち何度か、かれは大和から大坂に入るべく生駒山を越えた。かれも大坂の野を見はるかしたであろう。一望の田園は膏肉《あぶらみ》のようにゆたかであり、野は茅渟《ちぬ》ノ海（大阪湾）をかこんで瀬戸内海に通じ、淀川《よどがわ》はかれの当時百万人を養うに足るといわれ、さらには秀吉がつくったその市街は、天下の富をあつめている。

城がある。

西欧の城塞《じょうさい》をはるかにしのぐ、と宣教師たちによって讃嘆《さんたん》されたその巨城は、生駒の山腹から十分に遠望することができる。家康はすでに天下人《てんかびと》になった時期、自然の感情としてこの野と海と城市を、手づかみしたくなるほどにほしかったにちがいない。

「大坂は、およそ日本一の境地なり」

というのは信長記《しんちょうき》の文章であったが、その信長は早くからここに海内《かいだい》の中心をおこうとし、しかしながら石山本願寺攻めにてこずり、計画の成らぬままに死んだ。秀吉がその構想を継いだ。かれは大坂を大明国《だいみんこく》までふくめた東アジアの中心にしようとし、十万人を収容できる巨城をつくったが、しかしその秀吉も、いまは亡《な》い。

家康だけが、生きている。

だけでなく、秀吉の遺児秀頼《ひでより》もいる。ただ秀頼は、関ヶ原の合戦のあと、家康によって天下をとりあげられ、この見はるかす範囲の土地、つまり摂河泉のうちでわずか六十五万七千四百石という奥州《おうしゅう》の伊達《だて》家程度の大名にまでおとされてしまった。

「そのことは、江戸殿（家康）の悪謀である」

ということは、大名どもはいざしらず、京・大坂にすむ町人どもの定評であった。町人どもは、家康を悪党とみた。新興の江戸は日に日にさかえているのにくらべ、京・大坂のにぎわいは、関ヶ原以後、とまった。

「しかしいずれは、江戸殿も、天下を大坂の秀頼御所におゆずりなされるのであろう」

と、町人どもはみており、その政権の大坂移譲が、京・大坂の繁栄を太閤《たいこう》のむかしにもどすための大きな希望になっていた。

家康は、世間の様子をうかがっている。

しかし、一方では徐々に自分の天下を津々浦々にみとめさせようとしている。

「無理なく、ゆるゆると」

というのが、家康というこのたぐいまれな現実主義者の変らぬ政治方針だった。たとえばかれは関ヶ原で大勝を得て事実上の天下人になったのは慶長五年であったが、しかしすぐには征夷《せいい》大将軍にならず、それになったのは慶長八年である。同時に、江戸幕府をひらいた。これによって家康の天下は公認されたが、

「しかし、失望するにはおよばない」

といううわさを、京・大坂にながさせた。

「江戸殿はなおも豊臣家を尊んでおられる。それが証拠に、江戸殿は朝廷に奏上して、秀頼御所を関白《かんぱく》になさるそうだ」

将軍は武家の最高位であり、関白は公家《くげ》の最高位である。世間の常識としてはほぼ同格であった。

「珍重々々」

と、京における最大の政界通ともいうべき醍醐《だいご》三宝院の門跡《もんぜき》義演《ぎえん》までが、そのうわさを信じ、日記のなかで手ばなしでよろこんでいる。しかし、むろんうそであった。が、家康は世間に失望はさせても絶望させることをおそれた。このとき、ほぼ同時期に、関白ではないとはいえ、公家の最高位にちかい内大臣を、十歳（満年齢）の秀頼のために世話をした。

「京・大坂の人気はどうか」

というのが、家康の懸念《けねん》であった。江戸政権を歓迎しているのか、それともなおも豊臣政権の復活を幻想しているのか。

「よい思案がございます」

と、このころ、それを測定するための妙案を献言したのは、家康の政治顧問のひとりで大坂討滅を最初から主張しつづけている金地院《こんちいん》崇伝《すうでん》であった。

たまたま慶長九年八月は、故太閤の七回忌にあたる。その忌をにぎやかに営みたいということを、京の豊国《とよくに》大明神の社が京都所司代にねがい出ていた。

「どうしたものか」

と、家康は思案にあぐね、側近に諮問《しもん》した。家康にすれば、いまさら前時代の主権者の記憶をしもじもによびさまさせるような行事はゆるしたくない。が、金地院崇伝は、

「いやなに、時勢が変ったことは京者も存じております。ご案じになるようなことはございますまい」

それよりもむしろ祭礼をやらせたほうがよろしゅうございましょう、なあに人はあつまりませぬよ、といった。

家康は、ゆるした。

ところがその祭礼当日の八月十四、五の両日は、京の男女という男女が都の大路小路におどり出、

——太閤さまじゃ、太閤さまじゃ。

と、手足を舞いまわし、列を組んで練り、夜は夜で燈火をかざして踊り、時のみかどの後陽成《ごようぜい》帝までがわざわざ紫宸殿《ししんでん》まで出て町民のおどりを見物されたということで、

当時駿府《すんぷ》（静岡市）にいた家康は、報告をうけて大いに意外の思いがした。上方者《かみがたもの》たちは単に前時代の支配者を慕っているだけでなく、大坂に残存している豊臣家にいま一度政権をとらせることを乞《こ》いのぞんでいるのであろう。

家康は、不安になった。

「上方者は、思いちがいをしている」

その思いちがいを、いまのうちに訂《ただ》す手をうっておかねば、わざわいを今後にのこすかもしれない。

家康は、巧妙であった。

まずかれは隠居をし、豊臣家を無視してその子秀忠に将軍職をゆずってしまった。豊国祭《ほうこくさい》のあったあくる年の慶長十年春のことである。

このことは、上方に衝撃をあたえた。

——なんと、秀頼御所にお譲りあらぬか。

「あたり前よ」

と、当の家康は、上方の世論に対し江戸からどなりかえしたかったであろう。かれは慈善のために天下を斬《き》りとったのではなかった。

さらに家康は、物わかりのにぶい上方者の世論を転変させるために、いまひとつの大きな手をうった。ただし武力は用いず、人数を用いた。十六万騎の侍を美々しく行装させて京にあつめたのである。新将軍秀忠の将軍宣下《せんげ》の儀式に参加させるためであった。

これが、四月十六日である。

五月一日、将軍宣下にともなう諸大名の祝賀登城がある。場所は江戸ではなく、かつて秀吉が築いた伏見城においてであった。この盛事をみれば、上方者はいやおうもなく時勢の転換したことがわかるはずであった。

さらにわからせるには、大坂城にいる十二歳の豊臣秀頼を伏見にのぼらせ、諸大名と同列に新将軍の就任を祝わせることであった。

家康は、このとき伏見城にいる。

「伏見にのぼられよ」

と、ひとを介し、大坂に命じた。大坂にとって、これほど政治的残忍さをあらわした要求はなかったであろう。家康は、形式上は豊臣家の家来である。秀頼のまわりの者は秀頼以外に天下の後継者はないと信じており、さらには、朝廷における序列は秀頼のほうが秀忠より上であった。秀頼はこのころ内大臣から右大臣にすすんでいたが、新将軍秀忠は、征夷大将軍ではあっても同時に内大臣でしかない。

「どこの世に、主人たる者が、家来の祝賀に馳《は》せつけるであろうか」

と、大坂の侍女筆頭の大蔵卿局《おおくらきょうのつぼね》が、このつかいの口上をきいて悲憤した。

「大坂のあほうも、これで極まった」

といったのは、家康の謀臣である本多正純《まさずみ》であった。正純は、関ヶ原当時における家康の謀臣本多正信の子である。

正純の解釈では、

「関東の御温情、これ以上のものはない」

というのである。

わずか六十五万余石にすぎぬ豊臣家には、もはや天下人たる実質はなく、さらには豊臣恩顧の諸大名のことごとくが関東の系列に入ってしまっているいま、豊臣家が孤立しつつも残存しているこの状態は、ひとえに関東の温情によるものである。ほろぼされまいとすれば、いまの変則的孤立をすてて旧傘下《さんか》の諸将と肩をならべて新将軍徳川秀忠の家来になる以外に道はない。そのためには伏見にまかり出て、秀忠に拝謁《はいえつ》し、大広間で「謁」をかたじけのうするという形式をとることによって主従の関係をあきらかにするがよい。そのようにすれば、豊臣家は徳川家の一大名として将来にむかって安全は保証されるであろうというのが、本多正純の「温情論」の論拠であった。

「おひろい（秀頼）は、その機会《しお》をうしなった」

と、正純は、伏見城の詰ノ間で、他の大名をつかまえて高声で論じた。

江戸は、そのような肚《はら》でいる。

「あほう」

と正純がいったこの時期以後の大坂のことを、大坂なりの感情やら道理やら人間の模様やら、なにやらとりまぜてこの稿で書きすすめてゆく。書くについて、その前にいま一度、生駒孔舎衙坂の有料の峠にのぼってみた。のぼるにつれて大阪湾とその平野の展望はいよいよ大きくなったが、しかし日が悪く、野も街も灰色の霧がこめ、ほんの十年ほど前なら見えていたはずの城も見えなかった。

「むりですよ」

と、同行のN君がいった。

「家康も秀頼も、公害にはかなやしませんよ」

かもしれない。

ともかく車からおりて眼下の霧煙を見おろしながら、家康の心境をおもってみた。

この慶長十年、二代将軍秀忠の将軍宣下における大御所家康の年齢は、六十三である。

その健康状態については、

「ちかごろ、江戸殿は老い、目などかすむことがしばしばである」

という、大坂にとってよろこぶべきうわさが、このころ豊臣家の殿中に流れた。家康にとっては単なる老年の生理にすぎないことが、大坂にとっては存亡を左右するほどの政治的重大問題になるところが、この時期の世間のふしぎさである。まことに家康が老衰して死んでしまえば、局面はがらりと変るであろう。政権は江戸からふたたび大坂にうつるにちがいなかったし、すくなくとも豊臣家の奥ではみなそう信じていた。一面、道理でもあった。豊臣旧恩の諸大名は、家康個人の威望をおそれて関東に臣従しただけであり、その家康さえ死ねば、諸大名はあらそって東海道を西に走り、秀頼のもとにもどってくる——かもしれなかった。

ところが、家康の健康状態は、わるくない。

五年前の関ヶ原のころは、体重がどんどんふえてついに自分で褌《まわし》も締められず、毎朝、侍女が前後からかかれの褌を締めるという滑稽《こっけい》な状態にまでなったが、その後家康は懸命に痩《や》せようとした。痩せることが長命のためにいいということを家康が知っていたということは、保健思想史からみて、家康は世界史的な存在かもしれない。

かれは若いころから医学に対して異常なほどの関心を持ち、老いてのちは独特の医学観をもち、むしろ自分の侍医たちの考えの浅さをわらうほどにまでなっていた。さらにまた、この人物は十七世紀初頭の人間でありながら、運動が保健のもとであるということを体験的に知っており、しかもそれがかれの日々の生活規律にまでなっていた。

家康は毎朝、馬場に出て馬を責め、さらに鉄砲を三発、撃ち放った。火縄銃射撃は、発射ごとの反動をやわらかくするため、うつやいなや体をはげしくまわす。十分に運動になった。

さらには、たえず鷹野《たかの》（鷹狩）をした。

「鷹野ほど体によいものはない」

と、家康はつねづね言い、そのことばが側近の者によって書きとめられ、「中泉古老物語」というものになってのこっている。

「そのわけは、風寒炎暑もいとわず山野を走りまわるために筋骨労動し、その結果、手足が齢《とし》にしては軽やかになる。また夜は疲労して快寝（快眠）するから、閨房《けいぼう》にもおのずから遠ざかる」

また夏は水泳もした。

かれが最後にその水泳の現場をひとに見せたのはこの慶長十年より五年あと、駿河《するが》の瀬名川で川猟をしたときである。すらすら泳いで向う岸とのあいだを往復した。

要するに、かれの健康は、大坂方にとって不幸なことに、死期の近づいているような様子はない。

一方、秀頼である。

――右大臣家は、どのようなお顔の、どのような心映えのお人か。

という、ただそれだけの簡単なことが、京・大坂だけでなく、関東の在京役人のあいだでも知られていない。いずれも世間の関心のまとであったが、しかしくわしいことは、もっとも利害関係がふかいはずの家康ですら知らない。

「太閤に似て、小さく黒萎《くろな》えの人」

という説も京あたりではおこなわれているが、むろんあてずっぽうである。

――心映えかしこからず。

といわれているが、これもどうであろう。世間の風にあたることのない御殿育ちの子が物事に鋭敏な反応をもとうはずがないという臆測《おくそく》にすぎなかった。

生母は、世間では、

「お袋さま」

とよばれている。いわゆる淀殿《よどどの》である。そのお袋さまが、秀頼を自分の侍女団以外の他人には見せたがらず、たとえば家老の役をつとめる片桐且元《かたぎりかつもと》をすら近づけなかった。且元は年のはじめの拝賀などで、大広間のはるかむこうの上段ノ間に、乳母の宮《く》内卿局《ないきょうのつぼね》以下の侍女十人ばかりを従えてすわっている少年の姿を上目で見るのみで、どういう貌《かお》かとまではわかりにくい。

一方、少年のほうも、自分の家老が、

「市正《いちのかみ》（東《とう》市正・且元の官名）」

という男であるという程度のことは知っているが、貌つきとなると、さだかでない。

そのうえ、

――市正には、ご用心召され。

という悪評を、母の淀殿や乳母からきいていた。且元は家康が任命した家老であったから、当然ながら関東に通じている、というのである。

秀頼は、その生母の意思でつねづね侍女団にとりかこまれて暮している。その女どもは、水仕事の女までをふくめると一万人はいたであろう。

かれは、慶長八年、十歳のときに妻をもった。その妻は、徳川家からきた。

祝言《しゅうげん》の杯のとき、ふと、

「姫は、なんと申される」

と、この少年にしては、めずらしく積極的にひとにものをきいた。うまれてこのかた、外部の人間というものを見たはじめての経験がこの少年に常軌をうしなわせたのにちがいない。

障子にひびくような、高声である。よく透る声で、豊臣家の役人たちも、秀頼の声というものをはじめてきく者も多かった。

もっとも、介添えをする両家の女どもは、たれもが狼狽《ろうばい》した。祝言のときに婿《むこ》どのがものをいうなどという作法はない。

姫は杯を宙にもち、杯ごしに秀頼を見つめたまま、返事もできずにだまっている。このとき、彼女は六歳にすぎない。

しかし、

「八歳にはみえる」

というほどに大柄であった。姫は、家康にとっては直孫《じきまご》にあたる。秀忠の子で、母は秀忠の正夫人お江《ごう》である。お江は織田信長によってほろぼされた北近江《おうみ》の大名浅井長政の娘で、母は長政夫人お市、お市は信長の妹にあたる。淀殿はその浅井氏の長女であり、お江はその三女である。

祝言にさきだち、この秀忠夫人お江は輿《こし》入《い》れの指揮をするため早くから大坂城に入り、姉の淀殿に対面し、

「すべてよろしゅうに」

と、姉に頭をさげた。

淀殿はわずかに目礼し、わざと妹の娘、わがめい、といった言いかたをせず、

「江戸殿のお孫、たいせつに致します」

と、言い、ひどく冷たいあしらいをみせたことが、お江の侍女たちのあいだで悪評をかもした。

淀殿は、秀頼に対しても、上様の従妹《いとこ》にあたります、などとはいわず、

「江戸殿の孫姫であることを、夢寐《むび》にもおわすれなきよう」

と、念を押した。

むろん、毒殺されるかもしれぬという用心を教えておくことは、必要であった。六歳の姫にはその才覚はなくとも、姫はその付人《つけびと》として江戸から男女百人の家来をつれてきている。それが今後、豊臣家の家来になり、大坂城で起居する以上、かれらは輿

入れのその日から江戸に対して諜報奉公《ちょうほうほう》をつとめるであろう。秀頼を毒殺せよと江戸から命ぜられれば、むろんやるにちがいない。淀殿からみれば、この姫を中心とする集団は、敵もしくは悪謀の結社とみる以外に見様がなかった。

いずれにせよ、秀頼は、かれ自身もうかつであったが、この日から自分の妻になる少女の名も知らずに祝言の座にすわっている。

姫は、やむなく杯を置いた。

「それは」

こまります、というふうに介添えの女——勧修寺大納言《かじゅうじだいなごん》のむすめお今——は、あわてた。礼式の順序がくるってしまう。しかし姫にすれば声をかけられた以上、たとえ作法でなくとも杯を置いて両手の指をひざの前にそろえねばならない。

「千《せん》と申します」

と、六歳の少女はいった。

すでに夏が終ろうとしている。この日、朝は晴れていたが、午後からむし暑くなり、天が陰《かげ》った。やがて式場である大書院のなかは、蠟燭《ろうそく》のかがやきが増すほどに暗くなった。

そとは、白洲《しらす》である。諸大名は縁に薄べりを敷いて詰めている。

そのなかに、故太閤の子飼いの大名である福島左衛門大夫正則も大紋の姿ですわっていた。正則は、関ヶ原では家康に味方をして先陣で働き、戦後恩賞として安芸《あき》一国と備後《びんご》をあたえられ、広島城主になった。が、生来感情の過剰な男で、処世としては徳川大名にあまんじながらも、一方では太閤の遺児のゆくすえが気になり、このため家康のよろこばぬ言動をすることが多かった。

その正則の位置からは、秀頼のいる場所は、目を細めても見づらいほどに遠かったが、しかし一心に凝視をつづけているうちに秀頼の貌、容儀が、すこしはわかった。

「十一歳（かぞえ年）とは申せ、常の十三、四にも見ゆる」

と、あとで幼少のころからの友人である加藤清正に語った。

少年にしてはややふとり気味だが、発育はきわめてよく、しかも、容貌《ようぼう》は母方の浅井氏の血を濃くひいているらしく、下ぶくれで両眼が大きく、色白であった。外祖父浅井長政は六尺ちかい偉丈夫であったから、このまま成人すればおそらくたぐいまれな美丈夫になるであろうということは、正則にも想像できた。

夜になった。

婚礼である以上、当然ながら床入りのことがなされねばならない。

この江戸からきた小さい娘は、大坂城内では、姫君さまとか、政所《まんどころ》さまとかよばれた。

なるほど、亭主の秀頼《ひでより》は少年ながら高位の公家《くげ》であり、となればその妻は、政所とよばれなければならない。しかし政所とよばれるには、あまりにもおさない。

「すぐでございますよ、すぐ」

と、大蔵卿局《おおくらきょうのつぼね》などは、輿入《こしい》れのあと、年甲斐《としがい》もなくよろこびはしゃいで、淀殿《よどどの》にいった。

この大蔵卿局というのは、淀殿が近江《おうみ》小谷《おだに》の浅井氏の城でうまれたときから乳母にあがり、彼女が故太閤《たいこう》の後宮に入ったときも付き従い、いまではこの淀殿が事実上の城主ともいうべき大坂城にあって、豊臣家の裏むきの家政と、侍女たちの総支配をしており、いわば女家老ともいうべき存在であった。髪はうすくなっている。それをはやくからおろし、頭をつつんで、尼のすがたをしていた。

「すぐ、とはなんのこと」

と、淀殿はきいた。

「すぐ、おとなになられます」

「於千《おせん》が、ですか」

「はい、政所さまがでございます」

「──あなた」

と、淀殿は老尼《ろうに》を見つめながら、顔をしかめた。淀殿の半生にとって大蔵卿局は、母親以上に密着した存在であったが、しかし年甲斐もなく多弁でときどき小娘のように燥《はしや》ぐところが、淀殿のその日の気分によってやりきれないことがある。千姫がそのうちすぐおとなになる、人間ならあたり前のことであり、そんな無意味なことをいってなぜそう燥ぐのか、と、淀殿はいった。

（いや、もう、今日はご気分がおわるいらしい）

と、この陽気な老尼は、淀殿をあやすのは馴《な》れたもので、すぐ話題を変え、顔つきまで変えた。

淀殿には、持病がある。

そのことを、曲直瀬《まなせ》道三《どうさん》というこの当時における日本第一の医家が診断している。

道三は父（養父）も道三である。父の道三は医学において巨大で、子の道三は臨床において名手であった。子の道三ははじめ宮廷の典医であったが、のち秀吉につかえた。さらに関白秀次に仕え、次いでいまでは徳川家に仕えており、すでに五十を越えている。道三、名は玄朔《げんさく》ともいう。克明なたちで、患者を診ると、いちいち臨床日記につけた。その日記は、「玄朔道三配剤録」という。その曲直瀬道三が、慶長六年十月二日、大坂城にまねかれ、淀殿を診察した。

最初、直接の診察はさけ、大蔵卿局から、平素の症状をきいた。

——昏倒《こんとう》なされることがございます。

と、老尼はいった。

「昏倒。どういうばあいに」

「侍女《おんな》どもが、お気のおもうままになりませぬときなどに」

「そのご症状は、おそれながら太閤殿下ご存生《ぞんじょう》のおんときから？」

と、道三はきいた。大蔵卿局が答えていうのに、そのときはもっとはげしく、太閤さまにお腹立ちのときなど、気昏《きくら》ませられ、手足も動かず、お体までが氷のようにつめたくなられるのでございます、という。

「その前後のお食事は？」

それは普通だという。ときに気が鎮《しず》まったあと、お膳《ぜん》にむかわれるときなど、左右がおどろくほどに大食なさることがある、ともいった。

（ご姉妹、似ておわす）

と、道三はひそかにおもった。彼女の妹のお江が、それである。千姫の母である。何度もくりかえすが、お江は江戸の将軍秀忠の御台所《みだいどころ》であり、その生母は、織田信長の妹で、浅井長政の夫人であったお市である。

道三は、江戸にあって、お江の侍医をつとめている。ついでながらお江は再縁であった。初婚の秀忠に嫁《か》した。再縁ではあっても、しかしそういうひけめはいささかももたず、秀忠がすこしでも侍女に笑顔をむけたりすると、はげしく癇《かん》をつのらせ、ひどいときには足が萎《な》えて立ちあがることもできなくなる。秀忠はこのお江の悋気《りんき》をおそれて、ひとのいうところでは、いまだに一度も他の婦人と接したことがない。

（淀の御方《おかた》さまも、それである）

と、道三はおもった。

婦人の気鬱《きうつ》（ヒステリー）である。この病《やまい》は母系から遺伝《うけ》やすいようだから、この姉妹の母である小谷ノ方（お市）もあるいはそうであったかもしれない。

そのあと、道三は淀殿に拝謁《はいえつ》した。

淀殿は、座敷にいる。道三は次室で平伏している。やがて侍女にたのみ、糸をもって淀殿の手をむすんでもらい、それを次室までひいてきて、道三が、もっともらしく糸の端をにぎる。それで、脈を看た。糸脈といわれているものであったが、患者がよほど高位の人物か、貴婦人である場合にこの方法が用いられる。しかし実際は、このようなばかげた方法で、脈などがわかるはずはない。

道三は、大蔵卿局の話でおよその診断はついているから、あとは患者の人相を見ればよいだけである。

「おそれながら、お顔を拝しとうございますが」

と、道三は膝《ひざ》をずらし、自分とおなじ次室にいる大蔵卿局にむかい、そのようにねがい出た。願わずとも顔さえあげれば正面の淀殿の顔を見ることができるのだが、室町ふうの作法にあっては、貴人の顔を、その側近の承諾なしに見てはならない。

大蔵卿局は、うなずいた。

道三は一礼し、顔をあげた。

（これは、美しい）

と、息がとまるほどの驚きを覚えた。秀忠夫人のお江ノ方も江戸城内で比類のない美しさだと道三はおもっていたが、その姉の淀殿の美しさにはおよばないようである。

ただ、眉間《みけん》に暗さがある。

（惜しい）

と、おもった。もっとも眉間の暗さは道三が診断したその病のせいであり、それをはらいのぞくことが、道三の仕事であった。

診察は、それだけである。

あと、ひきさがって投薬し、その服用の仕方と養生の方法を側近に教えるだけであり、道三はそれを大蔵卿局に教えた。

道三はこの日、宿舎に帰り「玄朔道三配剤録」と後世の者が名づけたその臨床日記の慶長六年十月二日の項に、
秀頼公御母、御年卅余《さんじゆうよ》、
御気鬱滞《うつたい》、不食眩暈《しょくせずめくらみ》。

と、症状診断を書き、処方を書いた。処方は快気湯と木香《もつこう》をのむことであった。

ついでながら、この曲直瀬道三は元来が本道家（内科医）であったが、宮廷医として出発したため婦人科にも長じている。道三の著ではなく養父の著である「啓迪集《けいてき》」

は曲直瀬医学の教科書というべき書物だが、ここにすでに婦人のヒステリーの記述がある。

その概説として、

「男子は陽に属しているから、気が散じやすく、そのために男子の気病はすくない。しかし女子は陰であるために気が鬱しやすく、気病が多い。ところで、男子の生命の主体は、精である。女子のそれは血である」

と、解説する。漢方医学は、治療面では経験主義だが、理論面ではきわめて哲学的だから、ここでいう男子の精、女子の血というのも、男女の体液をいうのではなく、哲学的にひきだした本質論といっていい。それで、女子は血、という。曲直瀬医学では、ヒステリーのもとも血である。

「血は気の配（仲間）にして、血は気によりて行く」

と言い、その治療法も、血を治めさえすれば気がしずかになる。血を治めるにはその造血主体である脾臓《ひぞう》と胃――と曲直瀬医学はみている――を養えばよく、それを養うために、道三はこのばあいも右のような投薬をした。

慶長八年五月一日にも、曲直瀬道三は大坂城によばれて、淀殿を診察した。

このとき、淀殿の気鬱《ヒステリー》は、やや重症であった。ずっと食事がすすんでおらず、そのうえ、胸が苦しく、ときどき気管がおさえられたように詰り、息ができなくなる。痞《ひ》結《けつ》症状——食物が胸につかえて通じない——もおこす、と、道三はその臨床日記に書いた。このとき、投薬はもっぱら胃をやしなうものを調剤した。

曲直瀬道三は江戸にもどってから、家康の謀臣本多正純《まさずみ》に会った。

「大坂のお袋さまは、いかがでござった」

と、正純は、この日本一の医師にきいた。

道三は、くわしく述べたあと、根治はむずかしいかもしれませぬな、といった。つまり、本来その性《しょう》がござらっしゃる上に、後家《ごけ》殿におわすため、いよいよ募るのでございましょう、という。

漢方では、医家は患者の性格判断までしなければならない。道三のみるところ、淀殿は本来、たえずこの世のかぼそさを覚えている繊弱な心の婦人であるらしい。ところが、その本性でありながら、庇護《ひご》者《しゃ》を亡《うしな》っている。泣きつくべき亭主がいないために、気がつねに鬱し、悪血《おけつ》が滞っている。その上、その本性からみればとても大将になどなれぬ性格であるのに、豊臣家にあっては彼女が実質上の頂点なのである。不安が昂《こう》じるはずであった。

「御亭主さえあればまだしも」

と、道三は医者としていうが、政治の医者をもって任じている本多正純は、それは不可能だ、といった。

「故太閤殿下《わるいひと》の想《おも》い者になられたことよ」

と、正純はいった。彼女の不幸は、彼女を寵愛《ちょうあい》したぬしが、故太閤というこの世の最高者であることだった、と正純はいう。ところが、たとえば妹のお江の死んだ亭主は、秀吉の姉の子で故関白秀次の弟である秀勝であった。「岐阜宰相」といわれたこの秀勝が文禄《ぶんろく》の朝鮮ノ陣で出陣中、病死したが、そのあと、お江は秀吉のきもいりで江戸へゆき、徳川秀忠に再縁した。岐阜宰相程度の身分の亡夫なら、後家になっても再縁できるのである。故太閤の第二夫人は、どこへもゆきようがなく、さらにはその子秀頼の母である以上、豊臣家から身を動かすことができない。

「ひそかにあだし男を寵愛なされておる、といううわさがあるが、それでも、病には効きませせぬか」

と、正純は表情を水のようにすましたままいった。道三は、かぶりをふった。

道三にいわせれば、うわさは医者のあつかうところではないから存じませぬが、たとえ家来の衆のたれかれに閨《ねや》の伽《とぎ》をさせたところで、病には効能ございませせぬ。あの病の婦人には、倚《よ》りかかるべき大樹が必要なのであり、相手が家来では性欲の対象になっても、頼りになりませぬ、ということであった。

これについて、道三は二度目の診察のとき、大蔵卿局から、

――ときどき、亡《な》き殿下の夢をご覧あそばします。

ということをきいた。

夢、ときいて道三はその夢のくわしい模様をさらに質問したかった。夢によって気鬱のぐあいを判断することも、かれの医術にはある。その婦人科論のなかに、

「夢与鬼交」

という項がある。夢ニ鬼ト交ワル、ということであり、鬼はいうまでもなく死者。たとえば亡夫。孤閨《こけい》の婦人が夢のなかで亡夫と交接を遂げることだが、淀殿の夢の中で太閤がそのようなふるまいをしたとあれば、道三の診断はさらに生彩を加えるところであったが、しかし道三はそこまではきけず、だまった。

ところで、淀殿の夢である。

彼女は道三が三度目の診察をした慶長十年という年は、道三の診断でいう気鬱がはなはだしく、眠りも浅く、しばしば夢をみた。

とくにこの年の上半期がひどかった。

彼女の日常をゆさぶるような事柄が相ついでおこった年である。まず、この年の四月十六日には徳川家康は隠居をした。天下を秀頼にゆずるかとおもったのに、家康はその子の秀忠を二代将軍にしてしまい、豊臣家に天下をゆずる意思のないことを、無言で天下に公表してしまった。淀殿は大いに鬱したが、ただし彼女にとってわずかに救いになったのは、十二歳の秀頼が、秀忠の将軍宣下の日よりも四日前に内大臣から右大臣にのぼったことである。新将軍秀忠が内大臣であるところからみると、格は一つ上であった。この官位を上下する操作は、むろん江戸で家康がやっている。

この年、さらに、淀殿が、身をみずからひき裂くようないきおいで悩乱したことは、すでに触れたように新将軍の宣下の儀式を伏見でおこなわれるについて、大坂から上洛《じょうらく》せよ、という半ば命令じみた要求を、家康側からいってきたことであった。

このときばかりは、

「主人（秀頼）が、家来（秀忠）の祝いに出かけてゆくというためしが、本朝はおろか唐天竺《からてんじく》にもあろうか」

と叫び、

「それならば死にます。いいえこの身も死ぬ。右大臣様も死ぬ。私の膝《ひざ》の上にて刺し殺し、母子ともに死にます」

この狂態をなだめるために殿中が大騒ぎになり、その騒ぎが大坂の町にまで洩《も》れつたわって、市中は、素破《すわ》、いくさになるぞ、と家財道具を荷車につんで逃げだす者も出た、という。淀殿の持病の発作は、彼女自身の生理にとどまらず、ときには大坂の街をゆり騒がすというところに、この大坂政権の奇妙さがあった。

その年は寝たり起きたりしていたが、秋がすぎたころ、体が弱ったせいか、彼女に鎮静状態がおとずれた。そのころ、また太閤の夢をみた。太閤はにこにこして、

——秀頼の身を案ずることはない。わしが、よき所に連れていってやる。

といって消えたかとおもうと、やがて奈良の春日《かすが》の若草山のような丘陵があらわれ、わらびが萌《も》え、春の陽ざしが隈《くま》なくふりそそいでいるかとおもうと、丘のむこうから春駒《はるこま》が一頭おどり出、頂きにかけのぼってやがて草を食《は》みはじめた。

さめてからいかにもふしぎの気持がして、大蔵卿局にいうと、老尼はさっそく京から陰陽師《おんみょうじ》をよび、淀殿に拝謁《はいえつ》させ、夢占いをさせた。

「もったいなや、かほどの吉夢を占ったことがございませぬ」

と、陰陽師は、この日本第一の——というより東アジア随一の富豪——の家に追《つい》従《しょう》する気持もあったのであろう、笑み崩れながら、そう言った。

陰陽師によれば、若草山に出た春駒は、秀頼だというのである。それが、晴れきった空の下で若草を食んでいる。時は春であり、春は未来の象徴というべきであろう。右大臣様の将来は、これによってきわめて安全であり、思い煩《わずら》うようなことはなにひとつない、といった。

慶長五年の関ヶ原の敗戦いらい、そのことのみが気ぶせりだった淀殿は、一時に雨雲が去ったあとのような晴れやかな気持になった。彼女は莫大《ばくだい》なほうびを陰陽師にあたえたばかりでなく、この吉夢を神の力で定着させようとした。

黄金は、城の蔵に満ちている。

一大興行をしようとし、さまざまに案を練って、京の公卿《くぎょう》たちにそれを頼んだ。京の公卿たちは、太閤生前のように大坂へたえずやってきていたから、事はすぐ運ばれた。

連歌興行をするということであった。それを、秀吉を祀《まつ》る京の豊国大明神社の社頭でもよおす。

「御袋様ご夢想連歌会」

というのが、その催しの題で、京の公卿や官人など、歌の名手が十六人えらばれ、十一月十九日、巳《み》ノ刻《こく》（午前十時）にはじまり、申《さる》ノ刻（午後四時）までおこなわれた。

参加した宮廷歌人は、日野大納言輝資《だいなごんてるすけ》、広橋大納言兼勝、勧修寺《かじゆうじ》中納言光豊、正親町《おおぎまち》少将時直、吉田二位兼見らである。

淀殿はむろん、彼女のその後の生涯もそうであったように大坂を離れない。名代人《みようだいにん》を出し、最初の三句を奉納した。

春駒や若草山に立ち出でて
思ふことなき事ぞうれしき
長閑《のどか》にもなるや心のさそふらん

これにつづけて、吉田二位兼見が、

「雪とけけらし軒の玉水」

と、詠《よ》んだ。

京の公卿たちは、淀殿の気鬱の原因を、たれよりも知っている。関東の圧迫と、秀頼の将来への不安と危惧《きぐ》であった。吉田二位は、冬の雪が春の陽に融《と》けて軒から玉のような水がしたたっている、と、彼女の心境を思いつつめでたく詠みあげたのである。

……ところで。

淀殿のいう於千のことである。淀殿はその秀頼が迎えた妻について大蔵卿局とやりとりしていたが、次第に不愉快になってきて、

「尼や。あなたは、私が於千をむかえたことをよろこんでいるとお思いか」

と、切るようにいった。

「ちょっときくが、於千は何者です。何者だとお思いです」

(何者でもおわすまい。於千様は、この御方さまにとってめいにあたられるお方ではないか)

と、老尼はおもいながらも顔に出さず、にこにこ笑っている。

老尼は淀殿についてなんの不満ももっていないが、ただ於千のことになると、にわかに気持を波立てることだけが不満であった。

帳《とばり》の中

筆者《わたし》のはなしは、慶長八年七月二十八日の千姫と秀頼《ひでより》の婚礼のあたりで前後し、低迷している。

ともあれ、わずか六歳のむすめと十歳の少年をむすびつけるこの婚礼ほどおおじかけなものはむかしもいまも、あったためしはない。京から大坂までのあいだ、婚礼の荷駄が蟻《あり》の列のようにつづいた。なにしろ江戸の新政権が、大坂に残存する名誉政権に娘をやるのである。呉服や道具類は、比鷲見《ひわしみ》栄任という日本一の呉服師がいっさい仕切ってやったが、婚礼の大まかな輪郭については、徳川家康みずからが指揮した。

ところが、当の婿《むこ》どのの母親は、

「於千《おせん》とは、寝かせるな」

と、ひどくなまなことばで、婚礼における大坂方のいっさいをとりしきっている大蔵卿局《おおくらきょうのつぼね》に、念を押したのである。

(なにを、当然なことを)

と、老尼《ろうに》は、淀殿《よどどの》の気のいらだちようがおかしかった。十歳の少年が、六歳の少女に、なにができるというのであろう。

が、婚礼である以上、その形式だけはととのえねばならない。儀式は、室町礼法による伊勢流でおこなわれたが、そのすべてのコースがおわったあと、待上臈《まちじょうろう》が千姫の手をひき、彼女のこの日以後の住いとなる御殿につれて行った。寝所に入ると、そこに朱塗りの角《つの》だらいがおかれている。その朱のうつわのなかに清水が張られており、

水のなかに青石が三つ、それに穂長《ほなが》がひとすじ入っていた。その朱と青のうつくしさに千姫がおもわず声をあげ、

「これ。――」

と、水のなかの青石をつかもうとしたが、待上臈はその袖《そで》をひいて無言でたしなめ、杓《しゃく》をとって水を汲《く》み、姫に唇を寄せさせた。それによってうがいをつかわせ、つづいてその小さな掌《て》をひらかせ、指どもに水をそそぎかけた。姫はこのあそびをおもしろがり、

「――このあと」

なにがはじまるのです、と千姫は目をあげて、江戸から自分に従ってきた乳母の津《つ》辻《つじ》のほそい顔を見た。津辻は目顔で、

――おしずかに。

と、たしなめただけであった。

すでに帳台には寝床が支度されている。儀式の本来からいえば、嫁はさきに寝衣にきかえ、その寝床に入って、あとで入室してくる婿どのをみちびかねばならない。

しかし、双方幼なすぎた。

このため、この夜のことは儀礼だけにとどまった。

やがて秀頼が入ってくると、千姫は、用意された膳部《ぜんぶ》を秀頼の前においた。膳の上にはまず餅《もち》が一つのっている。さらに鰭《ひれ》の吸物が一椀《わん》、取肴《とりざかな》が一皿といった簡素なものである。まず秀頼が吸物の椀をもちあげ、ひとすすり吸う。吸うと、千姫へさしだすのである。それが、床入りの儀式であった。千姫が吸い、それを、

「どうすればいいのです」

と、待上臈にきいた。

「上様にさしあげますように」

と、待上臈は命じた。つまり一椀の吸物を吸いあって、婿どのの側でおさめる、ということであった。

(これが、わたくしの婿どのか)

あらためて千姫は、秀頼を見た。

このように互いに対《むか》いあったのは、盃事《さかずきごと》のときに次いで、いまが二度目である。

千姫は、六歳の少女らしく無遠慮にみた。

秀頼の顔は色白で下ぶくれで、瞳《ひとみ》が黒く、千姫は江戸のころにこれほど秀麗な少年をみたことがないようにおもえた。ふるまいは鷹揚《おうよう》で、付《つき》上臈のいうがままにゆったりとふるまっている。

千姫は急にこの少年と話がしてみたくなり待上臈にむかって、

「このあと、お話があるのですか」

と、きいてみた。

津辻が、背後からまた袖をひいた。しかし千姫のこの少年への好奇心は、それだけではおさまらなかった。婿どのというが、婿どのとは自分にとってどのような存在なのか、まだよくわからない。が、少年の話を聞きたい。この少年はこの城で、毎日どのようにして暮しているのか。

が、千姫のこの希望は、むなしくなった。少年は、かしずかれている上臈たちの付属物のようであり、この儀式がすむと、上臈たちがまず膝《ひざ》をにじらせ、その膝から糸でも出ているのか、その糸にひかれるようにして少年は千姫のそばを離れ、やがて消えてしまったのである。

消えてしまったきり、歳月だけが流れた。

もっとも、その後千姫が秀頼を一度も見なかったということはない。

豊臣家は、客の多い家である。京から、秀吉生前のころとかわりなしに公卿《くぎょう》や門跡が下向してきて、秀頼の機嫌を奉伺する。そういうときは、秀頼だけでなく、淀殿も出る。千姫も出なければならない。三人が上段でならんで、あいさつをうけるのである。そのほか、月の十八日の故太閤の忌日や、そのほかさまざまの儀式のときは、秀頼とならぶ。が、それがおわれば千姫は自分自身の殿舎のほうにひきさがってゆくだけで、秀頼と口をきいたことなどは、ほとんど一度もなかった。要するに姫にとって少年は、儀式における相手というだけのものであり、このふしぎな、たがいに人形のようである関係は、慶長八年の婚礼のとき以後、すこしも変化せずにつづくのである。

ただ、秀頼の側だけに変化はあった。

秀頼が十四歳になった春、淀殿は大蔵卿局を相手に世間のことなどを語っているうちにふと、

「尼や」

と、目をいそいでしばたたかせ、声をひそめた。

「右大臣家（秀頼）は、もはやもう、ご成人なされておるのではあるまいか」

婦人に接してもいい齢《とし》になったのではないか、ということである。

老尼は、考えこんだ。

「どうでございましょう」

と、即断をおそれるようにつぶやいた。ちかごろの秀頼の様子をみるのに、所作はまだこどもっぽくはあったが、声がかわり、口辺に薄ひげがはえ、背も並以上に高く、なにやら男臭さがにおいはじめているようでもある、伽《とぎ》のための婦人を近づけてもいいのではないかと思われるが、しかし即断は危険だった。あまりに早いころに婦人に接したために骨がかたまらず、命を縮めたというはなしをよくきく。

「一度、宮内卿《くないきょう》どのともご相談して」

と、老尼はいかにも重大な政治を議しているような、そんな慎重さでいった。豊臣家にとっては、こういうことが政治であるかもしれなかった。ついでながら、宮内卿局とは秀頼の乳母であり、豊臣家女官のなかでは、淀殿の乳母である大蔵卿局につぐ位置にあった。

その夜、彼女らは、奥の一室で会合した。秀頼付の二位局、右京大夫《だゆう》局、正栄尼《しょうえいに》などとも顔をならべていた。

「どうか」

と、大蔵卿局は、それぞれの感想をもとめた。秀頼付のどの婦人たちも、湯殿などで見る秀頼のからだの変化に気づいており、

「尼どのこそ、お疎《うと》いこと」

と、かえって大蔵卿局のうかつさを笑ったりしたため、老尼はあわててしまい、

「左様かえ。私とすれば存じもよらざることであったが、みなみなさまは、左様なことにはお敏《さと》いことよの」

といった。そのあと、話がいよいよ重大なものになった。お伽にはたれがよいかという人選のことであった。

この議事の重大さは、将来においてははかり知れぬものになってゆく。もしその伽にあがる婦人が豊臣家のつぎの相続者をうむとすれば、当然ながら第二の淀殿として豊臣家における権勢の人になるであろう。

それだけに人選は困難で、むろん多少の素姓のよさも要るし、健康であることも必要であったが、なによりも、いまここで評定している彼女らにとって好もしい者であることが、必要だった。

何人もの名前があがったが、しかしひとによって好悪《こうお》がまちまちで、全員の一致というようには、とてもまとまらない。

「いっそ、政所《まんどころ》(千姫)さまのもとにおかよいなさればいかがでございましょう」

と、気のいい右京大夫局がいった。ああ、政所さま、とはじめて気づいたようにうなずく者があったほど、千姫は、この婦人たちから、このことに関しては忘れられて

しまっていた。

　が、大蔵卿局はあきれたような顔で、右京大夫局をながめていたが、やがて、あなた正気ですか、といった。

「ああ、お齢が」

　と、右京大夫局がいった。千姫は、十歳である。いくら大柄とはいえ、十歳では閨《ねや》のことはあるいはむりかもしれない、と右京大夫局がおもったのだが、大蔵卿局のいう正気かというのは、そういうことではなかった。

「政所さまのことについては、申すも憚《はばか》られることですが、御内意があります」

　と、大蔵卿局はいった。御内意とは、淀殿の、である。秀頼が千姫の殿舎に渡ることを、淀殿が好まないのだという意味らしかったが、この時代、主人の意思を、家来があからさまにいうことは非礼とされているために、大蔵卿局は「御内意」とのみいった。ついでながら、大蔵卿局の豊臣家における権勢のもとだねは、彼女のみが「御内意」をうけて他の者につたえるという、そういう立場のなかにあった。

　また話題が人選にもどったが、ついにきまらない。

　翌日も、評定がつづいた。

　この日のはなしのなかで、

「お由志《ゆし》はどうであろう」

と、一座のなかで大蔵卿局につぐ年かさの二位局がふといった。

なるほど、お由志をわすれていましたな、という者もある。

お由志は秀頼付の侍女のひとりで、日常の起居の世話をしていた。しかし難をいえば、秀頼にとってあまり日常的な存在で、身近すぎる、ということであろう。

「はて、お由志などを、右大臣さまはおよろこびなさるかどうか。殿御とは、遠い花こそ厳《いつく》しくもあり、美しくもある、とおもわれるものだと申しますぞ」

老尼はいかにも男の心に通じているかのような知ったかぶりをいったが、一座のたれもが感心しない。それはその、殿御によるのではございますまいか、と右京大夫局が反論をとなえた。

そのようなことで、この日もきまらなかった。

これらの評定の経過は、すぐ洩《も》れた。うわさになって侍女たちのあいだでささやかれたから、当然、お由志の耳にも入った。

「お由志どのの筋目について、上臈のみなさまが取り沙汰《ざた》なされておりましたそうな」

と、伝える者が、いった。

（ばかな）

と、お由志はおもわざるをえない。秀頼の幼いころからその身辺に仕えてきて、湯殿での世話からお髪《ぐし》をととのえること、寝巻に着かえさせてその就眠を見とどけることから、朝の身支度にいたるまで、彼女が手をつくしてきたが、その少年を、一人の男として恋うてみるというような、そういう相手として考えたことはなく、想像することも、できなかった。お由志は、十六歳であり、秀頼よりも二つ姉である。日常、城内の若衆たちを見る機会も多く、そういうなかで、べつに特定の者を想《おも》うているわけではなかったが、自然の情としても好もしい若衆の型というものが、お由志のなかにできはじめている。

（まさか、右大臣さまと）

どう想像しても、秀頼が男のにおいを帯びてせまってこないのである。

ところで、上臈たちの評定は翌日もつづけられた。結局は結論がでず、すべて淀殿にきめてもらうことにした。

そのことを、大蔵卿局が申しあげた。

「出た名前を、申してみなさい」

と、淀殿はいった。

大蔵卿局は、いろいろ批評を加えつつ名前をあげてゆき、その名が、二十人にもおよぼうとしたころには、淀殿はもう上気し、しきりに頭痛を訴え、脇息《きょうそく》の上の体が、いかにも重げになっていた。やがて、胸が苦しくなってきた。

大蔵卿局は、淀殿を襁褓《むつき》のころからそだててきただけに、彼女がいまなにを思っているか、分身のようにわかっている。

「お辛《つろ》うございますか」

大蔵卿局は、からかうようにいった。こういうときは、そういう言い方が、かえって淀殿の気持をくつろげてやるのに効果的だということを、この老尼は知っていた。

「いかなることがあってもお袋さまこそ無二のお人におわすことは、右大臣さまはよくご存じでございます。されば、お心をお広うに」

「わかっている」

淀殿はうなずいたが、いざ名前を決めようとすると、胸のあたりが苦しくなる。やむなく、日を置くことにした。十日ばかりして大蔵卿局をよび、

「お由志が、よい」

と、意外にかるがるといった。お由志ならば心映えもよく、それになによりもあれは幼いころから奉公してきたゆえ、わが意のままになるような気がする、といった。

「筋目も、伊勢きっての名門の北畠《きたばたけ》氏じゃ」

と、淀殿はいった。

（そうだろうか）

大蔵卿局は、おもった。お由志は北畠氏でなく、成田氏なのである。

伊勢国河曲郡須賀《かわわのこおりすか》の地侍で成田左衛門という者があり、織田家が伊勢を合併してから当時木下藤吉郎といっていた秀吉につかえ、その子の弥太郎という者が、淀殿の若いころ、秀吉から山城国淀城をたててもらった時分に、秀吉の命で淀殿付の侍になった。お由志はその弥太郎の娘であり、淀殿にとって父娘二代の奉公人であるため、ずいぶんと目をかけてきたし、秀頼の幼いころからその肌に触れる役目にお由志をえらんだのも、そういう因縁によるものであった。

「お由志がなぜ、北畠氏でございます」

と、大蔵卿局はいった。北畠氏は、伊勢きっての名族で、南北朝のころの公卿北畠親房《ちかふさ》から出ており、伊勢に土着し、戦国期になっても近国の大名たちから「伊勢の御所」とよばれ、別格のあつかいをうけてきた。それをほろぼしたのは、信長であったが、淀殿にいわせると、お由志の成田氏は遠いころに北畠氏から支《わか》れた家で、だから北畠氏であるといおうとすればいいえぬことはない、という。

（よくまあ、ご存じだこと）

と、大蔵卿局は感心した。淀殿は、世間の知識というものがさほどにあるほうではなかったが、公卿や武家の名族の家譜や家系にだけは関心がふかい。要するに、たとえお由志が秀頼の子を生んでも、その筋目は、こじつけてみればまあわるくない、ということであった。

そんなことがあって、お由志は、秀頼の御乳《おち》の人さまといわれている宮内卿局によばれ、

――今夜から、上様に対し、おとなの事を教え参らせよ。お袋さまよりのお言いつけである。

と、申し渡された。

お由志の生涯にとって、このときほど気持が動転したことはなかったが、ふしぎなことに、それ以前に感じていた秀頼そのひとへの女性としての私情などはつゆも湧《わ》いてこず、主命のみが重く感ぜられた。さしあたって、おとなの事というものがどういうことか、それが教師であるべきお由志自身にもさだかではない。その程度の自分でこの主命が果せるかどうか、その一事だけが胸を狂おしくさせたというから、武家奉公人というのは、格別なものであった。

「宿に、三日ばかりさがっているとよい」

と、いわれた。

お由志には姉がある。この城の弓組の大将をつとめる青木隼人《はやと》という者の妻になっていたが、その姉のもとにゆき、さまざまのことをきいた。

その当夜、教えるという、そのことのためにお由志は不安であった。のどの奥が、火が熾《おこ》っているようにかわき、胃のあたりまで妙にうずき、そのくせ男を迎えるための情念などは、すこしもおこって来ないのである。お由志もまた変形ながら花嫁の一形態であるとすれば、処女《むすめ》の身で未熟の少年に身の覚えもないことを教えねばならぬという花嫁が、どの国にいたであろう。

この夜、宮内卿局がとりはからったためか、秀頼はすでに寝所に入っていた。

お由志は、帳外で香をたき、お由志でござりまする、とそれだけいった。声は十分帳内にきこえたはずであったのに、耳をすましても、秀頼の返事がかえってこない。

お由志は、勇を鼓《こ》して帳《とばり》のすそをわずかにあげた。その練絹《ねりぎぬ》が腕《かいな》にひどく重かったが、お由志はつぎの行動に移らねばならない。腰をまわし、帳内に身を入れた。

なかが暗く、秀頼の気配がない。が、目をこらしてみると、意外な事態に気づいた。臥《ふ》せているとばかりおもっていた秀頼が、床の上にすわっていた。気配が感ぜられなかったのは、秀頼が息を殺していたせいかもしれない。

「お由志」

と、秀頼がいきなり手をのばしてお由志の腕をとり、すさまじい膂力《りょりょく》でひきよせ、ひざの上にひきたおした。あおむけざまに倒されたお由志にとって、世界が上下転倒したかとおもわれるほどの衝撃であった。教えるべき自分が、秀頼の力の下に組み伏せられ、行動の原理を一瞬でうしなった。あと、なにをすべきか、懸命に考えようとしたが、意思も抜け、力も溶けた。

秀頼は、男としてふるまいはじめた。昼間、つねにお由志らの手にかからねば身動きひとつできぬ秀頼はこの帳内のどこにもおらず、男だけがいた。お由志は、悲鳴をあげようとする自分を、かろうじてこらえた。かねて男とはこうであろうと想像したよりもはるかにすさまじい力が、お由志を裂き、内臓を圧迫し、しかも苦痛は、お由志の体中の血を酒に変えるほどに変化させた。秀頼への愛が、泣き叫びたくなるほどに湧きおこってきた。

朝が、きた。

秀頼はようやくお由志を放し、

「お由志、このこと、お袋さまには申しあげるな」

と、いつも大声でしか物を言わない秀頼にしては、別人がささやいているような声で、そうささやいた。お由志をこうも愛してしまえば淀殿が悲しむかもしれぬというのか、その意味はお由志にも判じかねたが、すくなくとも秀頼は、淀殿という母親がどういう心の姿で生きているかを、知っているらしい。

そういう考えぶかさというか、感受性のようなものがこの秀頼に備わっているということを知ったのも、お由志のおどろきであった。

国松

——大坂の女ども。

と、よく江戸の柳営《りゅうえい》ではささやかれる。そのささやきのように、大坂城という、東アジアにおける最大の城塞《じょうさい》は、女の城であるかもしれなかった。

この慶長十年代前半において、この城内での最大の事件は、ひとりの婦人が、豊臣家のたねをみごもったことであった。父親はいうまでもなく右大臣秀頼《ひでより》で、ときに十五歳である。すでに生殖能力があった。母体は、かれの侍女で、お由志《ゆし》十七歳である。

単に生物的現象にすぎないこのことが、人間どもの世の中では、それだけではすまない。

やがて出産した。男児であった。

淀殿《よどの》は、これより前、お由志がみごもったということをきいたとき、

「上様、ようなされた」

と、まわりの侍女が顔を赤らめるほどのはしゃぎようで、秀頼をほめた。秀頼が、生物として十分な機能をはたすことが、この城をめぐる権力の事情のなかでは重大な仕事であった。

さらに、お由志が出産した子が男児であることを淀殿が知ったとき、いそぎお由志の産褥《さんじょく》を見舞い、

「お由志、お大事にしや。お家にとってそなたほどの手柄者はありませぬ」

と、いった。

この児《こ》のよび名は、国松とつけられた。豊臣家にとって、太閤《たいこう》の死後十年で、三代目の後継者ができたことになる。その生母であるお由志の地位は、出産と同時に飛躍した。彼女のために殿舎があらたに設けられることになり、彼女のよびかたも、変った。

と称せられるようになった。城内きっての権勢家である大蔵卿《おおくらきよう》局ですら、お由志の前へ出るといんぎんに拝礼し、伊勢のお局さま、とよんだ。

十五歳の秀頼には、このようなふしぎさが、まだ実感としては理解できない。かれにすればさほど困難な事業をしたというおぼえもないのに、城内のおんなどもが湧《わ》くようにさわぎ、よろこび、口々に豊臣家の前途を祝福している。

「わしはそれほどのことをしたのか」

と、乳母の宮内卿《くないきよう》局にきくと、左様でございますとも、とこの豊臣家の女どものなかではもっとも謹直な婦人でさえ、両眼に力をこめてうなずくのである。

秀頼は、わからなかった。

「故太閤殿下は、ご若年のころから戦場をかけまわられ、ご苦心のすえ乱世を統一し、天下をしずめられ、その大功、古今に比類なしときいている。しかしわしは」

それほどのことをしたわけではない、というと、宮内卿局は、いいえ、なされたのでございます、と断定した。上様は太閤殿下の御遺産を継承なさる、という大仕事がおありで、このことは太閤のご創業とおなじぐらい大きなお仕事でございます。

「継承することがか？」

「それと、次の世へお渡しなさることも」

と、宮内卿局はいうが、秀頼にはそれが大仕事であるとはどうしても思いにくい。太閤の遺産つまり「豊臣家」を継承してゆくということは、要するに秀頼が生きていればいいというそれだけのことになるのではないか。ただ生きていればいいということが、それだけの大仕事なのか。

「どうなのだ」

と、秀頼が問い詰めるようにして言ったが、聡明《そうめい》な宮内卿は、この答えがたい質問に対しては沈黙する以外に賢明な方法はないとおもい、だまっていた。しかし肚《はら》の底では、

（上様は生きていらっしゃるという、それだけを生涯の目標になさるべきだ）

と、おもっていた。貴族とは、家系を絶やさないというそのことのために、生物として生存しているというその一事が人生の目的であるべきであり、大仕事とすべきことなのである。さらには生殖をすることも、秀頼がやるべき大仕事であった。生殖をして次代に豊臣家をのこさねばならない。淀殿も宮内卿も、あるいは他の女官たちも、男ならばいざ知らず、女であることの実感をもってこの点、ことごとく一致していた。秀頼というこの少年が、それ以外のことを考える人間になってしまうことを、極度に

おそれている。このときも、わずかにそういうことへ話題がゆきかけた。

「故太閤の遺されたものというが」

と、秀頼はいった。太閤の遺産は、この城と豊臣家の天下というものである。しかし遺産であるべき天下は、江戸の徳川家康にとられてしまっているではないか。継承できないではないか、と秀頼がいうと、そのことについても宮内卿局は賢明な沈黙をつづけた。しかし秀頼の質問はしつこかった。宮内卿局はやむなく、家康どのはご老齢でございます、いずれはこの世を去りましょうから、そのときは、いま心ならずも江戸のほうに従っている太閤殿下旧恩の大名どもも大坂へ帰ってくるにちがいございませぬ、そのことはお心を悩ますべき事柄ではございませぬ、といった。


国松誕生の報は、すぐ江戸にきこえた。むろん駿府《すんぷ》に隠居所をかまえている家康の耳にも入った。

——一大事でございます。

と、この事の重大さを強調したのは、謀臣の本多正純《まさずみ》である。正純は、四十三になる。関ヶ原のころまで家康にとってほとんど半生、いわゆるお側《そば》離れずの謀臣をつとめた父の正信は、なお存命しているが、ちかごろは新将軍の秀忠付になり、かわって家康の謀臣は、正純がつとめている。

父子二代にわたって主家のために謀略顧問をつとめ、秘密政治に参加したというのは古来類のないことだが、それだけに父子とも徳川家の諸将におそれられ、蔭《かげ》ではとやかくいわれている。しかし人柄はかつて「狐《きつね》」といわれた父正信のほうがまだしもすぐれているといわれた。正信は家康と秘密を共有する関係上、ひとの恨みを買うことをおそれ、保身のためにつねに身辺を清潔にし、財宝をむさぼらず、恩賞すら辞退しつづけた。徳川家に対して正信はあれだけの大功をたてながら、徳川家の天下になったこんにちでもなお、その封禄《ほうろく》は相模甘縄《さがみあまなわ》でわずか二万二千石であるにすぎない。

しかし、正純は、この父とはまるで性格がちがうようであった。父がひとに憎まれまいとしてあくまでも少禄に固執したことをひそかに嗤《わら》い、「父はものがたすぎる。功相応のものを得るべきだ」として、幕下の諸大名からの賄賂《まいない》なども、遠慮なしにとりこむようになっている。

「一大事」

というそのわけを、正純は雄弁に弁じた。この点でも、鷹匠《たかじよう》から抜擢《ばってき》された父の正信の対家康の態度とはちがっていた。正信は家康の謀臣としての全生涯を通じて、つねに家康から問われたことだけを答えるという態度を終始し、ほとんど自分から持ちこみ、長広舌《ちょうこうぜつ》をふるったことはない。が、子の正純は自信家であるというだけでなく、うまれながらの大名であるということもあってか、家康に対してすら、あまり遠慮するところがなかった。

「国松君のうまれ給《たま》いしこと、世の乱れのもとかと存じ奉《たてまつ》ります」

というと、家康はその大げさな言い方をあざわらって、

――小伜《こせがれ》が小伜を生んだ。なんのことやはある。

と、まゆをひそめ、小声でいった。

が、家康の正直なところ、関ヶ原で天下を得てこのかた、これほど不愉快な事柄に接したことがなく、いまその感情を懸命におさえている。

家康にすれば、豊臣との平和を考えればこそ、かれが孫たちのなかでもっとも愛している千姫を秀頼に娶《めあわ》してやった。この千姫を大坂に送ったことは、家康にいわせればかれ自身の本意ではない。故秀吉が、頼んだ。秀吉は死の床にあって「秀頼のこと成り立つように」とあらゆる配慮をしたなかで、孤児になる秀頼のために、秀忠の娘、家康にとっては内孫にあたる一歳の千姫を嫁にし、家康が末ながく舅《しゅうと》として後見してくれるよう家康の手をとってたのんだ。家康はそれを承知したが、その翌々年が関ヶ

原の合戦である。この一戦で、豊臣家の政権をうばった。

が、家康は約束を反故《ほご》にしなかった。

――太閤のご遺志である。

と、突如言いだし、そのような「ご遺志」については、手違いからなにもきかされていない淀殿のおどろきを無視し、公表するやあわただしく大坂に千姫を輿入《こしい》れさせた。このことは家康にとって、故太閤の遺志に忠実であるという道徳上の課題ではなく、あくまでも政治的意図から出たものであった。関ヶ原のあと、なお徳川の天下はやわらかい。天下の諸大名の大半は豊臣恩顧の者であり、それらのうち、わずか二、三ではあるがなおも心服しきっていない者があって、家康の対豊臣家の態度をうたがわしく見ている。その時期に家康が千姫を大坂にやるという、いわば強者が弱者に人質をくれてやるということをしたのは、徳川家の天下を地固めをするためであった。

むろん表むきの理由は、徳川家と豊臣家の千年の和平をちぎるというためである。であるのに、秀頼はその侍女におのれのたねをはらませるとはなにごとであろう。

「あれもこれも」

と、正純がいった。

「お袋さまのお手くばりでございます」

正純がいうのに、秀頼などはなにも知らない、その無智《むち》の少年に侍女をあてがって子をうませる結果をつくったのも、淀殿のさしずである、というのである。これは徳川家の好意に対する重要な裏切り、つらあてではないか、という。

「たかが女のやることだ」

と、家康はわざと笑おうとした。

しかし正純はなお重要な情報をもっていた。かれの手もとには、絶えず大坂城内のことがらをしらせる情報があつまっている。情報の送り手は、千姫の側近である。

「摂姫《せつひめ》さまは」

と、正純はいった。摂姫とは、摂津へ嫁入った姫君ということで、千姫のことをさしている。

「申すもはばかることでございますが」

声が、ひくい。

「なにがだ」

「いまだ、生《き》むすめにおわしまする」

「あたりまえのことだろう」

家康はいやな顔をした。十一歳の身空で、すでに閨《ねや》の妻になっているほうが、むしろおかしい。

しかし正純はそのことを言おうとしているのではなく、秀頼は千姫をむかえていらいここ五年というもの、一度も千姫の殿舎におとずれたことがない、と正純はいうのである。

家康は、顔色が変った。

正純はさらにいった。大広間での公式の儀があるとき以外は、この夫婦は顔をあわせることがなく、秀頼のほうから渡って来ないばかりでなく、千姫の側の侍女などが、淀殿や秀頼が住んでいる殿舎にゆくことを先方は阻《はば》んでいる、というのである。

「それはなぜかね」

「淀の御方様は、姫君さまのおつき衆を、江戸の隠密《おんみつ》であると申されているとかで、それによって秀頼御所のご日常をいっさいお見せせぬということらしゅうございます」

「女だ」

家康は苦い顔でいった。料簡《りょうけん》がせまい、という意味なのか、それとも別な意味なのか。

ここで、正純はいった。いま国松君がうまれ、この世における秀吉の血統は二人になった。大坂のお城衆はさぞ心強くおもっていることであろうが、考うべきは、千姫に対するお城衆の仕打ちである。いよいよお城衆の敵対意識がつよまり、千姫の日常はちょうど針のむしろにすわらされたようになり、その苦しみが増してゆくのではないか、というと、家康ははじめて声をたてて笑った。

「上野《こうずけ》、女くさい話はやめよ」

愚にもつかん、という。ついでながら上野とは、本多正純の官名が上野介《こうずけのすけ》であることによる。

「大坂は女の巣だ。自然、そこから出てくるはなしはたれそれが意地悪をするとか、何某が秀頼の情けを受けたとか、於千《おせん》は声もかけられずに可哀《かわい》そうじゃとか、そういうはなしばかりになる。そういう白粉《おしろい》くさい話が大坂から上野のもとに伝わってくるうちに、上野も伝染《うつ》って、いうことが女臭うなった。於千は苦労をするために行った。わしも於千の年ごろには人質にとられて苦労をした。人質が苦労をしておるというはなしは、女どもの涙をそそっても、男どもの話柄《わへい》にはならぬ」

「しかしゆくすえ、豊臣家の世子たるべき国松君の母である伊勢局の権勢があがり、姫君さまのお立場がお苦しゅうなりましょう」

「上野、まだ申しておるのか」

「申しておりまする。姫君のお輿入れについては、それがし御意《ぎょい》を体して奔走つかまつりましたによって、お苦しみのご様子を察し参らせると、身を切られるような思いがいたしまする」

「それが女の理屈だというのだ」

「たとえば、北政所《きたのまんどころ》さまのように」

千姫はなる、という。北政所は秀吉の正室であり従一位《じゆいちい》という位にまでのぼったが、しかし実子がなかったためいまの豊臣家も大坂城も、側室の淀殿とその侍女団のものになったも同然の姿である、将来、伊勢局と千姫の関係はそうなるのではあるまいか、と正純はいうのだが、むろん家康は一笑に付し、

「北政所になることが、むしろ仕合せなのだ」

と、家康はいった。

その北政所、通称寧々《ねね》は、関ヶ原前後から家康の保護下にあり、いまは京の東山のふもとの高台寺《こうだいじ》で、秀吉の菩提《ぼだい》をとむらいつつ余生を送っている。齢《よわい》六十六である。

彼女は秀吉の少壮のころ、秀吉をたすけて羽柴《はしば》家当時の家来衆の人事まで影響をあたえてきただけに、時勢のゆくすえを観望する能力が、あるいはなまなかな武将たち

よりも豊富にそなわっていた。秀吉が死んだとき、彼女は秀吉の死をもって豊臣政権の寿命は終熄《しゅうそく》させるべきであるとわりきり、彼女なりの家始末の構想をたてた。

豊臣家の筆頭大老で最大の人望をもつ徳川家康に政権を譲る、ということであった。そのかわり、秀吉政権のころその前時代の織田信長の血統が一大名として保存されたように、秀吉の遺児である秀頼も、徳川政権下で一個の栄誉ある大名として保護されることをのぞんだ。関ヶ原の前、彼女はその構想によって家康と意思を疎通《そつう》しあい、家康の応諾をとりつけると、彼女は全力をあげて家康を支持し、彼女の影響下にある加藤清正、福島正則《まさのり》らに言いふくめ、「どのようなことがあっても江戸殿の采配《さいはい》に従え」と、申しきかせた。この構想によって彼女は関ヶ原直前に大坂城を出てしまい、居を京都に移した。彼女が大坂城をすてたことによって、この城は、いわば淀殿の自由になった。

関ヶ原ののち、家康は、かれからすれば天下をとらせてくれたこの最大の恩人に対し、四季のあいさつを欠かさなかったばかりか、化粧料として河内の数カ村を割《さ》き、一万三千石という大きな食禄を提供した。

さらに北政所は、

「故太閤殿下のご冥福《めいふく》をいのるために、寺をつくってもらいたい」

と家康にたのむと、家康はむしろ大よろこびでその処置をし、東山山麓《さんろく》に壮麗な伽藍《がらん》をたて、高台寺と号し、あわせて山内に豊国廟《とよくにびょう》をも建てた。その高台寺が、いまの彼女の住いである。彼女は秀吉の死とともに正室としての世間の慣習により、髪をおろし尼姿になったが、いまはかつての侍女頭であった孝蔵主《こうぞうす》という尼を相手に、姿どおりの仏事にあけくれている。

家康は、千姫を大坂にやろうとしたときもこの秀吉の正室の手をわずらわした。淀殿という存在に対し、そのようなことを説得できる資格と立場をもっている者は、この北政所しかなかった。彼女は大坂城をすてているとはいえ、依然として豊臣家の奥むきの主宰者としての名誉と権能を留保していることにはかわりはなかった。淀殿もまた、橋渡しが北政所である以上、千姫を拒絶することができなかったともいえる。

北政所が、国松の誕生をきいたのは、夏のはじめの雷が北山のあたりで聞えている朝であった。大坂から当然正式の報告者が来たるべきなのに、彼女は他人の口からきいた。大坂に機嫌奉伺に行った日野大納言《だいなごん》輝資という公卿《くぎょう》が彼女の隠居所に立ちよって、そのことを語ったのである。

「於千どのの御子ではないのですか」

北政所は、声が大きく、表情がゆたかで、このときも最初は目をむき、千姫の子で

ないことがわかると、うんざりしたような顔をつくって、

「大坂のなさることは、すべてこうです」

と、輝資にはその程度の意味不明の感想だけを言い、あとで侍女の孝蔵主をつかまえて、

「私にすればここ十年、いろいろ算段し、秀頼どののお身の立つように心を砕いてきたが、秀頼どののお袋さまというのは、ひとつひとつそれをくずして秀頼どのをあぶない淵《ふち》へ淵へと押しだしてゆきなさる。第一、薄ひげもはえぬ年頃の秀頼どのに侍女の伽《とぎ》をさせるなど、どういうご料簡《りようけん》であろう」

と、いった。

この年のはじめ、当の秀頼はかるい疱瘡《ほうそう》をわずらい、このため朝廷では秀頼の平癒《へいゆ》を祈願するため内侍所《ないしどころ》で神楽《かぐら》が催されたりしたが、その後は夏も秋も大坂はなにごともなくすぎた。

国松のことはついに公表しない。

江戸もそれについては沈黙し、京の公家も大坂が公表しない以上、奉賀に大坂へくだることもなく、まず表面はなにごともない年になった。

片桐《かたぎり》

時は、すぎてゆく。

この間、秀頼《ひでより》がやった「事業」として後世にのこしえたものは、まず文字であった。「豊国大明神《とよくに》」という、父親の神号を紙いっぱいに書くことであった。七歳のときから、それを書いた。闊達《かったつ》で雄渾《ゆうこん》ですらある書風である。自分の父は神であることを、幼少の秀頼は、この神号を書きつづけることによって自然におもうようになった。

日本では、生きた政治家がときに神になりうる。古くは菅原道真《みちざね》が、天神になった。正しくは、道真の神号は天満大自在天神《てんまだいじざいてんじん》である。神たるべしとして神号をおくるのは、朝廷である。

道真に次いで、秀吉も神号を朝廷からもらい、神になった。ついでながら秀吉は、ひょっとすると自分は神になるかもしれないとおもい、死の床にあるとき、

「自分の屍《しかばね》は、土葬にせよ。まちがっても火葬にしてはいけない」

と、側近に遺言した。神道は日本古来の土俗であるため、死者は当然、土葬される。一方、火葬のほうは仏教渡来とともにつたわった。このため火葬をすれば仏になり、土葬をすれば神になるという素朴な宗教分類法が、秀吉にはあった。

お袋さまである淀殿《よどどの》も、

「大明神さまの御在世中に」

などという、おおげさなことばを、ときにつかったりする。太閤《たいこう》殿下などということばよりもはるかに偉大であり、そのほうがたとえば関東政権への押出しにもいい。彼女自身も大明神の第二夫人であったと思うほうが、あのなまぐさい秀吉についての記憶を浄化して自分を神聖化することで大いに気持がよかったし、秀頼についても、かれが大明神の遺児であるということで、世間もいっそうに憚《はばか》るであろうと淀殿はおもっていた。

その点、京都の東山のふもとで閑居している正室の北政所《きたのまんどころ》は、老尼《ろうに》孝蔵主《こうぞうす》などとひまばなしをしているときなど、

「つれあいがまだ存生していたころは」

といい、そのあたりの亭主同然にあつかって、さらさらしていた。寧々《ねね》とよばれたこの婦人は、秀吉のわかいころから苦楽を倶《とも》にし、彼女にとっての秀吉の欠陥である

女出入りの多さに苦労をした。尾張弁で人前かまわずに大喧嘩《げんか》をしたこともあり、かといってついに憎みきれないこの亭主の人柄のおもしろさを彼女以上に知っていた女性はいない。寧々は秀吉の死後、さっさと髪をおろして遁世《とんせい》し、亭主の供養《くよう》に専念するという世間によくある普通の後家どのの姿をとったが、後家になっても相変らず気さくで世話好きで、亭主の生前の話が出ると涙をこぼし、それだけに死んだ亭主に対し、ことあらためて「大明神」とよぶようなそらぞらしい気持にはとてもなれない。

しかし淀殿にとっては、そのそらぞらしさが大事であった。淀殿は正直なところ、なま身の秀吉を愛したという実感はついにない。が、愛情に似たものはあった。北政所や、他の側室たちに対する競《せ》りあう気持がそうであり、これは人一倍強かった。

秀吉の生前、大坂城には多くの側室が住んでいた。前田利家《としいえ》の三女である通称おまあ加賀局《つぼね》、近江《おうみ》の名家京極《きょうごく》氏の出の松ノ丸殿、蒲生氏郷《がもううじさと》の妹で通称とらといった三条局、織田信長の第五女三ノ丸殿、おなじく織田家の出の姫路殿、さらには宰相局といったふうに、かぞえれば十数人はいたそれらが、秀吉の死後、関ヶ原合戦までのあいだに、正室北政所をもふくめてほとんど大坂城から出てしまい、それぞれの実家にもどった。

残ったのは、淀殿だけといっていい。彼女が、天下第一の貴人である秀頼の保護者として、故秀吉の権勢の名残のすべてをひきついだ。しかも大坂城に位置するというふしぎな運命になった。淀殿にとって、むしろ秀吉の死後、秀吉が必要になり、その巨大な権威をことさらに誇示せねばならぬため、正室にとって「死んだ亭主が」というだけにすぎない秀吉を、淀殿にとっては「豊国大明神」ということになり、その神号を秀頼にもよばせ、さらには侍女たちにもよばせるというかたちになった。

「淀ノ方は、故太閤を、神号でおよびになっております」

という報告は、早くから家康の耳にも入っている。

「信心ぶかい人だ」

家康はそういっただけだったが、このふと洩《も》らした家康のことばを政策化したのは、その謀臣本多正純《まさずみ》であった。

関ヶ原の翌年の夏、本多正純が京にのぼったとき、大坂から、豊臣家の片桐且元《かつもと》が会いにきた。

正純は、ちょうどこのとき宿所の妙覚寺の南面ノ間で、遅い朝食をとっていたが、

「客はたれぞ。なに、大坂の老人か」

と言い、この訪客の名をきいたとき、にがい顔をした。べつに不愉快というわけでなく、且元の名をきくと、いつも、きまった反射がおこる。大坂者に対してはいっさいあまい顔はみせまい、見せるとつけあがる、というかねての思案が、そんな顔を作らせるらしい。

「待たせておけ」

正純は、箸《はし》を動かしながらいった。

権力というものは妙なものだ。秀吉在世時代は、本多正純などは秀吉の家来のそのまた家来であるにすぎず、一方、片桐且元は小身といえども豊臣家の直参《じきさん》であった。ところが秀吉が死に、その政権が、大坂側の感情でいえば家康に簒奪《さんだつ》されると、本多正純は天下人《てんかびと》である家康の唯一《ゆいいつ》無二の謀臣として諸侯に怖《おそ》れられる存在となり、一方、豊臣家の家老である片桐且元は、喪家《そうか》の狗《いぬ》ということばがあるように、尾を垂れ、首を垂れて正純の機嫌をうかがいにきている。すくなくとも正純は、片桐且元という老人をそう見ていた。

且元は、玄関わきの小部屋で待っている。両側塗りごめの妙な部屋で、なかが暗く、

風も入らず、蚕の室《むろ》のようにあつかった。かといって且元の人柄なのか、べつに軽くあしらわれているとはおもわず、

——京は暑いことだ。

と、何度もつぶやきながら、扇子をうごかしている。

且元のこの当時の身分と分限《ぶげん》は、位は従《じゅ》五位下で、官名は市正《いちのかみ》（東市正）、城は摂津茨木《いばらき》城で、禄高《ろくだか》は一万石あまりであった。職は豊臣秀頼の家老で、屋敷は大坂城内にある。

且元は年少のころ、

「助作」

とよばれて、そのころまだ壮齢だった羽柴《はしば》時代の秀吉の床几《しょうぎ》まわりの小姓（親衛隊士）をつとめ、戦場を往来した。同僚の小姓に、福島正則《まさのり》、加藤清正、加藤嘉明《よしあきら》などがおり、且元をふくめて賤《しず》ヶ岳《たけ》ノ戦いでいわゆる七本槍《やり》の功をたてたが、その後、同僚たちは大大名になっても且元だけが三千石の旗本としてすえおかれた。

「助作は小《こ》律義《りちぎ》な男だ」

と、加藤清正などがいったが、これは物堅いというより気が小さくておおぜいの人間の上には立てぬということであろう。それがひとつは国持の大名になれなかった理

由かもしれなかったが、且元自身はそうはおもっていない。且元のような豊臣家の子飼いの者のあいだにも、よい筋目とわるい筋目がある。よい筋目は秀吉の夫婦とおなじ尾張にうまれた加藤清正や福島正則らであり、かれらは秀吉と血つづきであったために、少年のころから北政所に目をかけられ、両人が二十代で大封《たいほう》の大名になったとき、世間では「北政所さまのあと押し」と見ていたが、且元にはそういう恩恵はなかった。

その後、秀吉の寵《ちょう》が淀殿に厚くなったころから、彼女を中心に自然な閥ができた。石田三成、長束《なつか》正家ら淀殿とおなじ近江出身の吏僚たちだが、かれらは家康討滅を企画したために、関ヶ原でほろびた。

且元は、じつは近江人なのである。そのくせ、同郷の石田三成や長束正家ともあまり親しくなく、親しくなかったことで石田の一味に加わらず、これがかえって幸いし、関ヶ原でほろびる運命からまぬがれた。

且元は秀吉の晩年、大名にはなった。ただし一万石であった。秀吉が死の床につくころになって、

「助作、拾《ひろい》（秀頼）の面倒をみよ」

と、秀吉にいわれた。

傅人《めのと》というのは、後見者のことで、家臣団中、第一等の者がなる。且元は秀吉から面倒をみよ、といわれはしたが、しかし秀頼の傅人になるという光栄をあたえられたわけでなく、秀吉が正式に傅人を命じたのは加賀大納言といわれていた豊臣家の大老前田利家であった。小身者の且元は、その利家の下にあって雑務をつとめる程度の存在だったにすぎない。しかし死期のせまるのを知った秀吉は、秀頼の将来をあやぶむあまり、且元程度の男にもありったけの世辞をつかった。

「助作、むかしをおぼえているか」

と、まだ少年だった且元が秀吉のもとに身を寄せたころの話などをし、

「そのほうはわしの数すくない手飼いの者である。秀頼についてのわしの不安がどのようなものであるかを、人にも増して存じているはずだ」

と言い、自分の死後、秀頼の世の立つよう心をくだいてもらいたい、とたのみつつ、さらに淀殿と且元の縁についてもふれた。

秀吉がほそぼそと語ったところでは、且元の父孫右衛門《まごえもん》は、淀殿のすでに亡《ほろ》んだ実家である北近江の浅井家につかえて多少の武功のあった人物であるという。とすれば且元にとって淀殿は、秀吉という因子を介さなくても父の代の主筋につながる。秀吉は、そういった。

病室には、数人の側室がいる。その側衆《そばしゅう》たちは、この初耳の事実におどろいた。片桐且元が近江人であることはたれもが知っていたが、父の代まで浅井家の侍であったことははじめて知った。淀殿とはよほど深い因縁ではないか。

（が、そうとすれば、おかしなお人よ）

と、みな思った。それほど深い因縁が淀殿とのあいだに潜在しているのに、この旧主家の血筋をひく淀殿に対し、そぶりにも懐《なつ》かしげな心を且元はみせたことがない。概していえば、この時代の人間は共通して人懐っこさをもっていた。主従のむすびつきのつよさも、それが道徳というより、この時代の人間の気分である人懐っこさから出ているのであろう。他の近江系の部将であった石田三成や長束正家などは、浅井家旧臣ではなく単に近江人であるというだけで淀殿に格別の気持をよせたのに、且元には、その気分が薄かった。薄情ということではなく、なにやらそういう愛嬌《あいきよう》やら面白味やらの欠けた男であるらしい。

秀吉が死に、関ヶ原がおこり、豊臣家は大坂の近国でざっと七十万石という一大名程度の分限にまで小さくなった。かつて傅人を秀吉から命ぜられた前田利家は秀吉の死のあとほどなく病没し、加賀前田家は豊臣家を去り、家康に付属した。

且元は関ヶ原の時期には、秀頼のそばにいた。自然、家康のもとにもゆけず、豊臣

家に残るかたちになった。家康は関ヶ原のあと、戦後処置をするために大坂城に入ったとき、且元をよび、

「そこもとが、御当家の家老《おとな》になりゃれ」

と、命じた。豊臣家の家政に家康がそのような命令権をもっているという、その法的根拠は、秀吉の遺言にあった。秀吉は死の前、家康に秀頼の政治上の後見人になってほしいとたのんだ。それによって家康は、且元に豊臣家の家老職たることを命じたのである。

——わしは江戸殿から命ぜられた家老職である。

ということを、且元はその後もしばしばひとにいっている。

「市正《いちのかみ》はそういう立場である。関東の内意をうけている男ゆえ、かまえてゆだんするな」

と、のちのち淀殿やその侍女団も警戒するようになったが、それまでの且元の大坂城における勢威はたいそうなものであった。なにしろ、江戸の威光が且元にある。その大坂城内の屋敷は、かれに媚《こ》びる者、関東の家康へ意思を通じてほしい者などが出入りし、門前つねににぎわっていた。

「いざ」

と、廊下で声がした。

本多家の家来がうずくまっている。ご案内つかまつりまする、という。且元は、その家来にまで丁寧に会釈《えしやく》して立ちあがった。

正純は、書院で待っていた。

「御用は。――」

と、正純は一通りのあいさつのあと、いかにも時を吝《お》しむかのようにせきたてた。

且元はわけもなく狼狽《ろうばい》し、いいえべつに用とてはござらぬが、京におのぼりなされたことでありますゆえ時候のお見舞かたがた――といった。

雑談は、例によって秀頼の近況が中心だった。秀頼が「豊国大明神」の神号をせっせと書いているということや、淀殿というのは神仏祈願になかなかご執心な方である、などという話を、且元はした。

「一体、何を神仏に願われるのであろう」

と、正純はとぼけてきいてみた。

且元はさすがにすぐには答えず、正純の顔を見た。答えるまでもなく、淀殿の祈願はひとえに秀頼の安泰と幸運をねがってのことだとは、世間のたれもが知っていることではないか。

「淀殿も、子をおもう心は、世間のなみな母親とすこしもかわりませぬ」

と、且元がいった。すると、正純は底意地がわるい。

「とすれば、秀頼御所のお身の上に、なにか不安なことでもあるとおおせられるか」

「めっそうもない」

且元はあわてて、世間の母の心と同様、病などに命を奪われることをおそれておられるのでござる、といった。

「奇特《きどく》なことだ」

正純は、大まじめにうなずき、

「いっそそれならば、どうであろう。天下由緒《ゆいしょ》の神明仏閣《しんめいぶつかく》にして荒れはてている所が多い。それらの堂塔伽藍《がらん》をくまなく再建《さいこん》してまわれば功徳《くどく》これに過ぎたることはござるまい。さすれば諸仏諸菩薩《ぼさつ》はおろか、天神地祇《ちぎ》も感応して、秀頼御所のご安泰をまもりましょうに」

「ははあ」

且元は、正純の座興だとおもい、他に話題を移そうとしたが、正純はとらえてはなさず、

「市正どの、いかがでござる」

と、声をはげましていった。

正純がもっともおそれているのは、豊臣家の富力であった。たとえば黄金だけでも天下の黄金の九割は大坂城に秘蔵されていることはまぎれもない事実であったが、その富の裏付けをもって一朝、豊臣家が六十余州の牢人《ろうにん》に檄《げき》をとばし、大坂城によびあつめるとすれば、わずかの日数で江戸幕府に対抗するだけの戦力をもちうるであろう。しかも指令者は豊臣秀頼ではないか。いま天下に牢人《ろうにん》、不平分子が満ちあふれている。かれらはいずれは秀頼の名によっておこされるであろう天下回復の大戦《おおいく》さを待ちのぞんでいるにちがいなかった。

正純の政略は、なによりもさきに豊臣家の富を減らすことであった。

「ぜひ、秀頼御所のご安泰のために」

と、正純はいった。

且元は、正純の真意をはかりかねて、だまっていた。且元にすれば神仏に頼むなどはおろかしいと思っている。いま現在の淀殿の神仏道楽ですら、家老の立場からすれば大きな浪費であるとおもっているのに、六十余州の神明仏閣を補修再興してまわれば、いかに豊臣家の財宝が史上空前のものであるといっても、数年にして底をついてしまうにちがいない。

（……ではないか）

　このとき、且元は吏僚として財宝管理のことのみを考えていたが、政略家の正純にはそれがひどく愚鈍にみえるらしく、これ以上はおどすほかないとおもい、声をいちだんとはげまし、

「市正どの」

　といった。

「なにを思案しておられる。このことは、江戸のあたりのご内意でござるぞ」

　且元は、突きとばされたような顔をし、わけもなく両手をつき、やがてすぐその見苦しさに気づいて手を膝《ひざ》の上にもどし、大きく息を吸いこむように背をのばしながら、

「承知つかまつった」

　と、つぶやいた。

　且元は大坂に帰り、淀殿の側近である大蔵卿《おおくらきょうのつぼね》局に対面し、そのことを告げた。大蔵卿局も、そこは女であったとしか言いようがない。彼女は社寺の再興修復というものがどれほど巨額な浪費になるかということにまったく気づかず、

「江戸殿も、仏心をおこされたかの」

　と、見当ちがいのことを言い、さもおかしそうに笑った。彼女は家康が淀殿の神仏

道楽をけしかけているということについて、家康の老齢のせいにした。老いてひとにも後生道楽《ごしょう》をすすめる気になったのであろう、というのである。

淀殿に異存はなかった。

この時期から十数年のあいだ、

「施主秀頼」

という名のもとに、諸国でおびただしい数の神明仏閣が再建され、修復されるにいたる。

ついでながら、そのうちのおもなものをあげておく。

摂津四天王寺　山城醍醐《だいご》三宝院金堂《こんどう》　京都豊国神社楼門　近江石山寺　河内誉田《ほんだ》八幡宮《はちまんぐう》　摂津勝尾寺　安土《あづち》総見寺　河内叡福寺《えいふくじ》　同観心寺　叡山横川《よかわ》中堂　大和吉野金峰山《きんぷせん》子守社　同蔵王堂　伊勢宇治橋姫祠　摂津中山寺　京都東寺南大門　京都相国寺法堂　摂津多田院　京都相国寺山門　京都等持院　京都南禅寺法堂　京都北野経王堂　京都東寺金堂　京都神護寺　山城石清水《いわしみず》八幡宮　奈良手向山《たむけやま》八幡宮　京都真如堂《しんにょどう》　尾張熱田神宮寺　尾張熱田誓願寺　大坂生国魂《いくくにたま》神社　京都北野天満宮　京都鞍馬寺《くらまでら》　山城上醍醐御影堂　出雲《いずも》大社　京都方広寺大仏　京都黒谷金戒光明寺《こんかいこうみょうじ》

有《う》楽《らく》

慶長十六年、駿府《すんぷ》の家康は六十九歳であった。目がわずかに霞《かす》むほか体に異常がなく、日課の射撃と馬術は欠かさない。わしはひょっとすると特別の人間かもしれない、百になっても戦場に立てるだろう、と、京からきた本願寺の門跡に大まじめに語ったりした。世間にきこえよ、とおもってしゃべっている。家康にとって健康ほど重要な政治はなかったかもしれない。かれがもし死ねば天下に変がおこる、豊臣政権が復活する、と期待しているむきが、世間にはある。そういう期待に対してたえず水をかけておかねばならない。

この年、豊臣期きっての教養人であり、秀吉びいきであった後陽成《ごようぜい》天皇が天子であることをやめ、宮廷をいろどっていた豊臣色が、一時に褪《あ》せた。あと十五歳の皇子(後水尾《ごみずのお》天皇)が立つ。その践祚《せんそ》の式に家康は出かけるという。

「ひさしぶりの京だが」

家康は、謀臣の本多正純《まさずみ》にいった。

「将軍（秀忠）までが上洛《じょうらく》することはあるまい。隠居のわしだけが出かける。それだけで礼は十分足りる」

と、家康はいった。徳川家が、事実上の皇帝なのである。げんにこの当時、家康に拝謁《はいえつ》したヨーロッパ人たちは将軍である徳川秀忠が皇帝であると解釈していたし、家康自身もそうおもっている。いつまでも、秀吉のころのように京の神聖王家に礼をつくすことは徳川家の威信にかかわると家康はひそかに思い、身軽な隠居の自分が出かければいい、宮中に吉凶あるごとに将軍が出かけるという悪《あ》しき習慣はこれでうちきってしまおう、とおもっていた。それがこんどの上洛になった。むろん家康が京へのぼる以上、天下の諸大名も、家康に随従すべく京にあつまるから、都大路にあってはひさしぶりに日本中の大名小名が顔みせをすることになる。

ところで、ただ一人来ない。

京から十三里くだった大坂城にいる豊臣秀頼《ひでより》である。かれは大坂城から出たことがなく、宮中にどれほどの儀典があっても出かけて来ない。

「秀頼御所は、ご自分の住まう御城をそとからおながめになったこともない。だからあの御城がどういう姿をしているか、それすらご存じない」

といううわさは、家康もきいている。淀殿《よどどの》が秀頼をそとに出したがらず、彼女はそとには魑魅魍魎《ちみもうりよう》がいて秀頼をとり殺してしまうと信じているらしい。

慶長十年の秀忠将軍宣下のときも、家康は大坂に対し、秀頼も出てくるようにと人を介して要求した。

これは、大坂では大騒ぎになった。主人たる秀頼が、家来たる徳川家の儀式のためにやってくるというのは、それだけですでに地位が逆転し、徳川家に臣従を誓うということになる。淀殿は悩乱し、秀頼を殺して自分も死ぬ、とまで言いさわいだため、沙汰《さた》やみになった。

それから六年経《た》つ。

「上野介《こうずけのすけ》（本多正純）、こんどこそは甘くはあつかわぬ。秀頼にそのようにつたえよ。践祚の儀式に出ずともよいから、その前にわしに会いに来るがよい」

ひきずり出してでも大坂城から出し、京の二条城において対面を遂げ、それによって豊臣家なるものはすでに徳川家の下に属するものであることを天下に公示しなければならない、と家康はおもった。

「わしは、相応の覚悟をしている」

とまで、家康はいった。もし出て来なければ武力に訴えてでも、というひびきが、その表現にある。ただし、表現であった。家康は武力に訴えようということを本気でおもっているわけではなかった。

家康の政治的計算能力というのは、古今に比類がない。豊臣家を武力によってつぶすというのは、いまの時期においていかに有害無益かということを知っている。家康は、将軍になった。すぐやめ、秀忠を将軍にした。幕府の形式はととのった。しかしその付属する大名の何割かは豊臣家恩顧の者であり、いつ乱をおこさぬともかぎらない。とくにその筆頭の加藤清正、福島正則《まさのり》などという者は両人あわせて百万石以上の実力があり、それに両人の性格は物事への情念がふかく、とりわけ秀頼への忠誠心というより、感傷が、老いとともに深くなっている。家康は、この連中が関ヶ原において自分の味方についたればこそ合戦に勝ち、天下を得た。家康にすればこの感傷家どもの秀頼への愛着心を無用に刺戟《しげき》し、事を荒だてて天下に乱をおこすようなことになれば、成立後まだまだ十年そこそこの徳川政権にとって大いに不為《ふため》である。

当分は位押しに押して、威力だけを示しておけばよい。それによって豊臣家が、従順な一大名の位置に甘んじるようにさえなれば、あるいは将来といえども武力をつかわずにすむかもしれない、とこの時期の家康はおもっていた。

「仲介は、有楽《うらく》どのがよかろう」

と、家康はいった。秀頼を京へよびつけるについて、家康には命令権はない。だから豊臣家と徳川家のあいだに立って奔走する役目の者が必要なのだが、それには故織田信長の十一番目の弟である織田有楽にたのむがよかろうと家康はいうのである。なるほど、豊臣と徳川のとりもちを織田がやるというのはおもしろいであろう。

本多正純は京へ先発した。京につくと、織田有楽だけでなく、秀頼を動かしうるあらゆる人物にこの一件を請けおわせた。豊臣家家老の片桐且元《かつもと》にも命じた。秀吉の未亡人の北政所《きたのまんどころ》にもたのんだ。北政所は、自分の子飼いともいうべき加藤清正と福島正則に説得役を命じた。

さて、織田有楽。この人物は、かつて関ヶ原合戦での政略工作の舞台でも登場した。合戦そのものにも出陣した。

しかしいまは閑居し、京の南郊の屋敷に住んでいる。この屋敷のあたりを現今《いま》でも京では有楽町《うらくちょう》という。正純はその屋敷へじきじきたずねて行き、頼んだ。

「まあ、茶なりと」

と、有楽はこの徳川家の食わせ者の官僚から用件をきくと、そこは世に経《ふ》りた老人だけに軽率には返答をせず、正純をせきたてて茶室へ請《しょう》じ入れた。亭主の座につくと、枯れ木のような老人である。家康と同齢であった。薄刃でするどく切り削《そ》いだような切れ長の目が、二十九年前に死んだ兄信長によく似ているといわれている。しかし気象や才能ということになると、兄弟でもべつものであった。有楽はほどよく世を渡ってゆくという分別がゆたかにあって、兄のような英雄の気分はない。ただ茶が好きで美術には南蛮好きの癖《へき》があるということぐらいが、兄ゆずりかもしれなかった。

「まるで、冬がもどってきたようだ」

と、有楽は炭をつぎ足しながらいった。庭の雪が、雨にとけはじめている。茶室のなかは燈明《とうみょう》がひとつほしいくらいに暗かった。有楽は、用件に入らない。正純はややいらだっているが、しかし老人にはまずその世間ばなしをきいてやらねばならない。

「わしのように齢《とし》をとると、寒いにつけ暖かいにつけ、物事にさからわずに生きていることが、第一の工夫でな」

といった。有楽は、自分が真冬のような厚着をしていることをいっている。

「ゆうべは一枚薄かったが、今日は一枚かさねた。無理がなによりもいけない。たえず気温にあわせて着るものをふやしたりへらしたりする」

(くだらない話をする)

と、正純は腹立たしくもあり、これが故信長公とおなじ血の流れている兄弟かとおもっておかしくもあった。

「お齢を召すと、その御用心が必要でございましょうな」

「駿府の君もそのようか」

「まことに。昼と夜とではかさねものを変えて肌を冷やさぬようにはなされております」

「いかにもそれが望ましい。もっともかのひとは、むかしから諸事用心ぶかく、そのあたりがわしと似ている」

「ただ、鷹野《たかの》などに参られると壮者のように駈《か》けられ、夏など、狩場を駈けて沼などにゆきあたればこれが平素の上様かとおもわれるほどの機敏さで馬上くるくると着衣をぬがれ、水にとびこんだりなされます」

「そこがわしとちがうところだ」

織田有楽は、笑いだした。おなじ分別屋でもそこだけのちがいが一方に天下をとらせ、一方には京で茶事を楽しむ閑人《ひまじん》にさせてしまっている、といわんばかりだった。正純はばかばかしく思えたが、しかしうなずいている。とはいえ、考えてみればこの織田有楽が天下を取らなかったというのが、ふしぎでなくもない。

天正十年六月、明智光秀《あけちみつひで》が、老《おい》ノ坂から備中《びっちゅう》へゆくとみせかけてにわかに京に乱入し、おりから本能寺に宿をとっていた織田信長、二条城にいた嫡子《ちゃくし》信忠を急襲し、父子もろともに殺してクーデターに成功したとき、この有楽も当時長益《ながます》と言い、三十五の壮齢で、手兵をひきいて三条の宿館にとまっていたのである。本能寺にあがる火炎をみておどろき、一戦もせず変装して京をのがれ落ちてしまった。無理をせぬということであろう。

そのあと、有楽に気概さえあれば織田家の一族として当然兵をあげて光秀と対戦することもできたのだが、そういうことはおのれの器量にあわぬと思い、秀吉が天下をとると、それに臣従してしまった。秀吉は有楽を旧主筋の人として言葉あしらいなどもつねに丁寧であったが、かといって大領はあたえない。摂津島下《しまのしも》郡で一万石そこそこをあたえ、官位だけは高くした。従四位下《じゆしいのげ》、侍従である。

関ヶ原のときには、家康に味方した。なにごとも世のながれにさからわないというのが有楽の生き方であり、その功によって戦後、家康から恩賞をうけ、大和芝村において三万石をあたえられた。そのあと世俗のことは長子長政、五男尚長にまかせ、有楽は三万石のうち一万石をわがものにして京に住み、茶道にあけくれている。茶は利休からまなんだ。利休の死後、有楽はみずから宗匠として一流派をたて、浮世のことはみなわすれたような顔をしてくらしている。

「先刻のこと、いかがでござろう」

と、茶のなかばで、正純が返事を催促すると、有楽は意外な顔をして、あのこと承知つかまつったと申したではないか、とおだやかに微笑した。わざと呆《ぼ》けているのか、それとも老いたせいで前後のことをわすれるのか、なににしても正純のような事が事務的に運ぶことをこのむ男には、この老人はにが手だった。

正純が辞去すると、織田有楽はすぐ屋敷を出、草履とり一人をつれて東山のふもとへゆき、坂をのぼって高台寺をたずねた。北政所に会うためである。

相手がいまは尼姿になっているとはいえ、婦人と一室で対《むか》いあうことを有楽は避け、北政所に乞《こ》うて庭の四阿《あずまや》で会ってもらった。妙に浮き名の立つことを避けるためである。

「有楽どのの御用心深さ」

と、北政所は脂肪のおとろえぬあごに手の甲をあて、うれしげに笑った。いかに老いてもそういう配慮をされたというのがうれしいのであろう。北政所は有楽や家康とは同世代に属した。六十九歳である。

「さて、秀頼御所のおんことでござるが」

と、有楽は正純がやってきた一件をいうと、北政所はうなずき、自分のほうにも昨夜本多正純がきて、おなじはなしをして行ったという。

「淀のおひともこまった人です」

と、北政所はいった。淀殿は慶長十年のときと同様、物狂いに狂ってきっと反対するだろう、という。しかしそれではもう豊臣家はほろびてしまいます、といった。

関ヶ原の前段階、家康がしきりに政略工作をしていたころから、北政所と織田有楽は同意見であった。秀吉の遺言がどうあるにせよ、天下は家康にわたす、わたすについて家康に全幅の支援をおしまないが、その代償として秀頼の生命と豊臣家の家名保存は家康に保障させる、ということである。しかしその後の淀殿の様子ではなおも天下は秀頼のものと思いつづけているらしく、すべての思案がその囚《とら》われた心から出ているために、世の移りかわりがすこしもわからないらしい、と北政所はいった。家康に臣従したくないというならそれでもよかろう、しかしせめて大坂から京まで出かけてきて、臣従するふりだけでも見せないと、家康どののお気持がいつかわるかわからない、とも北政所はいった。

「言いすぎましたか」

北政所は、有楽をみて小首をかたむけた。有楽は、淀殿からみれば伯父にあたる。

北政所は、有楽のめいの悪口をいったようで、気がひけたのである。ついでながら江戸の将軍秀忠の夫人お江《ごう》にとっても、伯父である。信長の織田家というのは、奇妙なかたちでこの東西両勢力のなかに生きているのである。

「いやさ、女は浅はかなものでござる」

「すると、わたくしも？」

と、北政所はまた笑った。むかしから手まりのようによく弾む心をもった女性で、小娘のようにつまらぬことでも笑ったが、そういう心映えはいまも衰えぬらしい。

「いいえ」

有楽は、あわてた。

「大坂のお袋さまのことでござる。いやさ、女というのは子を持つと愚になるのか」

「……とすると、私には子がなかったために」

「いいや、そういう意味ではございませぬ。もしかりに北政所さまに秀頼御所が育てられたとしたら、豊臣家は万歳でございましたろうな」

「つまらぬことを」

と、北政所は話題を変えて、

「ところで有楽さまは淀のおひとに会うために大坂へくだられますか」

と、いった。

面倒だが、そうせずば事が運びますまい、というと、北政所はなにがおかしいのか笑いだした。

有楽が去ったあと、侍女の孝蔵主《こうぞうす》が、なぜあのときお笑いになりました、ときくと、
そりゃ笑いますよ、と北政所はいった。

北政所は、織田有楽の当惑したような顔をみているとおかしくなったのである。有楽は、いまは徳川家につかえている。かつては豊臣家につかえた。いまはその両家の間柄がうまくゆくように、そのあいだに立って使い走りをさせられている。ところが有楽自身は本来、その両家にとって主筋の織田家の出なのである。織田家の政権を豊臣家が奪《と》った。その豊臣家の政権を徳川家が奪ってしまった。すると、そのあいだをいまだに駈けまわっている信長の弟織田有楽という存在はいったい何であろうとおもうと、北政所は、有楽の顔をみながらこらえきれずに笑ってしまったのである。

「お人のお悪いこと」

と、孝蔵主はたしなめた。北政所もわるいとおもったらしく、

「ほんとうに。この世で、有楽どのほどよいお人はありません」

北政所は罪ほろぼしに、しきりに有楽の人のよさをほめた。

織田有楽は、大坂へくだった。

かれにとって大坂城は五つ歳下《としした》の妹（お市・浅井長政夫人・再嫁《さいか》して柴田勝家夫人）の娘の城である。城主秀頼からみれば有楽は大伯父にあたり、その妻千姫からみても母親お江を通して大伯父にあたっている。

「やれやれ、この御城へくると、わしは尾張の織田家にもどったようななつかしさと気楽さをおぼえる」

と、有楽は如才なく淀殿にいった。

しかし淀殿は表情を固くしている。すでに秀頼に対する上洛要求の一件を他の筋からきいていて、この伯父も自分を説得するためにきたのだろうと見込みをつけていた。

「茶々どのよ」

と、有楽は、わざと彼女の名でよんだ。

「わしは齢のせいか、兄（信長）のことがちかごろ思いだされてならぬ。本能寺の夢なども見る。あのとき、西の空が紅炎《こうえん》のために朱のようにあこうござってな」

こんな話題をもちだしたのは、淀殿に世の中の理というものを知ってもらうためであった。信長の話題を出し、もし兄信長が生きておれば豊臣家も徳川家もない、その織田家の私がこのように両家のなかに立っているのである、いつまでも豊臣家の盛時を思わず、世が変れば世に従いなされ、ということを言いたかった。

が、淀殿は話のなかばですそに小爪《こづめ》を立て、いらいらと金糸を掻《か》き、やがて一筋ぬきとって畳の上にすてた。癇《かん》が立っているときのくせであった。

「昔ばなしなど」

と、淀殿はいった。

「どちらでもよいこと。そのころわたくしは尾張の清洲《きよす》のお城におりましたゆえ、なにも存じませぬ」

「ごもっともでござる」

有楽は、亀《かめ》が首をすくめるようにして、話題をひっこめた。

が、言うべきことはいわねばならない。

秀頼上洛の一件をいった。さらにこれは家康さまのおおせに従って京へのぼったほうがよろしい、というと、淀殿はたまりかねて、

「有楽どの、上様《うえ》とは天下人を崇《うやも》うてそう申します。されば秀頼どののほかにありませぬぞ。家康どのは豊臣家の大老です。大老をやめたということを、家康どのご自身からもきいたことがございませぬ。さればいまだに大老のはず。その大老が、京に主人《あるじ》をよびつけるというような逆事《さかさまごと》が、この世にあってよいものか」

と、するどい声をあげたために、有楽も座に居たたまらず、あとのとりなしを大蔵卿局《おおくらきょうのつぼね》にたのみ、退出した。

その夜、有楽の大坂での宿である片桐且元の屋敷に、加藤清正がやってきた。

清　正

加藤清正は、すでに生存当時から庶民のあいだで人気があったらしい。

かれは関ヶ原ののち、徳川体制の大名に組み入れられたとき、諸侯にさきがけて江戸屋敷を三宅坂《みやけざか》の上につくり、家康に対して他意ないことを示したが、家康はこの故太閤《たいこう》子飼いの人物をかならずしも信用していなかったであろう。

清正は、しかしこの新興の首都である江戸の庶民には巨大な人気があった。

「あれが故太閤の朝鮮ノ陣のとき、遠く満州国境《おらんかい》にまで攻め入って、王子二人を生け捕りにしたという大将か」

と、清正の行列が江戸市中をゆくたびに、男女がどよめきながら路上に出て、馬上のかれを仰ごうとした。

清正はいつも「帝釈栗毛《たいしゃくくりげ》」という格別大きな馬にのっていたが、騎《の》り手《て》のかれ自身も身長が一九〇センチほどはあったから人馬ともに雄偉で、とてもこの世の常の人とはみえない。

当時江戸は、家康の天下がさだまってから人口が激増している。自然ごろつきのたぐいの者もふえ、それらが徒党を組んで、街に喧嘩沙汰《けんかざた》がたえない。その連中のことを、モガリといった。

街に、こういう唄《うた》がはやった。

江戸のモガリにさわりはすとも
よけて通しゃれ
帝釈栗毛

唄の意味は、江戸の名物のモガリを相手に喧嘩をするのもよいが、帝釈栗毛の行列がやってくればよけて通すが分別であるぞ、ということである。清正は、この当時の日本の武勇というものの象徴的存在であったらしい。

かれは秀吉と同郷の尾張中村のうまれで、秀吉の生母と清正の生母はいとこ同士の間柄になっている。早く父をうしない、母の手ひとつで育てられ、そのうち秀吉が近江《おうみ》長浜ではじめて大名になったので、それへひきとられ、少年期は長浜城の台所飯でそだった。台所で走りつかいのようなことをしているころ、同僚に市松《いちまつ》とよばれる少年がいて、これがのちに福島正則《まさのり》になった。

「湖月尼公《こげつにこう》の前にだけは、わしもこどもである」

と、かれも福島正則もよくいうが、たしかにそうであったであろう。湖月尼公とは、城主秀吉未亡人北政所《きたのまんどころ》の髪をおろしてからの法名である。近江長浜での少年時代、城主夫人であった彼女から子のように愛され、着物の破れのつくろいをする世話までかけた。関ヶ原の前後にはこの「湖月尼公」から、

——治部少《じぶしよう》（石田三成）が乱をおこせば、一議もなく江戸殿にしたがえ。

といわれ、家康に味方した。正則は関ヶ原の主決戦で先鋒《せんぽう》になって奮戦し、清正はその領国の肥後熊本にあって九州における西軍を鎮定した。結局は、家康に天下をとらせる結果になった。

「なにやら、ばかくさくもある」

と、関ヶ原の戦後、魔法のように徳川の世がひらけてしまったことに福島正則などはいまひとつ解《げ》せず、自分が家康にそそのかされ、その猟犬になって三成をほろぼし

たことが、結果としては豊臣家の衰弱になり、家康の世になり、かれみずからも家康の家来になってしまっていることが、なんとも不服でたまらない。かといって、天下を狙《ねら》うかというような野望も器量も正則にはなく、ただひたすらにえたいの知れぬ自分の運命に八つあたりしているようなところがあり、関ヶ原の戦勝直後にも京で大酒を飲みくらい、乱酔のあげく徳川家の吏僚を相手に荒れくるったこともある。正則は酒癖がわるく、酔えばしばしば精神に異常をきたし、ほとんど狂人にちかい言動をした。ちかごろ、ことにそれがひどい。

江戸初期のひとのうわさを集めた「雑記」という随筆本に、ある夏、清正と正則とがねころびながら物語をしていた。正則はこの徳川の世の生きづらさを語りだし、ついには、

「この鬱憤《うつぷん》、どうにも散じがたい。このため昼夜、人知れず胸中がせまる思いがする」

とまでいうと、清正は突如起きあがり、

「市松、ほんとうにそうおもうなら遠慮はいらぬ、兵をあげよ。おまえは先鋒になれ、おれは後詰《ごづ》めをひきうける」

と、いった。たいそうな見幕であった。清正はこのころ肥後熊本で五十二万石、正

則は安芸《あき》広島で五十万石未満であり、この二人が起《た》ちあがれば江戸をつぶすことができぬまでも天下の大乱になることはたしかだった。

「どうだ」

と、清正はひげをふるわせ、わざと目をいからせていった。清正にすれば正則の気持の鬱屈はわかるにしても、それをしばしば他人の前で洩《も》らし、洩らすことによってやがて徳川の耳にもきこえ、そのためただささえ両人を危険視している江戸がどのような手段に訴えてとりつぶしにかかって来ぬともかぎらない。正則の言動がいかに危険なものであるかを、逆手《さかて》にとって訓戒してやろうとおもったのである。

正則もさすがに鼻白み、それができれば虎之助《とらのすけ》（清正）、このように鬱屈しておらぬ、いまはその時期ではないわ、というと、清正はうなずき、急に声をおだやかにし、「だから市松」といった、「申すなというのだ。謀叛《むほん》もできぬのにかりそめなことを言いほざいていると、身に一大事がおこる。注意をせよ」

加藤清正は思慮ぶかさという点では、福島正則とはきわだってちがっている。しかし双方、五十万石前後の大大名である以上、麾下《きか》数万の士卒とその家族を路頭に迷わすことはできず、その点では正則にも十分分別がある。

「わかった」

と、正則は清正の訓戒に服したが、しかし性分はどうにもならぬらしく、このあとおなじようなことがあった。家康の庶子で義直という少年が尾張の国主になり、これについて幕府は名古屋城の築城を諸大名に命じた。清正も正則も命をうけた。すでに江戸城の築城を手伝わされたあとのことでもあり、その経済的負担にたえられず、例によって清正をつかまえて悲鳴まじりに愚痴をいった。

「江戸城のばあいは、これは仕方がない。こんどはかの殿（家康）の妾《めかけ》の子の城で、こういう城まで手伝えといわれてはどうにもならぬ」

というと、このときも清正は、

「市松、自分のことばのあぶなさがわからぬのか。その一言は、謀叛を覚悟してからいうべきことばだ」

と、はげしい言葉で忠告した。この座に他人が数人いて、そのせいか、正則の言葉が家康の耳に入った。

家康は清正をよびだし、

「どうやら諸大名は、相つづく土木に疲れているらしい」

と、皮肉をいった。家康は諸侯対策として、かれらが反乱をおこすための経済的なエネルギーを抜きとってしまうよう、公儀土木をさかんにおこし、かれらにそれを手伝わせ、できればかれらを破産か、その寸前にまで追いこんでしまいたい。それが徳川政権樹立直後の大政策であった。この政権の基本的思考法は、徳川家一軒の存立のみを唯一《ゆいいつ》の条件としているもので、それ以外の政治思想やら理想やらは、ほとんど性格的にもっていない。正則の愚痴は当人はさほどの思慮もなく吐いているのだが、家康にとっては自分のもっとも重要な神経を容赦なくいたぶったものとして黙過できず、かといってじかに正則にいえばかどが立つ。このため清正をよんで釘《くぎ》をさし、正則はじめ外様《とざま》――旧豊臣系大名――のすべてにきこえるよういったものである。

「土木がつらければ、おのおのの勝手にするがよい。――勝手とは」

と、家康はいった。

「それぞれ国へひきあげ、濠《ほり》を深くし、塁を高くし、しかるのち城に籠《こも》って天下の大軍をむかえる用意をすることである」

――諸侯大イニ懼《おそ》ル、とある。これによって名古屋城普請《ふしん》は急にはかどった。人夫の数だけで二十万人にもおよんだというから、諸侯が石高《こくだか》の割に課せられた費用というのは莫大《ばくだい》なものであったであろう。

北政所は、その清正と正則と、そして彼女のおいにあたる浅野幸長《よしなが》（紀州三十七万六千石）の三人に対し、ぜひ大坂を説得して秀頼どのを上洛《じょうらく》させるようはからいなさいと指示した。

「これは駿府《すんぷ》どの（家康）の希望です。駿府どのが天下人である以上、その希望はお下知《げち》（命令）といえるでしょう。豊臣家の安泰をおもえば、いま秀頼どのを上洛させ、徳川の下風に立たしめるほかに道はありませぬ。上洛するかせぬか、それはなんでもないことのようですけれど、豊臣家が生き残るかつぶれるか、ということとおなじなのです」

と、清正らの尊崇する「湖月尼公」はいった。もっとも三人そろって彼女の住む高台寺を訪ねたのではなく、三人が江戸から京に入る日が前後したため、べつべつに訪問した。そのあと、三人は大坂で落ちあうことにした。

加藤清正が、さきに大坂についた。さっそく豊臣家家老である片桐且元《かたぎりかつもと》の屋敷をおとずれると、べつ系統からの淀殿《よどどの》説得役である織田有楽《うらく》もきていたのである。

「いやはや、さんざんの首尾であった」

と、淀殿の伯父にあたる有楽は、淀殿に対する説得に自分が失敗したことを正直に語った。淀殿は悩乱の体《てい》で、手がつけられなかったという。

「上洛まかりならぬと？」

と、清正は念を押した。

「左様々々」

有楽はうなずき、

「淀のおひとのおおせられるには、それでは秀頼《ひでより》様が殺されてしまう、上洛要請はうわべだけのこと、江戸の悪人のほんとうの肚《はら》は京で秀頼様を殺し参らせようというおつもりじゃ、と申されて、そのあと何をどうお話してもお耳に入れようともなさらぬ」

と、有楽は、さじを投げたようにいった。

「いやさ、まったく」

と、横にひかえている片桐且元はしきりに有楽の相槌《あいづち》を打っているが、この、一部では無能の評もある豊臣家家老は、なんの打つ手も持っていないらしい。

「助作（且元）、おぬしの存念はないのか。どうなのだ」

と、清正は、むかし近江長浜でたがいに秀吉の小姓であったころからのこの古い友人に、その無策を責めるような口ぶりでいった。この片桐助作且元という男には、むかしから事に処するにあたって自分の策というものがなかったようにおもわれるのである。

「手は、打ってある」

且元は、脂《あぶら》の浮いた小さな顔をあげた。

「大蔵卿局《おおくらきようのつぼね》に十分に事情を言いふくめ、この局を通じてお袋さまに説くという方法をとっている」

「すると、女にまかせて」

清正はいった。この時代、この戦乱をきりぬけてきたこの連中の表現はつねに露骨である。女にまかせて豊臣家家老たる片桐市正且元がぶらりとしておってよいのか、ということであった。

且元はさすがに色をなし、

「虎之助には御城内の実情がわからぬからそういうのだ。女づれ、というが、あの御城は女が実権をにぎり、男たるわしは体のいい使い走りにすぎぬ」

と言い、そのあとくどくどとその脂粉のにおいに満ちた実情を愚痴まじりに語ったが、清正はろくに聞いてもおらず、やがて膝《ひざ》をたたいて立ち、片桐屋敷を辞した。

清正にも、大坂に屋敷がある。家康の吏僚たちが清正の心事をうたがっている疑因のひとつに、これがある。秀吉の生存当時、諸大名はみな大坂に屋敷をもっていたが、秀吉が死に、次いで関ヶ原の変革戦を経ると、秀頼がまだ大坂城にいるというのに諸大名はみな大坂屋敷をとりこぼち、江戸に新邸をつくった。清正だけが、大坂屋敷をそのままにしてある。

――それは貴殿の御損だ。

と、家康のかつての謀臣でいまは将軍秀忠の輔佐役《ほさ》になっている本多正信が、清正にむかってはっきり忠告したことがある。貴殿がいまなお豊臣家に未練をもっている、とうたがわれても仕方がないではないか、といったのだが、この忠告に対し、清正は、

「ご忠告のお気持はありがたいが、はなはだ不本意のおことばである」

と、語気にはげしさをこめて言い、正信をたじろがせた。清正のいった要旨は、

「自分は駿府の大御所から新恩をうけており、その新恩にむくいる気持は徳川の譜代衆とすこしもかわらぬつもりでいる。しかし故太閤殿下には、主人《あるじ》と父母を兼ねあわせたような恩をうけ、その恩寵《おんちょう》のおかげでこんにち人がましい人間になることができた。もし私が、新恩になびいて旧恩を忘れ、太閤の御遺児に対してもそらぞらしくなり、大坂の屋敷をとりはらって江戸のみに参賀しているとなれば、これこそ奇怪であ

る。もし私がそのような男であれば、あなたはそれでも私を信用するか。徳川殿も、そういう私をたのもしく思われるか」

というもので、正信もこの論旨には、はなはだもっともでござると、その場では感心してみせたが、しかし内心大いに不快がり、このことは息子の正純にも言い、正純の口から家康にも告げた。道理はなるほどそのとおりにちがいなかったが、しかしそういう道理を清正が持っているだけに、清正に対し徳川家が感ずる危険度はいよいよ高くなった。

そういういわくつきの屋敷である。

翌日、その清正の大坂屋敷へ、福島正則と浅野幸長がやってきた。

相談になった。

行儀は三人ともよくない。清正は大あぐらをかき、正則は寝ころび、幸長は柱に背をもたせてひざ小僧を抱いている。ついでながら、かつて秀吉が天下をとったころ、大坂城の殿中での大名の行儀のわるさは言語に絶したものであった。殿中で寝ころぶなどはまだいいほうで、壁にへたな字で落書をする者、厠《かわや》へゆくのがめんどうなために欄干から小庭へ放尿する者など、およそ江戸時代の行儀のいい大名からみれば人種までちがうかとおもわれるようなありさまだった。その風《ふう》が、この三人に残っている。

清正は、有楽と且元からきいた話をし、

「お袋さまは予期以上に癇《かん》強うおわすらしい」

というと、正則が起きあがって、

「こまったおなごだ」

と、白く光った目で横の襖絵《ふすまえ》をみた。正則の感覚では淀殿などになんの敬愛も感ぜられず、主筋ではないとすらおもっており、右大臣さま（秀頼）のお袋であるがゆえに貴いだけのことだ、とつねに放言していた。かれにいわせれば淀殿やその侍女たちが「右大臣さま」を城外に出したがらないのは、あれは愛情や忠誠心がそうさせているからではない、もともと大坂城とはなにか、太閤の遺児が在《おわ》すというたったひとつの、それだけの理由で天下に大光芒《こうぼう》を放っているのであり、それをとりまく淀殿以下はその大光芒のおかげで光っているだけのことである。もし秀頼に万一のことがあればたちどころに彼女らは光をうしない、この世における存在理由すら消滅する、そのことをおそれ、おそれるがためにひたすらに秀頼を城外に出さないだけで、決してあれは忠義のためではない、と、いったことがある。

「ばかなやつだ」

と、正則がいま罵《ののし》りはじめたのは、むかしの同僚の片桐且元のことであった。

「助作はむかしからそうだ。物事のできる器量もないくせに、かといって死に狂いにもならず、いつもわが身をかばうところがある。だからあの男にものができたためしがない」

（――なるほど）

清正は、正則のいう且元評にも感心したが、それよりも死に狂いになれば物事ができるのだという正則の言葉に、清正は惹《ひ》かれた。この場合、百策を用いるよりも、死に狂い一筋でゆくよりほかに方法がないのではないか。

「有楽さまのお話では」

と、清正はいった。

「お袋さまは、秀頼御所が上洛なさるという、そのこと自体は、どうやらご異存がない、というより、不承々々ながらもこの時勢のなりゆきでやむをえぬとまで折れておられるらしい。要は、秀頼御所のお命のことである。徳川どのがあるいは秀頼卿を殿中にて毒飼いし、おそれながら殺《あや》め奉《たてまつ》るか。このこと、それはありえぬとは申されぬ」

「虎之助もそう思うか」

と、正則は声をひそめ、身を乗りだした。正則は家康という人物の暗い面を何度か見てきた覚えがあるだけに、その人柄のぎりぎりなところで信用ができない気がしている。

「三人が死に狂いになればどうだ」

と、清正は、幸長と正則の顔をかわるがわる見た。死を覚悟して京までのあいだ、さらには二条城において秀頼卿のお命をまもり奉るということなのである。

正則はひざをたたき、即座に賛同した。幸長も、異存はない。

あとは、どうまもり奉るかという相談になったが、そこは三人とも戦場に古《ふ》りた作戦家だけに話がすぐまとまった。

結論は、清正と幸長が大坂から京への道中を護衛する。二条城の殿中では清正がいざという場合、斬《き》り死の覚悟でつき従う。

正則は、わざと京へはゆかない。大坂城にいる。京の変報をきくや、城に火を放って自尽する。

「それだ」

と、正則はいった。

「虎之助、その覚悟でお袋さまを説け。いかに心に固い結び目があろうとも、ゆるめてくださるはずだ」

「われらも死ぬ」

という激越なことばが、この席上、福島正則《まさのり》の口からしきりに出ている。もし、である。家康が秀頼《ひでより》を京へまねくことが家康《かれ》のわなであるとすれば、「虎《とら》よ、汝《われ》は二条城で秀頼公とともに死ね、わしは大坂城にあって淀殿《よどの》を刺し、城に火をかけて城もろともに果てる」と、正則はいう。

正則は、さらにいう、故太閤《たいこう》一代の栄華が大坂城に象徴されているとすればそれを焼く紅炎のなかで自分も灰になる……、と。

「どうせ」

と、正則は自分のことばに感動してついに泣きだした。

「おれの一生は故殿下からもらったものだ。故殿下のおもい出の城とともに灰になることこそ、むしろ本懐というべきではあるまいか」

「そのとおりだ」

と、浅野幸長も泣きだした。

打算と情念はべつなものであるらしい。

この座で密会している加藤清正、福島正則、浅野幸長の三人はいかに故秀吉が取りたてた子飼いの大名であるにせよ、時勢がかわり、いまは徳川家康の傘下《さんか》に組み入れられ、家康のおかげでそれぞれ大きな封領を安堵《あんど》されている。こんにち家康の機嫌にそむくことはその大封を捨てることであり、実際はそこまでの勇気はない。十分に打算がある。

が、感傷だけが、打算とはべつの場所ではげしくうずいている。まして三人はおなじ過去をもつ同類であった。同類が、秀吉の遺児の運命という、かれらの共通の心の疼《うず》きについて談じあうとき、たがいの感傷が相互に感染しあって、身も世もなく胸にせまってくるのである。

「私が、お袋さまに説こう」

清正だけが泣かずにいった。

ところがその清正も、この翌日、登城して大蔵卿局《おおくらきょうのつぼね》に説き、さらには淀殿に拝謁《はいえつ》して、秀頼公は京におのぼりになったほうがいいということを説きに説いたときは、涙があふれ、やがてとめどもなくなり、顔もあげられぬようになった。

淀殿をうごかしたのは、清正のりくつではなかった。

「主計頭《かずえのかみ》（清正）が、泣いた」

という、その涙であったらしい。清正の涙は、大蔵卿局をはじめ淀殿の左右の侍女をつぎつぎに感染させた。

みな泣いた。

ただひとり泣かなかったのは、淀殿の左右にいたただ一人の男である大野治長《はるなが》だけであったであろう。ちなみに治長は大蔵卿局の子で、秀吉生存当時はさほどめだった存在ではなかったが、その死後秀頼の侍従長のような役目をしてきた。

（すこし、おかしいのではないか）

この座のふんいきをそう思った。秀頼が京にのぼって家康と対面する、せぬ、というのは豊臣家にとって大きな政略的課題であり、政略である以上、涙などが介入するような課題ではないのに、涙だけがこの課題の有効な解決法であるというのは、どういうことであろう。

――お袋さまだ。

と、おもった。お袋さまがこの城の事実上の城主である以上、怒るか泣くか、それ以外に政略表現がないのかもしれぬとおもったりした。

ともあれ、淀殿は、

「主計頭の心底、相わかりました」

と言い、京・大坂の往復、堅固にまもりまいらせるよう、途中のこと、二条城でのこと、すべてを主計頭のはからいにおまかせします、といった。

局面が、転換した。徳川と豊臣家にとって、「局面」ということばがつかえるほどにこの政治事件は大きかった。


当の秀頼は。——

すでに堂々たる体軀《たいく》をもった十八歳の青年になっている。

清正も秀頼の成人ぶりのみごとさを、片桐且元《かたぎりかつもと》からわずかにきいていたが、このさいぜひ拝謁しておこうとおもい、その旨《むね》を淀殿に申し出た。

「清正どのならば」

と、淀殿は、ゆるしてくれた。北政所《きたのまんどころ》の党閥に属する清正に対し、淀殿の態度はつねにつめたかったが、きょうだけは特別の恩恵を淀殿はあたえた。秘仏のようにしている秀頼を、清正に見せてやるというのである。

大書院で、拝謁した。

畳の五百枚は敷かれているであろう。そのはるか下方で清正は平伏し、平伏するうちに上段ノ間に秀頼があらわれる。清正にとっては、気配だけを知ることができるだけである。

――面《おもて》を。

と、遠い声がした。秀頼のそばにいる大野治長が、そう呼ばわっているのだが、朝鮮ノ陣で耳をわるくした清正にはききとれず、何度か注意されてやっと顔をあげた。

このような場合の礼法は室町式である。顔をあげよ、といわれてもむくりと持ちあげて貴人を見るなどという非礼はゆるされない。顔をわずかに動かし、しかし畏《おそ》れのあまり仰ぎ見ることができないという所作をし、実際には貴人の姿を見てはならないのである。しかし清正はわずかに見た。

やがて顔を伏せたとき、網膜にのこっている残像で秀頼を想像した。上段ノ間は遠かった。燭台《しょくだい》のかがやきに照らされて白い装束のひとがすわっていたのを清正は懸命に思い出そうとした。色白で大柄な青年であるように思え、どうやら話できいていた成人ぶりのたくましさがまぎれもない事実であったことを、畳にひたいをすりつけながら、ひそかによろこんだ。

拝謁とは、それっきりである。

清正が、顔をあげることをゆるされたときは、かれの視界には秀頼はおらず、秀頼の左右にかがやいていた蠟燭《ろうそく》の灯《ひ》もいつか吹き消されており、秀頼がいた上段ノ間は暗くて見通せず、このため清正には、先刻の光景が夢のようにおもわれる。

(夢のような)

そのことが、かえって清正を昂奮《こうふん》させた。かれの胸中に、秀吉在世中のころよりもかえってはげしい忠誠心が波立つのをおぼえた。忠誠心とは、ときにそういうものなのであろう。対象がおぼろげな、夢枕《ゆめまくら》に立つ神のようにさだかならぬときに異常昂揚《こうよう》があるものかもしれなかった。

そのあと、清正は、

——せっかく、この機会《しお》に、お若き政所さまにも、ぜひ。

と、大蔵卿局まで申し出、ぜひ、ぜひ、とくりかえしせがんだ。お若き政所さまとは、いうまでもない。千姫のことである。

大蔵卿局は、淀殿にまでそのことを言上した。淀殿は、表情をにごらせた。

「於千《おせん》どのに、清正はなんのご用か」

淀殿はもう清正に不透明なものを感じた。拝謁は秀頼だけでよい。於千は徳川家からきた者であり、体《てい》のいい密偵とまでいっていえなくもない。清正はいま大坂をすてて関東に伺候している者であるが、あの涙によって淀殿の心はうごかされた。しかしそのあとすぐ千姫の機嫌奉伺《きげんほうし》を申し出るとはなにごとであろう。家康に媚《こび》を売る性根、それがまるだしではあるまいか。

淀殿の思考法は、つねにそうであった。

「そのこと無用である、と申せ」

と、いったが、さすがにそれでは故太閤麾下《きか》の勇将に対してかどが立つとおもい、

「於千はざんねんながら風邪であると申せ」

と、言いなおした。

大蔵卿局はすぐ清正の控えノ間にもどり、そのことを伝えた。

清正は、大蔵卿局が内心異様なおもいがしたほどに落胆した様子をみせ、

「一期《いちご》の思い出に、とおもいましたが」

と、溜《た》め息《いき》とともに言った。一期の思い出というその理由はこの情念のゆたかな男にとって本音《ほんね》であったろうことはまぎれもない。かれはことし五十になる。その外貌《がいぼう》は並以上に老《ふ》けている。健康もすぐれず、このところしばしば自分の寿命のおぼつかなさをおぼえるようになっている。いま秀頼に拝謁し、さらにその令室のすこやかなお姿を拝しうれば、なにやら豊臣家のゆくすえによき占いをみるようで、そのことを

生涯の思い出にしたい、というのが清正の気持であった。

「それはお気の毒なことでございます」

大蔵卿局は心から同情をし、頭をさげたが、かといって淀殿の意思をまげることはできない。

清正は、退出した。


秀頼はこの夜、ひそかに千姫の御殿に渡った。ひそかに、という気持は秀頼でなければわからないであろう。

千姫は、十四歳になっている。

すでに童臭は消え、目もとに匂《にお》やかな翳《かげ》がうごき、唇が肉づいて、月に数度しか見ることのない秀頼の目を、そのつど見張らせるほどにうつくしくなっている。

(於千は、意外な)

というおどろきを、秀頼は日に何度も心にくりかえしては楽しむようになっている。このふしぎさはどうであろう、と、秀頼は自分で自分に話しかけた。かれの異常さは友人のないことであった。友人がないために自分が自分の友人にならざるをえず、こういう心の作業には馴《な》れていた。

（於千は、わしが見つけたのだ）

と、秀頼は友人に話しかけた。千姫という存在はむろん、かれ以外の意思群によってかれの幼少のころから、たとえばきょうだいのようにしてあたえられているものであったが、かれはそうおもいたくはなかった。かれはそれを自分が発見した、というぐあいに強弁したくなるほどに、このごろは千姫に魅《ひ》かれるようになっている。第一、千姫の歌学のふかさは、かれにとって意外さのひとつであった。いつ於千はそれを身につけたのか、秀頼にはかつての於千と別人のような思いがし、別人といえば彼女を訪ねてゆくたびに秀頼は以前には知らなかった彼女の面を発見するようになった。

ただ、於千の御殿を訪ねることは、世間の若者が隣村の娘を密《ひそ》かに訪ねるよりも、秀頼にとってはむずかしい冒険であった。この若者の奇妙さは婦人のなかで育ったことであり、このために婦人の機嫌を過敏なほどに察した。母親の淀殿がかれが千姫のもとに渡ることをよろこばないことを知っており、それに気兼ねをすることが、天下のどのような重大な課題よりもかれにとって重大であった。さらには国松の母親である伊勢局が、かれの事実上の妻のようになっており、それが淀殿とつねに気脈を通じてかれを千姫のもとにゆかせないようにしていた。その困難な事情のなかで秀頼はときに於千のもとにゆく。秀頼にとってはこのむずかしさこそ、天下のどのような政治的課題よりもかれの環境にあっては、その智能《ちのう》と勇気をふるいたたせる重要な課題であった。

「於千、これへ参った」

と、千姫の前にすわると、かならず自分がやってきたことを、わざわざ自分で説明するのである。最初、千姫にはそれがおかしかったが、しかしやがて秀頼の気持がわかった。自分は気の遠くなるような困難な条件を排除しつつここへやってきた、そのことは大きな冒険であり、いまやっと成功し、そして姫の目の前にいる、という勝利感をあらわしたことばが、それであるらしい。

「きょうは、加藤主計頭が御前に参られたそうでございますね」

と、千姫は軽率にもいった。侍女が、あわただしく目くばせをしたのは、言ってはならぬということであろう。じつは城内のできごとを巨細《こさい》となく諜《さぐ》って城外へ書き送っている侍女がいる。清正の登城についてもその侍女が他の侍女とそのことをしきりに話していたのを、千姫が、きくともなしにきいていたのである。

「ああ、そうだ」

と、秀頼は於千とのあいだに共通の話題をみつけることができてむしろうれしげな

顔をした。於千もついうれしくなり、

「どのような人でございました？」

と、きいた。幼少のころからこの城内でくらしてきた彼女にとっては、清正という人物の知識はまったくないが、しかし侍女たちのさも重大そうな口ぶりをきいていると、よほど高名な人物であるらしくおもえる。また故太閤殿下に対し、いまどきめずらしく孤忠をいだいている人物だという点でも、彼女は清正に対し、無邪気な関心をもっていた。しかし、秀頼の回答はあまりにも簡単すぎた。

「大きい男だ」

それだけである。それをきいた千姫の侍女のなかでは、

――右大臣家は、存外食えぬ。

という感想をもった者もいた。秀頼がわざとそのように言い晦《くら》ましているとうけとったのである。しかし千姫はそうはおもわなかった。彼女は、秀頼が婦人のなかで育ったために、自分と同性の男というものを異種の動物でもみるように甚《はなは》だしく怖《おそ》れているということを、いつのほどか感じとっていた。清正は大男であるという。男が異種の動物であるとすれば、その体軀《たいく》が巨《おお》きければ巨きいほど、秀頼のそれからうける圧倒感がより大きいにちがいない。秀頼はただそれをいっているのにすぎないのであ

ろう。

「於千にも会いたいと申していたそうな」

「なぜでございましょう」

と、これには千姫もおどろいた。が、秀頼は、よくわからぬ、といっただけであった。

清正たちは、秀頼上洛《じょうらく》の支度をしている。

ところが、家康の側近から清正らに対し、妙な指示があった。

「御一同は、伏見にてお出迎えするように」

ということであり、清正らが予定していた大坂から京までのあいだ秀頼をひしひしと護衛するという私案は、このため流さざるをえなかった。

が、清正らは、この指示をなかば無視した。

あとで家康側近のあいだで問題になったことだが、清正と浅野幸長は、秀頼が通過する淀川の沿岸に、鉄砲千挺《ちょう》、槍《やり》五百本、弓三百挺《ちょう》をもった人数を、守口、枚方《ひらかた》、八幡《やわた》といった要所々々に駐営させた。さらに秀頼が滞京中、万一にそなえて清正はその手の者から五百人の勇士をえらび、わざと平装させて町を終日うろつかせることにした。

さらには、浅野幸長にはわざと仮病をつかわせ、かれの伏見屋敷におらしめ、万一の場合は迅雷のようなはやさで行動できるようにした。

家康らにとってもっともおそるべき行動をとったのは、福島正則であった。かれは仮病をつかって家康のいる京に奉伺せず、大坂でひきこもった。世間では、

――大夫殿《たゆうどの》（正則）の手勢は一万人。

といううわさが流れるほどの兵力を大坂城に籠《こ》めておき、秀頼上洛後、京で万一おこなわれるかもしれぬ兇変《きようへん》にそなえた。

――家康が、なにを仕出かすか。

という不安やらうわさなりが、数日前から大坂の市中にうずまいていた。この時期、町民どものたれもが関東の家康の存在にどす黒さを感じていたし、そのようなえたいの知れぬ肚《はら》をもった男のもとに秀頼がゆくということについて、たれもが不賛成であったし、不安を感じていた。

そういう士民の不安の気が、天にのぼって凝ったのか、秀頼が発《た》つという前夜、大坂の東の天にあたって巨大な光物が発し、奔《はし》り、それが消えるとふたたび天が暗くなった。

出発の当日になった。慶長十六年三月二十七日の未明である。

この未明、秀頼が十数年ぶりで城外へ出るという京橋御門の両側には昼のようにかがり火が焚《た》かれ、さらに無数の灯が天満《てんま》の川港《かわみなと》の水をあかるくし、川には秀吉在世中に用いた華麗な御座船《ござぶね》が待っていた。供の船も前後に十数艘《そう》もいた。そこには秀吉以来の親衛部隊である七手《なな て》組の組頭《くみがしら》以下の士と片桐且元およびその家士が乗り、ほかに陸路の警備隊として足軽千人が沿岸に堵列《とれつ》していた。

秀頼が、座乗した。

やがて船と人数が京にむかってうごきはじめた。夜は、守口でも明けない。鳥飼《とりかい》のあたりで東方の丘陵が紫色の翳になり、陽が昇った。

当の秀頼は、終始上機嫌であった。かれは不安を感ずるよりもむしろ、この外界の風景にすっかり昂奮していた。

船は葦《あし》を分けて進み、枚方をすぎるころは陽が高くなっていたが、手前の河原に牛がねそべっているのを秀頼の視線がとらえた。秀頼は驢馬《ろば》のようにおどろき、やがて呼吸をはげしくし、まわりをかえりみてあれはなんだ、と小声でいった。牛というものを見たのは、かれの半生でこれがはじめてだったのである。

会見

豊臣秀頼《ひでより》の上洛《じょうらく》ほど、このころの京の者に息をのませた事件はない。

――これを機会《しお》に、天下はふたたびくずれるのではあるまいか。

という疑念が、京の二条や大和小路あたりに軒をならべる武具屋の店さきではささやかれていた。

「いいや、このご上洛にて天下は大いに泰《やす》らかに涼しゅうなりゆくはずだ」

という泰平の見通しをたてる者もある。しかしいずれの論者であれ、この時期、もっとも答えにくい設問は、関東の家康と大坂の秀頼とはどちらが上位のお人かということであった。

「知れたこと。家康どのの主人《あるじ》は秀頼御所ではないか」

町の庶人ほどそういう意見をもっている。これにひきかえ、僧侶《そうりよ》、武家といったわけ知りになると、現実に対する値ぶみが大きく、「秀頼君は風采《ふうさい》だけの天下人にすぎぬ。いわば公卿《くぎよう》と同然。徳川どのの天下がさだまってすでに十年を越えるではないか」と、いったりした。

その秀頼が、京へくる。

秀頼の御座船が伏見についたときは、はるか西山の空に陽がかたむこうとしていた。岸辺に遅咲きの桜が咲き、その根方に加藤清正がいる。御座船が岸辺に近づいてくるや、清正はまるで一介の徒士《かち》のようにはかまの股立《ももだち》をとり、それもきりきりとたくしあげ、おりから御座船のとも綱を岸辺から手繰《たぐ》っている船頭を指揮し、かれ自身も力をそえて船をそろりと横付けさせた。

清正のそういう姿を遠くで見ていた二人の貴公子がある。家康の九男義直（尾張名古屋城主）と十男頼宣《よりのぶ》（紀州徳川家の家祖）のふたりであった。いずれも家康が関ヶ原ののちに若い側室たちにうませた子で、義直は十一歳、頼宣は九歳である。きょうは老父家康からそう命ぜられて秀頼を伏見まで出むかえたのである。

「あれは主計頭《かずえのかみ》（清正）か、姿をみるとまるで下郎のような」

と不用意にいってしまったのは、九歳の頼宣であった。頼宣だけでなく、かれに付きしたがっている輔佐《ほさ》の者たちも、清正のはたらきぶりのかるがるしさがなにやらおかしく、なかには露骨に笑う者もいた。

むろん、徳川家側のそういうささやきや表情は、清正の耳目には入らない。

「下郎」

と、頼宣は無邪気にいったが、この場の清正は、肥後熊本五十二万石の大大名である自分ですら、豊臣秀頼があらわれるとその前では一介の下郎にすぎぬということを、ひとびとに知らしめようとしている。かれにとってこの姿をとることこそ、百万言にも代るべき時勢批判であり、これによって徳川・豊臣両家の位置関係をあきらかにし、さらには諸大名に対し、豊臣家にはどれほど厚い敬意をはらうべきかについての示唆《しさ》をあたえようとしている。その政略的表現が、かれの「下郎の甲斐々々《かいがい》しさ」であった。

清正は、かれのような旧豊臣系大名の徳川・豊臣の両家に対する解釈について、

「あくまでも豊臣家が主家とすべきである。徳川家は主家ではなく、諸大名にとって盟主である」

という立場をとっている。主家たる豊臣家は微禄《びろく》し、「天下」こそうしなったが、しかし旧豊臣系大名にとって主家たることにはかわりがなく、この点、拡大解釈をすれば、「徳川家もまた豊臣家を主家として珍重しなければならない」

といったふうのものであった。しかしかといって清正の立場の複雑さは、秀頼がも

し「家康を討て」という命令をくだしたとしてもそれはうけられない、どころか、秀頼には他の大名に対するなんの命令権もなく、その存在は単なる公卿か、一大名にすぎないという解釈を、清正は世間同様とっている。要するに秀頼は君主といっても名誉君主のようなものであり、清正にすれば世間に対し、秀頼のその名誉君主性を大いに認識させ、尊重させようとしており、それが秀頼をも立て、清正自身も亡《ほろ》びぬためのぎりぎりのありかたであると信じていた。これはずるいであろう。しかし秀頼の神聖を徳川家や諸大名に再認識させようとするこの清正の行動は、いま陽の昇るような勢いの徳川政権下にあってはひとつまちがえば清正自身が滅亡するかもしれぬという、たとえば白刃を素足でわたるような、そういう危険が賭《か》けられていた。

げんに、清正の下郎働きをみていた家康の家来安藤帯刀《たてわき》（直次《なおつぐ》）が、

「あの男もながくはあるまい」

と、まわりをみてささやいたことでもわかる。安藤帯刀は徳川家にとっては三河以来の家臣で、ながらく家康の側近をつとめ、去年から役目がかわり、家康に命ぜられて頼宣の輔佐役になっている。泥くさいながらもそこそこの政治の才があるが、ただ辣腕《らつわん》を誇りたがる癖《へき》があり、人の無能や失態を攻撃することについては口さがない。

「あの男、とは誰のこと」

と、横あいから同僚の水野重仲がきいた。水野重仲も少年頼宣の輔佐役で、のち頼宣が紀州に封《ほう》ぜられたとき、安藤帯刀は紀州田辺城主として三万八千余石、水野重仲は紀州新宮《しんぐう》城主として三万五千石をそれぞれ分封《ぶんぽう》され、両人とも大名待遇の家老の位置にのぼった。

「——あの」

と、安藤帯刀は清正へあごをしゃくり、

「大男よ。——」

と、聞えよがしの声でいったが、むろん清正まではとどかない。

御座船から岸へ、朱塗りの手すりのついた橋がわたされた。「あの大男よ」と安藤帯刀があごをしゃくったとき、ちょうど秀頼がその朱塗りの橋をわたるところであり、水野重仲は、

——大男とは、秀頼のことか。

と、うかつにも取りちがえたほどに十八歳の秀頼は堂々たる偉丈夫であり、歩をゆるゆると運んでいる。安藤帯刀のいう「あの男もながくはあるまい」という言葉は、水野重仲の腹のなかでは秀頼になっており、

（そうか、秀頼が長くないというのなら、安藤帯刀は大御所からよほど奥の深い御秘

謀をきいておるにちがいない）

と、おもった。

さて、清正である。

かれは岸辺で土下座《どげざ》して秀頼をむかえるとすぐ立ちあがり、秀頼の露ばらいをするようにして歩きだした。相変らず褐色《かちん》の肩衣《かたぎぬ》をつけ、はかまの股立をとって、大きな毛ずねを出している。

秀頼の通路の両側には幔幕《まんまく》がはられ、はるかにつづいている。そのほどよいところに出迎えの徳川義直、同頼宣の二人の少年が床几《しょうぎ》をすえてすわっていた。

秀頼がちかづくと、さすがに二人の少年は立ちあがり、立礼で迎える姿勢をとった。ただ、日よけのための朱の長柄傘《ながえがさ》だけは両人とも背後からさしかけたままでいる。ついでながら朱傘を用いる身分というのはよほどの貴人でなければならないが、尊貴という点では、むかしは知らず、いまの世となれば徳川の一門、わけても家康の実子という者ほどそれにふさわしい存在はいない。むろん、世間のたれよりも家康の吏僚である安藤帯刀と水野重仲はそうおもっており、

――秀頼が何者であるぞ。ご当方さまは徳川家のご実子であられるうえに、本日は父君大御所さまのご名代《みょうだい》であられる。当然、日傘をさしたままでよい。

と、みていた。

そのあたりに、徳川家の傲《おご》りがあらわれているというべきであろう。二人は少年の身にすぎず、むろん少年の身ながら義直は従四位下右兵衛督《じゆしいのげうひようえのかみ》、頼宣は同常陸介《ひたちのすけ》という官位をもっているが、そういう官位で比較しても秀頼は前右大臣《さきのうだいじん》であり、くらべものにもならず、さらには秀頼は徳川家の主人たる栄誉をもっている。

――しかし豊臣家はすでに天下殿《てんかどの》ではない。

というのが、安藤帯刀らのりくつであり、すべてのよりどころであり、この日傘について多少の疑念が出たときも、

「かまうことはない。天下に御威勢を見せておくということで、むしろ必要だ」

とまで言った。

ところで秀頼が近づくにつれて、その数歩前をゆく清正がまず接近し、少年がさせているこの朱の日傘をみとめて、

「無礼であろう」

と、仁王立ちになって地を踏ンばり、目を恚《いか》らせて二人の少年をかわるがわる見、やがて付人《つけびと》の安藤帯刀らを見すえて、

「その傘、とりのぞき候《そうら》え」

と、会釈《えしやく》もなしに大声でいった。清正は、大御所の家康・二代将軍の秀忠をこそ天下の大名の盟主とみているが、しかし家康の九男や十男をどれほどの存在ともみておらず、まして家康当人といえども秀頼には礼をつくすべきだとおもっていたから、この二少年の日傘で出迎えるという無礼は、見て見ぬふりをすることはできなかった。

すでに秀頼がちかづいている。安藤帯刀は場所がら争うわけにもいかず、ただ憤懣《ふんまん》と屈辱のために顔色を水のように蒼《あお》くしながら、傘の柄をもつ小者頭《こものがしら》に目くばせしてひっこめさせた。すぐ、その眼前を秀頼が通った。安藤はあわてて拝礼したが、胸が煮えかえるようであり、水野重仲にだけはきこえる声で、

「清正、忘るな。いずれ吼《ほ》え面《づら》をかかせてくれる」

と、吐きすてるようにいったが、むろん小声である。しかしこの徳川家に対する大きな侮辱を、あとで大声で家康に報告してやろうとおもった。

秀頼はその夜、伏見の清正の屋敷で一泊した。その夜はなにごともない。

翌朝、伏見から京へのみちは、竹田街道をとった。

秀頼の駕籠《かご》わきは、まず清正がいる。浅野幸長も、清正にまねてはかまの股立をと

り、一介の警固の士のようになって進んでいる。次いで織田有楽《うらく》。さらには豊臣家家老の片桐且元《かたぎりかつもと》、秀頼の乳母の子の木村重成、渡辺内蔵助《くらのすけ》がつづいた。

沿道には、京から出迎えのためにきた旧豊臣系の大名が、あちこちにうずくまっている。みな家来をつれず下僕二人ばかりを供にし、道わきに座を占め、土下座していた。池田輝政、藤堂高虎《とうどうたかとら》もいた。いずれも十年前、関ヶ原で家康に味方したことによって大諸侯の位置をえた者たちであり、時代の転換期をたくみに乗りきりえたかれらにとって、旧主の秀頼をみる気持は、かならずしも虚心でなかったにちがいない。であればこそ、かれらはただの出迎えというだけにとどめ、秀頼の供にまでまじってゆこうとはしなかったのである。行列にまじれば、いたずらに家康の疑いをまねくだけであった。

清正は、この両人の胸中がわかっている。この男は、両人のそういう態度をゆるさなかった。行列のなかから両人にむかって、

「ご両所。ご両所ともお供なされ候え」

と、沿道一丁ばかりきこえるほどの大声でいった。そういわれてしまえば両人とも、ただ土下座しているわけにもいかず、迷惑ではあったが立ちあがり、行列にくわわった。

（清正の馬鹿《ばか》おどりに加えさせられた）

と、藤堂高虎などは胸中不満であった。高虎は関ヶ原の前夜、ずっと大坂城内にあって城内の様子を家康に諜報《ちようほう》していた男であり、家康は高虎のこの秘密の功を高く評価し、戦後、「足下《そつか》を、外様《とざま》とはおもわぬ。子々孫々まで譜代同然におもいます」とまでいったくらいである。

――藤堂和泉守《いずみのかみ》、ただいまお供つかまつりまする。

と、清正はいちいち駕籠のなかの秀頼へ声をかける。秀頼も、

（あれが、藤堂高虎か）

と、少年のころからきいていた人物の顔をみるのが、多少の興味でなくもない。

が、それよりも街並である。大坂ですら街というものを知らない秀頼は、家々の軒、赤い壁、しなやかな格子《こうし》などがめずらしかったし、それに身をちぢめて土下座をしている町人、童《わらべ》、僧、山伏など、雑多な人間どもの形態やら生態がめずらしく、その人間どもが、大坂城内にある狩野派の「洛中洛外屏風《びようぶ》」の絵にそっくりであることに感心したり、おどろいたりした。

沿道の町民たちも、

「すこしも昔とお変りがない」

とささやきあって、よろこんだ。昔とは、故太閤《たいこう》のころである。行列の姿は太閤の盛時とかわりがない、ということであった。

秀頼は、京に入った。京ではいったん片桐且元の京屋敷に入って休息し、家康と対面するための装束に着かえた。

その礼服がむずかしい。

秀頼のほうが大そうな礼服をつけて二条城に入ればかれが家康に臣従してしまったという印象をことさらに世間にあたえるようで、豊臣家にとっておもしろくない。家康にとっても、こそばゆい。そこで、家康からの提案で双方が同礼をとるということになり、家康も肩衣《かたぎぬ》と袴《はかま》で城内で待ち、秀頼もまたおなじ肩衣袴という姿でゆくことになった。

もっともこの服装のほか、別な問題があった。京の阿弥陀《あみだ》ケ峰《みね》には、故秀吉の廟所《びょうしょ》があるのである。京へのぼれば、家康に会う前に当然この豊国《とよくに》廟に参拝すべきだが、しかしそれを先にすれば家康を軽んじたことになる。

このあたりの微妙な問題を家康はすでに気づいており、わざわざ大坂側に申し入れてきて、

——豊国廟をさきになされよ。

と、いった。

しかし清正は家康のその手がむしろ常套《じようとう》手段であることを知っていた。家康は多少の好意を売ることによって相手の出方を見、その本意をさぐるというやりかたをとる。たとえば亡《な》き父君の御冥福《めいふく》をいのるために国々の寺を修築なされよ、ご供養《くよう》のためでござる、というあふれるような好意をみせて、じつはその底意は豊臣家の財貨をつかいはたさせようということであったように、今度も、素直にはその好意はうけとれないであろう。

清正は、秀頼の側近にすすめてまっさきに家康に対面するようにさせた。家康はむろんそれをよろこぶにちがいない。秀頼のこんどの上洛が、家康の好意と同情を得て秀頼の将来を保障してもらうことに目的がある以上、その目的どおりに事を運ばねばならない。清正はあくまでもそういう目的と思案でつらぬこうとしている。

秀頼は片桐屋敷を出た。

すぐそばに二条城がある。二条城の大手門は八ノ字にひらかれていた。その城門の警固は、この城が徳川家のものである以上、徳川家の人数だけがそれをやるのが当然であるが、この日にかぎって家康はとくに豊臣家に申し入れ、豊臣家の七手組の人数を招いてその人数に加わらせており、しかも徳川の士、豊臣の士が同数であるというところまでこまかく配慮した。このことは要するに、秀頼を謀殺しないという証《あか》しのつもりであった。しかし家康はなぜそこまで自分の潔白さにこだわるのか、豊臣家の側からすればそれだけにかえって家康が疑わしくおもえてくるし、介添え役の清正にしても万が一の場合は殿中で斬《き》り死するという覚悟はすこしもゆるんでいない。

秀頼の駕籠《かご》は橋をわたり、門をくぐった。さらに門から玄関まですすんだ。玄関までの道路両側の白洲《しらす》には、ざっと三十余人の大名がことごとく平伏している。

駕籠は、玄関前で横づけされた。清正が白洲に両ひざをつけ、駕籠の戸をあけた。

（どういう人物が出てくるか）

という好奇心は、三十余人のどの大名も、声をあげたいほどに胸中にあふれていたであろう。

むろん、城の奥でこの刻《とき》を待っていた家康には、好奇心以上のものがある。かれは秀頼の駕籠が門に入ったときにはすでにそれを出迎えるべく、肩衣姿で玄関さきまで出ていた。

家康にとってのおどろきは、駕籠から出てきた青年が、小柄な秀吉とはおよそちがった大男であることだった。さらには色白く、瞳《ひとみ》黒く、表情に威があり、挙措はゆたかで、うわさできく右大臣家阿呆《あほう》説などは、この若者をひと目みることによって瞬時に砕かるべきものであった。

さらに家康の腹立たしかったことは、この若者に接するや、家康がまだ秀頼の幼年のころ、豊臣家に臣礼をとっていた癖がつい出て、家康のほうから一礼してしまったことであった。

しかも秀頼はそれを当然のことのようにしてかるく答礼したのである。

このことは、家康の秀頼に対する評価を大きくさせた。あほうどころではない、と家康はおもった。

家康は微笑し、

――いざ。

と、小さく言い、さきに立って案内すべく、大廊下を白《しろ》書院にむかって歩きはじめた。秀頼がそれにつづいた。秀頼の太刀持は木村重成である。その重成の踵《きびす》を踏むようにして清正がついてゆく。

清正の懐中に、短刀が入っている。かれのいう万一のばあいはすばやくふところに手を入れ、これを抜き放ち、膾《なます》になるまで奮戦し、この殿中を死所にするつもりであった。

うたがえばきりのないことだが、家康の側に秀頼《ひでより》謀殺の意図がまったくなかったとはいえない。

諸人はたしかに家康という老人をうたがっていた。たれよりも二条城に入った清正の立居振舞は異様で、世間に潜在している家康への疑惑を、まるで一身で象徴したようなすがたであった。

「肥後守《ひごのかみ》（清正）どのは、こちらへ」

と、徳川方の接待役平岩親吉《ちかよし》（尾張犬山城九万三千石・六十九歳）がそのように声をかけ、清正を秀頼からはなして次室にひかえさせようとした。

「こちらへ、こちらへ」

と、平岩老人がしつこく言い、ついには清正の袖《そで》をとってひきとめようとした。清正はその手を、無造作にふりはらった。

そのあたりの清正の態度が露骨であった。もともと清正は「御対面ノ間」へ入るべきでなく、清正や浅野幸長のような秀頼昵懇《じっこん》の大名が控える間として、別室が用意されているのである。げんにその別室に、清正の相棒の浅野幸長や池田輝政などがおとなしく入ってすわっていた。

清正は、ふりきって秀頼にくっつき、御座《ござ》ノ間とよばれている奥殿に入ってしまった。

（なんという可愛《かわい》げのない男だ）

家康は、おもった。清正の心事がわからぬでもないが、あたらしい天下人《てんかびと》である自分に対し、不遜《ふそん》ではないかとおもった。

奥殿は、十畳ほどの間である。

秀頼は徳川方の接待役に案内されて、南にむかって着座した。一方、家康は、北にむかって着座した。双方、黙然《もくねん》と顔をあげている。この関係位置は、主客に上下がないという平等のかたちをあらわしている。敷物は、主人の家康も客の秀頼ももちいない。

床飾《とこかざり》に、一幅の軸がかかっており、紅梅が活《い》けられている。

双方、同時に礼をした。

そのときふすまがひらき、尼僧《にそう》姿の北政所《きたのまんどころ》が入ってきた。秀頼にとっては嫡母《ちゃくぼ》でありかれは幼少のころからかかさまとよび、特別の敬意をはらうよう教えられてきている。

北政所は膝《ひざ》をまわし、秀頼のかたわらに座を占めた。彼女は家康からたのまれ、きょう秀頼の保護者というかたちで、相伴役《しょうばん》をつとめるのである。

秀頼は、顔をあげたまま表情をうごかさない。

じっと前を見ている。当然、その視線は家康の両眼を刺さざるをえないのだが、秀頼はさすがにしつけがよく、その視線はほどほどに虚空《こくう》でぼやけさせてしまっている。対面というのは儀式である。口数はできるだけつつしまねばならないのだが、それにしても秀頼はなにもいわなすぎる。

「京は、いかがでございましたか」

と、北政所は笑顔をむけたが、秀頼はちょっと顔色をうごかし、ハイ、と答えたきりでなにもいわない。年若のうえにこういう場が慣れぬせいか、それとも世評でいうあほうということなのか、家康の目にもよくわからない。ただ家康の目からみると、秀頼のたたずまいには威があり、なにやら堂々としていて、ともすれば家康は気圧《けお》されるような思いがする。

膳部《ぜんぶ》が出てきた。

いちいちそれを運んでくるのは、家康の譜代大名たちである。平岩親吉をかしらに、永井右近《うこん》、松平右衛門大夫《うえもんだゆう》、板倉内膳、安藤帯刀《たてわき》などで、他にお酌の役もいる。

家康と秀頼は、一献《こん》、二献、三献と礼式どおりに杯をかさねたが、秀頼は唇をちかづけるだけでのもうとはしない。

「けっして召しあがってはなりませぬ」

と、清正は事前におしえておいた。その清正は、礼式としては異例ながら、秀頼のそばを二尺とは離れず、あたりに気をくばり、わずかの変化でもあれば応じようと身がまえている。

「神君（家康）の御印籠《いんろう》には、不断、毒を貯《たくわ》え給《たま》うとなり」

と、おそるべきことが書かれているのは、「十竹斎《じっちくさい》筆記」という古記録である。げんに家康が死の床についたころ、側近がこの印籠の薬が家康の常用の薬だとおもい、気をきかせてすすめたところ、「神君はただだまったまま、かぶりをおふりなされた」という。うわさを書きとめただけで、事実かどうかはわからない。しかしそういううわさが徳川家の内々《うちうち》の者にささやかれて書きとめられるところに、家康という人物の容易ならなさがある。この「十竹斎筆記」に、毒饅頭《どくまんじゆう》のことが書かれている。

その印籠の毒を針に塗り、饅頭の皮にヒタヒタと刺して（刺したのは、「摂戦実録」では平岩親吉）、それを出したという。

秀頼だけでなく、清正にも出した。隣室でおなじく膳が出ている浅野幸長、池田輝政にも出した——という。

平岩親吉は、三河風の忠義者である。三河風の忠義というのは、一般に陰気とされていた。愚直のよさがある。しかしながら自分の主家の利益のほかは思考がひろがらぬところがあり、他を容易に信用せず、たまたま智恵《ちえ》をめぐらせれば智恵というより狡猾《こうかつ》になってしまう点、農夫に似ている。これが家康とその側近がもっている体臭のようなものであり、「十竹斎筆記」や「摂戦実録」の記述がたとえうがちすぎているにせよ、ついそういう目でみられてしまうところが、このあたらしい権力グループにあった。

その平岩親吉が、事前に家康と相談し、「針にてひたものに刺し蜂《はち》の巣のようになりたるまんじゅう」を、客人にすすめた。平岩はこのさい、加藤清正をも浅野幸長をもあの世に送っておかねば徳川の天下は安堵《あんど》ならぬとおもい、そのようにした。「摂戦実録」にある平岩の忠義の陰惨さは、相手を安心させるために自分も食ってしまったというところにある。「十竹斎筆記」では、これをすすめられたとき、秀頼は、「虫気《むしけ》（消化不良）があるので」

と、ことわった。清正は食った。

「摂戦実録」では、清正も幸長も池田輝政もこの平岩のまんじゅうを食った。

この毒は、体内に入っても即座に死ぬわけではなかった。一カ月もしくは数カ月すれば自然に衰弱し、やがてほろほろと死んでしまう。いかにも家康の政略思想と似ているが、ただ一度だけの服用でこのようにふしぎな効能をあらわす毒は、この時代のアジアにもヨーロッパにもなかったような気配がある。家康ももっていなかったであろう。

この二種類の噂《うわさ》の記録は、毒飼いをしたということの証拠として、かれらの死が、いずれもこの慶長十六年の年内に相ついでいるということを指摘している。加藤清正は三カ月後の六月二十三日に死に、他の者もこれに前後して死に、ともに食ったという平岩親吉はこの年の十二月三十日に死んだ。むろん、偶然であったにちがいない。

七五三の本膳がことごとく出、銚子《ちょうし》が三度かわったとき、清正は待ちかねたように、

「大坂ではお袋さま、さぞお待ちかねでございましょう。これにてお暇《いとま》あそばされますように」

と、秀頼にむかっていうよりも、四方にきこえるような大声でそれをいった。家康は清正のそういうせきたてかたを小面《こづら》憎くおもった。が、しかし言われて気づいたよ

うに、

「いかさま、お袋どの、お待ちかねであろう。これにてめでたくお帰りあそばされよ」

と、言った。

秀頼は、急に立ちあがった。あたりを圧するような偉丈夫である。ただどこへどう進んでよいか、わからない。

徳川方の接待役が、案内した。白書院の前をとおり、大廊下へ出た。家康は玄関の式台まで出て、見送った。

帰路、秀頼は豊国《とよくに》大明神へ参詣《さんけい》する。

秀頼が二条城を出たとき、京の町は、異常な熱気につつまれた。町じゅうの男女がことごとく路傍にすわり、ひざを詰めあってかれをおがもうとした。

一人の男が京にあって庶民からこれほどの歓迎をうけたのは、遠くは西海《さいかい》から凱旋《がいせん》した源義経と、このときの豊臣秀頼だけであったかもしれない。

結局、この人気は、秀吉という陽気な時代の演出者をなつかしむ感情が、秀頼の成人とそのにわかな上洛でばくはつしたものであろうし、逆にいえば、徳川政権の不人気ということにもつながるかもしれなかった。

秀頼の人気は、清正ですら意外であった。

かれはよほどうれしくなり、秀頼の乗物をとめさせ、秀頼に、

「上様のご入洛《じゆらく》で、京は陽がさしたようでございます。お駕籠の両の戸をおひらきくださいますように」

と、言上した。戸をあけっぱなしにして秀頼の成人した姿を京の貴賤《きせん》男女に見せてやろうという配慮であった。清正は単に木強漢《ぼっきようかん》というだけでなく、世間を相手にはなやかさを演出できる能力を多分にもっていた。

行列は、すすんだ。

清正と浅野幸長は、秀頼の駕籠の両わきに青竹の杖《つえ》をかかえて供をした。

この日の秀頼の行列がいかに人気があったかといえば、沿道の家の軒下を借りるだけで、家主に銭を出さねばならぬという前代未聞《みもん》のことがあったことでもわかる。また、かつて織田・豊臣家につかえた海賊大名である九鬼《くき》守隆（志摩鳥羽《とば》三万石）は、自分の家来たちに秀頼をおがませてやりたいとおもい、沿道の堀川竹屋町のあたりで借家一軒をこの日だけのために借りた。その一日ぶんの借り賃として、家主にはらった金が小判五両であった。五両といえば、その程度の家を買いとれるほどの額である。

秀頼が去ってから、家康は、目の下が黒ずみ、側近の目にもふだんの家康の顔でないほどに疲れはててみえた。

「すこし、やすむ」

と言い、陽の高いうちに奥へ入り、大蒜《にんにく》をとりよせてすこしく嚙《か》み、嚙んでは酒をふくんでうがいをし、耳だらいに吐き、それを十度ばかりくりかえしたあと、侍女に床をとらせて昼寝をした。この医薬にあかるい養生家が考案した独特の疲れとりの方法であった。

日暮に、目をさました。

本多正純《まさずみ》が次室まできて、しきりにせきばらいをしている。家康は声をかけてやり、町の様子はどうか、ときいた。

本多正純は、ありのままを語った。家康は仰臥《ぎょうが》したままにがい表情できいている。

「倅《せがれ》(秀頼)をよんで、かえって悪かったか」

豊臣家に対する潜在人気がいかに大きいものであるかを、庶民があてつけがましく家康に見せたようなかたちになった。

「人気などは浮華なものだ。案ずることはあるまい」

要は実力である、とまではいわなかったが、家康はゆらい力の信奉者であり、力の思想とその計算力が、かれ一代をここまでのしあがらせたことでもあった。秀頼の人気など、要するに、庶民どもの物見高さにすぎない。

清正のはなしになった。

本多正純は、きょうの清正の人もなげなふるまいについてつよく論難した。

「いずれ機をみて」と、正純は声を落した。清正一代のあいだは保障するとしてもそのあとは加藤家をこの世からなくしてしまわねば、徳川家の御安泰のために将来《さき》よからず、と正純はいうのである。家康は、だまっていた。かれのくせとして、家康が正純の意見になんの感想ものべないときは、同意のシルシであることが多い。

「あの男は、対面のとき、秀頼の背後にいながら、ときどき北西のほうにむかい、妙な目つきした。いかにも思いをこらしている、といった目つきだった」

「…………」

正純は、そのことには気づかなかった。

「わしの座からは、それが見えた。推察するに、北西の方角に愛宕《おたぎ》の山がある。あの男は秀頼の無事を祈ってあらかじめ愛宕権現《ごんげん》に願をかけていたものらしく、対面のあいだもそれを念じていたのであろう」

もっとも、と家康はいった。

「これは推量にすぎない」

と、家康はさりげなくいったが、正純は家康の心のするどさにいまさらながら舌をまくおもいであった。ついでに秀頼についての感想もきいておこうとおもい、

「どのようにかの人をごらんあそばされましたぞ」

ときくと、家康はだまっている。やがて、

「そのほうから申せ」

「意外や」

と、正純はいった。この一語につきまする、という。意外にもあほうでなかった、というのである。

このとき家康の脇腹《わきばら》のあたりからえたいの知れぬ怒りがこみあげてきて、起きあがるのと枕《まくら》をつかむのと同時だった。投げた。

枕は、ふすまにあたってころがった。理由もない。

それだけに自分で制御しがたく、あぐらをかいて肩ではげしく息をしている。かれの侍女がそっと身を移してその枕をひろい、家康のひざもとにもどした。家康はふたたびその枕を両手でつかんだ。

「……………」

家康の形相《ぎょうそう》のすさまじさを、次室から本多正純はみてしまった。正純は蒼白《そうはく》になり、ふたたび平伏し、息を殺した。

家康にはときに、こういう発作がある。その怒りの内容がなにごとであるのか、側近にも見当がつかない。すくなくとも家来を怒っているのでないことは、過去の例でもわかる。

（ご自分のお齢《とし》が腹だたしいのか）

と、正純は推量した。

徳川家は、家康の寿命ひとつで保《も》っているようなところがある。家康が死ねば、いまの天下の気分では外様大名群はふたたび寝返りを打って大坂に奔《はし》り、旧主秀頼を擁立せぬともかぎらない。家康の肉体が年々衰えてゆくのとは逆に、秀頼の肉体は年々壮気をくわえてゆくという、この自然の理はどうであろう。これに対して家康はどうにもできぬばかりか、秀頼はかれのみたところ、本多正純が値踏んだ以上にすぐれた人体《にんてい》にみえた。いや、人体などはどうでもよい。ゆゆしいのは、秀頼の若さであった。どうにもならぬあの若さという傲《おご》りを、秀頼はもっていた。その若さと、老衰してゆく自分の肉体とのあいだに、徳川家の存亡がかかっているように家康はおもえ、不意に狂おしくなり、はねおきてしまった。そのとき枕を投げたことすら、家康は気づいていない。

正純は、そっと退出した。

翌朝、堀端の松に、落首した者がある。正純はそれを剝《は》がさせ、自分の詰ノ間までもって来させた。

「御所柹《ごしょがき》（天下のこと）は独り熟して落ちにけり、木の下に居て拾ふ秀頼」

天下は早晩、ひとりでに秀頼の手もとにもどってくるであろう、という意味である。どうせ秀頼の京での一時的な人気に浮かれた安公卿《やすくげ》のしわざであろうと正純はおもったが、念のために家康の寝所へ伺候し、侍女を通じてそれを見せた。

家康という老人のおもしろさは、きのうのあのときが別人であったかのようにごく日常的な表情にもどっていることであった。

「捨てておけ」

おだやかにいった。

「さわげば、まずい。かえって江戸が軽くなる。世間というのはそういうものだ」

正純も、同感であった。政権というのは、どうにもならぬ山のような印象を世間に印象づけておくだけでよい。たかが落首ひとつに老家康が狂ったという風評が流れては、関東の重味にかかわることなのである。

「上野《こうずけ》」

と、家康は急に威を帯びた声でいった。

「昨夜、考えてみた。よいか」

「これにて、うかがっておりまする」

「潰《つぶ》す」

正純はとっさに平伏し、天がやぶれたような、霹靂《へきれき》があらわれて大地を撃ったような感じをうけた。豊臣家をうちつぶすというのである。その底意はかねてあったにせよ、家康の口から出た最初のこれは宣言であるといっていい。むろん、内密のことである。

「ただし、その手だては、きわめてむずかしい」

そうであろう。清正や福島正則《まさのり》のような恩顧大名の帰趨《きすう》もわからないし、第一、いま天下には関ヶ原牢人《ろうにん》が充満し、いずれも窮迫していて、大乱あれかしとのぞんでいる。

大乱になる。

が、大乱はいい。勝ちさえすればむしろ天下統一のために望ましいぐらいであるが、問題は、一つ手だてをまちがえば徳川政権のほうが逆にほろびるかもしれないということであった。誤れば、いま江戸に服従している外様《とざま》大名のすべてが大坂についてしまうかもしれない。

「それには」

と、正純はいった。

「大坂から乱に及ばせることでござりまするな。いま、諸侯は乱を厭《いと》うております。当然、乱をおこす者を、わが家の安穏をやぶる者として憎む心が強うございます。さればこそ、乱は大坂からおこさせるべきでございましょう」

「応《おう》」

ともいわず、家康は機嫌よくだまっていた。正純は自分の方針が、この日本国の支配者に嘉納《かのう》されたものとおもった。

「諜者《ちょうじゃ》を使いまする」

正純はいった。

家康はいよいよ微笑を深くし、なんとでもせよ、といった。

墨染

小幡勘兵衛景憲《おばたかんべえかげのり》という奇妙な情熱をもった男が登場するのは、このときである。

——諜者には、勘兵衛がよかろう。

とおもったのは本多正純《まさずみ》だったが、念のため正純はこの当時、徳川家の京都所司代をつとめていた板倉勝重に相談したところ、勝重ほどの思慮ぶかい男が、即座に、

「ああ、勘兵衛のほかはござるまい」

と賛成してくれた。ただし板倉勝重はそう賛成したあと意味ありげな微笑をうかべて、

「勘兵衛のほかに、勘兵衛をたすけるような諜者を何人かつけたほうがよろしゅうござろうな」

といった。

「勘兵衛をたすける？」

と、本多正純がやや不満におもったのは、正純は勘兵衛を一種人間ばなれのした稀《き》

代《たい》の万能人だとみていたから、へたに補助員をつけるとかえって足手まといになると
おもったのである。

「いや、さにあらず」

板倉勝重はいった。

この思慮ぶかい、家康がもっとも信頼する官僚のいうには、勘兵衛はたしかに能力としては万人にすぐれてはいる、しかしその性格はやや奇矯《ききよう》で、諜者として豊臣家に潜入しても途中おのれの私意《はからい》をもってなにをしでかすかわからないという不安と危険がある、これに補助者をつけるというのは、補助者というより勘兵衛の挙動をひそかに監視させ、万一の危険があれば非常の処置をとらせるということだ、といった。

「なるほど」

正純もその危険性がないともかぎらぬとおもったのは、べつの理由においてであった。小幡勘兵衛景憲というのは徳川の臣列には入っていてもじつは徳川家と同種意識をもつ三河人グループではなく、譜代としては傍流の甲州武田家の遺臣団の出身であるということなのである。その点で、正純などは多少の不安がある。

「小幡景憲」

という項目が、平凡社の大人名事典にある。その記述の一部を借用すると、

甲州流軍学の祖。武田氏の武将信州海津《かいづ》城主豊後守《ぶんごのかみ》昌盛《まさもり》の次子。小字孫七郎。のち勘兵衛という。武田勝頼のほろびたとき、景憲わずかに四歳で孤児となったが、徳川家康これをあわれんで秀忠の小姓とした。おさないときより立志の念強く、兵法武術に精進し、また禅学を修め、十八歳のとき致仕《ちし》して僧形《そうぎょう》となり、諸国修業に出た。　以下略

と、なっている。

小幡氏がもともと住んでいたのは、遠州（静岡県）の葛俣《かつまた》（勝間田）というところである。勘兵衛からかぞえて四代前の人物は日浄という日蓮《にちれん》宗の僧で、日浄は僧であることに満足せず武士になって功名しようとし、甲州へゆき、武田家につかえた。奉公してほどもなく頭角をあらわしついには足軽大将の身分になったというから、小幡家には野心家の血がながれているのであろう。

そのつぎの祖父虎盛《とらもり》、父昌盛《まさもり》も無類のいくさ上手で、武田家代々の門閥でもないのに信玄から重用され、一城をあずかるまでになった。信玄が死に、その子勝頼が織田信長にほろぼされて武田家が消滅し、小幡一族も路頭にほうりだされた。

これらの武田家遺臣団を、旧家の道具類を目分量でまとめ買いするような買いかたで一挙にめしかかえたのは、当時少壮のころの家康である。家康は武田家ずきであった。家康はわかいころから武田信玄にはさんざんにうちまかされていながら、武田家の陣法を尊敬し、その士卒のつよさに驚嘆しつづけてきたから、武田家瓦解《がかい》とともに、家康は信長のゆるしをえてその遺臣を大量にめしかかえたのである。徳川家の軍団としてのつよさは、この時期からいちだんとあがったことはたしかであった。

その時期、ここに登場する小幡勘兵衛も召しかかえられた。

武田氏の長篠崩《ながしのくず》れのとき勘兵衛は満三歳で、父が討死したため孤児になり、下僕にやしなわれて甲州の在所々々を流浪《るろう》していたが、十歳のとき、家康に召し出された。

——児小姓《こごしよう》でもつとめていよ。

と、秀忠に付属させた。

が、その後の勘兵衛は実直に宮づかえしているには、天分がありすぎたらしい。とくに武芸の素質は比類がなく、師匠について三年目には師匠の太刀を一合《いちごう》でたたきおとすほどになった。

軍学ということばはまだなかったが、軍勢の進退の法や戦術、軍用地理、築城法、物見術といったものにも関心がつよく、武田家出身のふるい武者に根掘り葉掘りきいてはそれを記帳した。

技術というものが、異様にすきだったらしい。それに取り憑《つ》かれるほどに熱中してしまえば、児小姓としての日常的なしごとがついおろそかになり、それらが無意味にもおもわれてきて、ついに十七歳のとき、秀忠に乞《こ》うて召し放ってもらった。牢人《ろうにん》になった。

そのあと雲水《うんすい》の姿になって武者修業したというが、その時期は豊臣政権の全盛期いっぱいがそうであった。奥州《おうしゆう》の外《そと》ヶ浜から薩摩《さつま》の沖の鬼界《きかい》ヶ島にいたるまで日本じゅうをあるき、どの土地のどの山河をひとに問われてもたちどころに地図をかき、山の高さ、谷のふかさ、川の流れのはやさを手にとるように説明したというから、その方面の専門家としても、あるいは日本で二人といない存在だったにちがいない。

美濃《みの》で、いわゆる関ヶ原ノ戦いがはじまろうとしているとき、徳川方の先鋒《せんぽう》である井伊家の陣中に突如あらわれたのが、退転後十年目の秋で、

「ご陣屋をお借りして一働きしたい」

と、井伊家の侍大将木俣《きまた》右京にたのみこんでゆるされた。井伊家は徳川勢のなかでももっとも武田家の遺臣が多く、その軍装までが武田の赤備《あかぞな》えといわれた朱具足を踏襲し、総大将から足軽にいたるまでが真っ赤な軍装に身をかためている。勘兵衛はこ

のころには僧形をやめて侍姿にもどっていたが、この日、朱の溜塗《ためぬ》りをした鉢に水牛の前立《まえだて》をそびえさせ、白ラシャの生地に金の鈴を縫った陣羽織をかるがるとはおって戦場にあらわれた姿は、敵味方の目をそばだたせるに十分であった。やがて乱戦になった。かれは宇喜多勢のなかに単騎乗り入れ、火の出るように槍《やり》を突き入れ突き入れしたが、その姿が、遠くにいる家康の目にとまり、「あれはたれぞ」と、家康はわざわざ使番《つかいばん》を走らせてきかせにやったくらいのはたらきざまであった。

そのくせ、戦後すぐ姿を消している。

「勘兵衛はまだ業《ごう》が落ちぬらしい」

と、いわれた。

ひとびとからみればそうであったろう。もともと秀忠の児小姓のまま我慢しているべきであった。寵《ちよう》を得て運さえつけば小大名ぐらいには立身できるかもしれぬ可能性を児小姓という役目はもっている。さらには関ヶ原であれほどの武功があれば十分帰参はかなうし、帰参しても千石の身分はまずまちがいない。それらをすててまた漂泊の旅にのぼったというのは、勘兵衛にはまだ落ちぬ業があるのではないかというのである。

その後、十年の歳月がたっている。

ばかなはなしだ。

本多正純は、ぜひ勘兵衛を、とおもっていながら、その男については十年ばかり前、江戸の榊原《さかきばら》屋敷でちらりとみただけで、よくは知らない。

「わるい男ではない」

と、そのとき、榊原康政《やすまさ》（上州館林《たてばやし》十万石）はいった。じつは慶長五年の春であったか、正純が康政に要談があってその屋敷をたずねたとき、先客があった。正純の来訪とともにその先客は入れちがいに辞去したが、途中、書院へ案内される正純と廊下ですれちがった。牢人体《てい》の人物で、牢人のくせに、大名である正純に目で会釈《えしやく》しただけでむこうへ行ってしまったというおどろくべき無礼のほかは、このときの印象はあまり残っていない。

そのあと、正純は康政にその名をきいた。

「知らぬか、あれが小幡勘兵衛よ」

と、譜代大名のなかでも長老の列に入っている康政は年がいもなくその名を軽い昂《こう》

い、奮《ふん》とともに口にした。勘兵衛を知らぬなどおぬしも世間うといことだ、とも言

「あれほどの芸者は唐天竺《からてんじく》にもいまい」

ともいった。芸者とは、おもに芸をする武士を言い、芸とは剣術、槍《そう》術その他諸芸のことをいう。かれのような者を出したのは徳川家のほこりである、ともいった。

「すると、まだ御家に」

籍があるのか、ときくと、うンにゃ牢人ぞな、という。しかし康政でさえ知らないことだが、牢人の勘兵衛がどういう手つづきで拝謁《はいえつ》するのか、秀忠や家康にもときどき会って天下万般のことを話しているらしいという。そういうことから無官ながら勘兵衛は徳川家の大名のあいだで疎略にされないばかりか、こわもてすらしているということ。

――さて、その勘兵衛は。

どこにいる、というその居どころをさがすについては、正純は苦労はしない。

心あたりは、ある。

勘兵衛がたまたま京にきていることを、正純はうわさで知っている。二、三の大名が、その居所を知っているはずであった。ついでながら正純のみるところ、勘兵衛という男は旅のどの空にいても所在《ところ》の大名にぬけめなく自分の所在を連絡しているよう

で、その点、正純は、

（存外な大俗物ではあるまいか）

と、勘兵衛の本質をうたがってもいた。要するに正純は、勘兵衛は西行法師のような無欲で酔狂な漂泊人ではけっしてなく、なにやら人には窺《うかが》えぬ政治的野望を秘めているのではないかとさえおもえるのである。

正純は人を四方に走らせて勘兵衛の所在をさがさせたところ、伏見のちかくの墨染ノ里にいるという。

――すぐ来るように。

と、使いを遣《や》った。

ところが意外な返事がもどってきた。用があるならそちらから見えられよ、という。一介の牢人が、である。従《じゅ》四位下上野介《こうずけのすけ》の官位をもつ家康の謀臣本多正純に対してである。正純は糞《くそ》でもなめさせられたような不快さをおぼえたが、しかし豊臣家を滅亡させるという目的の大きさからいえばこれも忍ばねばならぬともおもった。

――処士《しょし》（牢人）のような風体で来られよ。

とも注文してきている。勘兵衛の口上によると、自分は牢人であり、大名を客として迎えるような支度はできない、それゆえ供ひとりをつれた処士の風体で参られよ、

というのである。いかにも指図がましい言いざまでこれも愉快ではないが、

（まあ、相手は芸くるいの痴《たわ》けだとおもえば腹も立たぬ）

と、自分に言いきかせ、翌朝、夜のあけぬうちに京を出、道をいそぎ、墨染ノ里まできたときに陽がのぼった。里はずれの藪《やぶ》みちに入ると、草ぶきの庵《いおり》がある。

門も玄関もない。縁からすぐ板敷であり、勘兵衛らしい人物が大きな顔ですわっている。齢《とし》のころは三十六、七であろう。赫土《あかつち》色の皮膚に毛穴があらく、鼻ばらふとく、両眼大きく、まばたきするごとにぎょとぎょと鳴るかとおもわれるほどにまぶたが厚く、みるからに異相であった。正純は内心おどろいた。江戸の榊原屋敷ですれちがった十年前は、これほど厚かましげな顔ではなかったような気がするが、その後十年、世の風にさらされ、世の権威というものの裏おもてを舐《な》めまわすうちにこのようにふてぶてしい面《つら》の皮になったのかもしれない。

「ああ、上野介さまには」

と、勘兵衛はあいさつをした。

「一別いらいお変りもこれなく、祝着《しゆうじやく》しごくに存じあげまする」

と、殊勝にもあいさつだけはのべたてたが、かといって頭の一つもさげるわけでなく、非礼にも正純の両眼をじっとみつめたままでいる。

「勘兵衛もかわりなく重畳《ちょうじょう》」

正純は、ことさらに尊大に応酬した。

雑談になった。

おどろくべきことに、勘兵衛は家康の日常をじつによく知っており、話しているうちに家康の側近である正純のほうがむしろ家康について疎《うと》いほどであった。

なぜ左様に？　ときいても勘兵衛は笑ってこたえず、そのことも無礼でぶきみであったが、いまひとつふとどきなことは、雑談中勘兵衛は自分のそばに十四、五歳ほどの肌の下の血の色がすけるようにすずやかな小娘をひきつけておき、煙管《きせる》の莨《たばこ》をつめかえさせてはうけとり、くわえては煙を吐き、正純にはすすめようともしないことであった。娘は娘で、正純のほうへはなんの関心も示さず、勘兵衛の脂《あぶら》ぎったかおを食い入るように見つめている。

（どうも、たばこの給仕をさせるだけでなく、伽《とぎ》もさせているらしい）

ということは、二人のあいだの息の合いかたでも容易に想像できる。

「どこの娘か」

と、正純はやや腹だちまぎれといった気持できいた。

「この里の近所の小娘を手なずけたのでござるよ」

子雀《こすずめ》でも餌《え》つけをして手なずけたようにいう。

「伽もさせるのか」

正純の語気に嫉《そね》みがまじった。

勘兵衛のいうのに夜伽をさせるつもりで手なずけたのではない、じつは拙者は大のたばこのみでござる、たばこの給仕をさせるにはよほど呼吸があわねばならぬが、この娘ははじめどうも拙者が吸う、吐く、という程合がわからず、拙者もこまり、この娘《こ》も難渋した、ところがこころみに夜伽をさせてみるとなんとそれ以来じつに拍子が合い、たばこも旨《うま》うなり申した、という。要するに村娘を妾《めかけ》にしてたばこの給仕をさせているのではなく、たばこを旨くするために娘を当座のおんなにしたという、いわば逆である。

「そういうものか」

正純はなにやら深遠な哲理にでもふれたような気がしたのは、げんに目の前に、いきものでありながら喫煙具の一部になりはてしまっている実物を見つつあるからであろう。

「そのようなものでござる」

勘兵衛は、めずらしくもないような顔でうなずいた。

話題がかわり、大坂のことになった。勘兵衛は秀頼《ひでより》の上洛《じょうらく》を見物するために但馬《たじま》あたりから急に京へのぼってきたらしく、その話題には十分な関心があった。あっただけでなく、どこでどう知るのか豊臣家の内情にじつにあかるい。

昼になった。

勘兵衛はみずから立って土間へおり、鳥肉と少量の酒の入った菜めしをつくり、正純の前にさしだした。どういう炊《た》きかげんがあるのか、正純はその後もわすれられなかったほどにうまかった。

そのあと正純は勘兵衛に要求し、娘に席をはずさせた。娘が出てゆくとすぐ正純は声をひそめ、

「勘兵衛、おことはまだ徳川家に忠義の心をのこしているか」

と、いった。

勘兵衛は、そういう質問にはあまり興味がないらしい。蠅《はえ》を追いはらうような顔つきで、そのようなことは拙者の口からきくより大御所（家康）さまか、江戸におわす将軍家（秀忠）にでもうかがって御覧《ごろう》ぜよ、勘兵衛のことはよくごぞんじでござる、と年上の正純をこどもあつかいにした。

「いや、そのことはよく存じておる」

正純も、家康の無二の謀臣であるとみずから気負っている以上、家康からその話はきいているといわざるをえない。

ところで正純が勘兵衛を諜者《ちょうじゃ》としてつかってみたい第一の魅力は、この男が徳川家と縁があるということを徳川家の数人の譜代大名と秀忠の側近の一部のほかは世間ではまるで知られていないということである。

正純は、用件を話した。

勘兵衛は無表情できいている。やがてききおわると、頰にわずかに赤味をさしのぼらせた。

「承知つかまつった」

いっそ二十年前に徳川家につかえていたが恨みをふくんで出奔した、ということをふれこみにして豊臣家にちかづくほうがよろしかろうとおもう、拙者の身うごきについてはすべて拙者におまかせねがいたい、と勘兵衛はいった。

「大本《たいほん》は指図してよいか」

正純はつい、遠慮気味でいった。

「お聞かせあれ」

勘兵衛が大度《たいど》にうなずくと、正純はちまちまとひざをすすめ、

「豊臣家を煽《あお》りたてて江戸に対して戦いをいどむようにしてほしいのじゃ」

と、いった。

豊臣家をつぶす方法はそれしかない。この時代、諸大名は前時代の朝鮮ノ陣による経済的疲弊をなお回復しておらず、軍役からの休養を欲しており、乱をおこす者があれば公論としてそれをはげしく不正義とみる気分にみちている。たとえ秀頼といえどもかれが彼のほうから立ちあがって自儘《じまま》に乱をおこせば諸大名ははげしく反撥《はんぱつ》し、それを鎮圧する徳川家の正義を一も二もなく支持するであろう、と正純はいった。

「いかにも左様」

小幡勘兵衛は急に気がしぼんだようにうなずいたが、しかしこれは擬態らしく、この大仕事がかれにとってよほど魅力があるらしいことは、頬にさしのぼっている赤味がいよいよ濃くなっていることでもわかる。

本《ほん》町《まち》橋《ばし》

この街は水の都だという。北からくだってくる淀川《よどがわ》が大坂の市街に入ると、西へ流れ、天満《てんま》川という名にかわる。やがて三流にわかれて海へ消えるが、その途中、川岸を掻《か》き切って水を南北へ流しているのが、横堀運河で、大坂のにぎわいはこの両岸にある。運河の西は問屋の密集地で船場《せんば》といい、さらに運河の東は商家にまじって武家屋敷がならび、この広大な地帯が、この城郭《じょうかく》都市の三ノ丸地帯になる。

「三ノ丸には十万人が住めるだろう」

と、この街のつくり手であった秀吉がいった。城内に十万人が住めるという町は、それ以前の日本の都市感覚では考えられなかった。

その横堀運河には、九つの橋がかかっている。北からかぞえて、今橋、高麗《こうらい》橋、平野橋、思案橋、本町《ほんまち》橋、農人《のうにん》橋、久宝寺《きゅうほうじ》橋、安堂寺橋、鰻谷《うなぎだに》橋である。いずれも豊臣家の経費による官設橋で、この橋々が三ノ丸の最前線をなし、いざ籠城《ろうじょう》というときは切っておとして運河をさかいに籠城することができる。


ところで。――

春の闌《た》けるころに大坂にながれてきた小幡勘兵衛《おばたかんべえ》は、この橋の列のなかほどにある本町橋の東詰めに居をさだめた。

「扶持《ふち》ばなれのすね者でござるが、なにぶんよろしく」

と、勘兵衛みずから近所の町家にあいさつしてまわった。これが近所の評判をよくした。

勘兵衛は、す屋の古倉庫をまるまる買いとって、道場にした。なにしろこのあたりは三ノ丸での商いの一等地で地価が高く、牢人風情《ろうにんふぜい》の買えるようなところではない。

「よほど分限《ぶげん》の牢人らしい」

というのが、最初から町の評判だった。勘兵衛も、心得ている。この町は万事派手ずきで、燻《くす》んだことよりきらびやかな話題を好んだから、勘兵衛も自分の名を短時間にあげる目的のためにさまざまの配慮をした。

「天下一　甲州御流《おんりゅう》兵法所」

という大看板をかかげたのも、そんなねらいのひとつであった。ついでながら兵法ということの時代の流行語は、ヘイホウとよむときは軍隊の進退法をあつかう軍学のことで、ヒョウホウとよむときは剣技、槍《そう》術、組みうちのための小具足術などといった個人的な武技になる。勘兵衛はこのあたりの呼吸も心得ていて、

――いずれとも音《おん》ずるにまかせ、ふたつながら授け申すべく候《そうろう》。

と、看板のわきに小さく書いておいた。

「えらいやっちゃ」

という評判はこの事だけでも高くなった。「唐物《とうぶつ》勘兵衛はえらい」というのである。唐物というのは舶来品ということで、勘兵衛がこの町に住むと、さっそく町の者がつけたあだなだった。

べつに勘兵衛が舶来品、という意味ではない。

大坂は日本における唐物の集散地で、種類《しな》も多い。勘兵衛は、そういう唐物町《からものまち》を毎日のようにあるいて、一軒ごと立ちよってはめずらしいものがあると容赦なく買う。イラシャ地の帽子《シャッポ》、おなじく羽織、あるいは赤い珍陀《チンタ》酒《しゅ》といったたぐいのもので、イスパニアの兜《かぶと》を買ったこともあった。その兜を勘兵衛は自分で細工し、日本風にシコロをつけ、前立《まえだて》をつけて、ひとに見せたりした。地図も買ってくる。それを堺《さかい》で織った錦《にしき》で表装し、道場の壁にかけておく。地図というのは英国の船員あたりがもっていたらしいロンドン製のもので、中国大陸が描かれ、その東方の海上に帆船がうかび、日本列島が意外な大きさでうかんでいる。むろんエド、オホサカという地名も入っている。そのオホサカの地名の上に勘兵衛はみずから朱筆を入れ、

「豊臣右大臣家御城」

とかき加えておいた。これが評判になった。城の歴々衆の耳にまではいり、

「牢人ながら大気者《たいきもの》よ」

といわれたり、

「それほど豊臣のお家を慕うておるのか」

と、評判されたりした。

しかし、

「ああいう金は、どこから出るのだろう」

というところまで、ふしぎなことに詮索《せんさく》する者がなかった。この時代のこの町のひとびとはよほど開放的で、陽気で、わるくいえば智恵《ちえ》のきゝめがあらいのかもしれない。もっともただひとりだけ、勘兵衛のこういう浪費に不審をもった者がいる。日本人でなかった。北船場の今橋に商館をもつリチャード・コックスというイギリス人で、同国人の若い番頭を一人従え、十人ばかりの福建人（中国人）の手代をやとって手びろく貿易をやっている人物である。

勘兵衛はこの異人とまっさきに親しくなった。

コックスは、肥前の日本語をつかう。

「おじゃったい」

などという語法をつかう。

――ソレガシはイギリスの、そのミカドの、その物頭《ものがしら》の家の出でおじゃったい。

というのがこの男の自慢で、むろんほんとうかうそかよくわからない。しかし顔半分を黄金《こがね》色のひげがうずめ、手足たくましく胸ゆたかな堂々たる偉丈夫であるところからみれば本国で足軽大将ぐらいはつとめた男かもしれない。勘兵衛はそうにらんでいる。

唐物好きの勘兵衛は、毎日のようにコックスの商館にゆく。商館のとなりには、かつて栄えた天主教の会堂があるが、いまは祭壇はなく、コックスの商館の倉庫になっている。

あるとき、コックスが、

「勘兵衛どの、あなたは大変金バ持っちょられるばってん、その金はあなたのお金ではおじゃるまい」

と、唇を寄せてきてささやいた。

夏のなかばのことで、この頃には勘兵衛はコックスと親友といっていいほどの仲になっており、この日も夕刻、大戸をおろして店の土間で互いに酒杯をかたむけあっていたときだった。

「………」

勘兵衛はだまっていたが、やがてコックスの顔を吹きとばすほどの高笑いをし、あとは鼻唄《はなうた》で讃美歌をうたった。かといってべつに勘兵衛は切支丹《きりしたん》ではなく、いったん耳に入った曲はわすれないだけのことだ。

「勘兵衛どの」

コックスは話題をつづけようとしたが、女が入ってきたために口をとざした。女は、コックスの通い妾《めかけ》で、お郷《ごう》という。勘兵衛も、よく知っている。

知っているどころか、この妾は、勘兵衛がつれてきてコックスにとりもってやったのである。お郷は以前、深草のあたりのさる清僧のかくし妻をつとめていたが、その僧が死んで路頭に迷いかけたところを、当時墨染にすんでいた勘兵衛と縁ができ、飼いぬしの勘兵衛が大坂へくだると、あわててあとを追ってやってきた。勘兵衛はしまつにこまったが、もともと融通のきく頭の男で、女に因果をふくませ、このコックスにふりむけた。あのとき、コックスが狂喜して自分の両コブシをにぎりあわせ、ちょうど神に礼拝するようなかっこうで感謝したのを、勘兵衛はおぼえている。コックスと勘兵衛の仲は、このときから急に深くなった。

コックスは勘兵衛を、かれが日本で得た最良の友人のようにおもいはじめているらしいが、ただ一つ勘兵衛に不満がある。

勘兵衛の融通のききすぎる頭に閉口している。勘兵衛は、お郷を、まだ半分ぐらいは自分の女だとおもっているらしく、この商館に訪ねてくるたびに勘兵衛はごく自然にお郷の腰に手をまわし、ときにはお郷のほそい腰をひきよせてひざに乗せ、自分の胸元のあたりで酌をさせたりするのである。

いまもこの男は、それをやった。コックスは鼻の根もとににがいしわをよせて、

「勘兵衛どの、あなたは二つの罪を同時に犯しておじゃったい」

と、警告した。二つの罪とは、一つは他人の妻をその夫の前で抱く罪、ひとつはその罪を讃美歌をうたいながら犯していることだ、とコックスは悲しげな表情でいった。

「勘兵衛どの、どう申せばわかるか。それなるお郷はソレガシの所有《もの》でおじゃる。勘兵衛どののものではおじゃらん」

と、コックスはこの勘兵衛に、所有権という課題の初歩をわからせようとしなければならなかった。

さらにコックスは肥前言葉でクチャクチャ言ったが、勘兵衛は肥前言葉がわからない顔つきで、コックスを無視していた。コックスの日本語は、かれの最初の根拠地である肥前平戸で仕入れたものだった。ついでながらリチャード・コックスの東アジアにおける商業上の中継地は厦門《アモイ》であった。日本にははじめ肥前平戸で腰をすえた。さらに平戸から大坂に根拠地を前進させたのは、三年前である。

勘兵衛はやがて、コックスが指さきで鳴らしている合図《サイン》がうるさくなって、お郷をコックスのほうへ追いやった。お郷はおとなしく移動し、コックスの膝《ひざ》に腰をおろそうとした。が、コックスは膝には乗せず、

「勘兵衛どのと談合があるばってん、お郷しゃんはしばらく席をはずして賜《たも》れ」

と、命じた。お郷は、人形のようなおとなしさで去った。お郷が去ると、コックスは急にこわい顔をして、

「アイツはばかだ。自分の主人がたれであるかもわからぬ」

と、お郷を世話した勘兵衛をなじるようにいったが、すぐ話題を変えた。コックスが、勘兵衛の肚《はら》を割らせたいとおもっている事柄だった。

——勘兵衛は、エドの間諜《かんちょう》ではないか。

ということである。

「さ、勘兵衛どの、申されよ。ソレガシの推量、まぎれもおじゃるまい」

と、顔を突きだし、緑がかった瞳《ひとみ》をうごかさずにいった。勘兵衛は黙殺した。コックスは、急に表情を変えた。

「勘兵衛どの」

と、泣くような声で、この私のさびしさに同情せよ、と意外なことを言いはじめた。

遠い日本の街にきてしかも語るべき友人もほとんどもたない、私の商いに必要なのはその国の政情がどう変化するかを予知することだが、それを相談する友人もなく、頼るべき保護者ももたぬ。

「勘兵衛どの」

と、いそがしくいった。

「この世はふたたび豊臣殿下のものになりましょうか。エドとオサカ（大坂）が戦《いく》さすれば、どちらが勝つか」

「いくさ？」

勘兵衛は、おどろいた。異人はもう、そんなさきのことを考えている。コックスは遠からず東西の決戦があるとみているらしく、その勝敗についての確実な見とおしを知りたがった。かれのような商売に大きに影響があるのであろう。

「あんたは見当ちがいしている」

と、勘兵衛はいった。わしが徳川の間諜であるべきはずがないではないか、わしは二十年前に徳川家を追われた、恨みがある、「それを報じたいくらいだ」と勘兵衛はいった。

「いくさになれば豊臣家が勝つ」

と、勘兵衛は断乎《だんこ》といった。なぜならばいざいくさともなれば豊臣家は牢人を大量にめしかかえるだろう、わしも召しに応じて入城する、この小幡勘兵衛が大坂にあるかぎり大坂は負けるはずがない、とあとは大ボラになった。

いや、ホラでもあるまい。勘兵衛は兵法《ひょうほう》ひとつでも比類ないつよさを示した。試合を望んでやってくる武芸者が多いが、それらと勘兵衛は試合をして二合と太刀をあわせたことがない。みな一太刀でたたきふせた。

評判が高くなった。日に日に門人の数がふえた。それらの入門者は当然ながら大坂城の七手組の衆かその子弟が多かった。

「豊国《とよくに》大明神」

と、道場の正面に、秀吉の神位がかかげてある。勘兵衛は門人を叱咤《しった》してはげますとき、

「大明神が泣いてござるぞ」

とか、

「それで、関東を打てるか」

と、意外なことをいう。

城の衆たちにとってまったく意外であった。実のところ、豊臣家の家中の気分としては、関東へ刃むかうような闘志はさらさらなかった。

もともと七手組の衆といえば、秀吉が勇士をよりすぐってつくった親衛部隊だが、しかしいまはそれらの子の代になり、日本の最弱の軍団になりはてていた。

「野郎衆」

とまでいわれた。野郎とはかげま、つまり色を売る女臭《にょしゅう》くさい男のことをいう。まったく、秀吉死後、秀頼《ひでより》の代になってから豊臣侍は変った。薄化粧をして街を歩いている者までいるのには、勘兵衛も内心おどろいている。ここまでに士風がかわった最大の理由は、淀殿にあるらしいことは、たれにもわかっていた。大坂城の事実上のぬしは淀殿であり、淀殿は豊臣家の総帥《そうすい》である秀頼を、武家としてでなく公家《くげ》としてそだてようとした。家風も自然、蛮風をきらい、優美を好み、公家ごのみにかたむいた。

勘兵衛の道場にやってくる連中も、あらかたそのような連中であったが、なかには西国や東国の侍のような骨太い者もおり、豊臣の士風の衰頽《すいたい》をなげいて勘兵衛にむかって悲憤する者もいる。勘兵衛は牢人の兵法師匠ながら、そういう悲憤組の連中からかれらの指導者であるかのように仰がれるようになった。

秋になった。

その秋も深くなったころ、それらの門人のうちの一人があらたまった顔で使いにきて、

「大野修理《しゆり》どのが、一度先生にお会いして粗餐《そさん》をさしあげたい、ご意向をうかがってまいれ、と申されております」

と、口上をのべた。それをきくや、勘兵衛は内心、

（いよいよきた）

とおもい、心がさざなみだち、つい湧《わ》きあがってくる微笑をおさえるのに苦労した。

しかし結局は声をあげ、うれしげに笑ってしまった。認められた、というのが、うれしかったのである。しかし勘兵衛は、内心懸命に自分に言いきかせ、間諜であろうとした。

「承知つかまつった、と申しあげよ」

勘兵衛は、おごそかにこたえた。こう、荘重《そうちよう》な様子をつくると、この男は天竺《てんじく》の武神像のように威にみちた顔になる。

このまちの城内やら城下で、

——シュリどの。

と、通称されている痩《や》せた中年の大男が、豊臣家の内々の実力者であることは、小《お》幡勘兵衛《ばたかんべえ》もよく知っている。

ただし豊臣家の公式の家老は、片桐且元《かたぎりかつもと》とその弟の貞隆《さだたか》である。この両人は秀吉のわかいころからつかえた人物ながら、関ヶ原のあと、家康が豊臣家に対する戦後処置として片桐且元を豊臣家家老に任命した。当然、且元は、

「関東方」

というようにみられていて、城内のひとびとは且元の威勢をおそれつつも、かれに心から親しむというようなことはない。

その点、

「シュリどの」

といわれる大野修理亮治長《しゆりのすけはるなが》に対しては、城の者も町の者も、おなじ身内として身近に感ずるような親しみをもっているらしい。

たとえば、

「シュリどのの一丁筆《いっちょうふで》」

という噺《はなし》が大坂につたわっている。大野修理はじつのところ、政治家であるよりも芸術家としての天分のある男で、とりわけ書に長じ、それも上手という程度のものでなく、京の僧で清韓《せいかん》という名筆家が、かれの書をみて溜《た》め息《いき》をついたほどの筆蹟《て》をもっている。

このため書をたのむ者が多い。それも町家の者が多い。修理が町をあるいていると、家々から人がとびだしてきてかれを招じ入れ、白いふすまを出し、かれに筆をもたせて書いてもらう。書きあげて一丁ゆくとまたよびとめられる。そんなことで「シュリどのの一丁筆」という一ツ噺ができたらしい。気さくな男なのであろう。

いや、気さくどころではない。大野修理は従《じゆ》四位下の官位をもち、一万石の身代をもっている大名なのである。

「町人くさい大名だ」

と、小幡勘兵衛も、一度、加賀染《かがぞめ》のはでな小袖《こそで》に革袴《かわばかま》というおよそ大名らしからぬ姿で大野修理が町をあるいているところを見たとき、なにやらそういう感じをもった。そのとき修理は美少年の児小姓《こごしょう》を一人だけつれ、扇子をしきりにうごかしてくびの凝りをたたきながら、ひょろひょろ歩いていた。どうみても大名という容儀ではない。むろん凡庸なのか、かしこい男なのかもわからない。

「しょせんは大坂のへなへな侍であろう」

と、勘兵衛もおもったことがある。

修理の家筋がそれをおもわせる。

かれは、母によって栄達した。母は、淀殿《よどどの》の乳母大蔵卿局《おおくらきょうのつぼね》である。彼女は浅井家の家臣大野佐渡という者の妻で、浅井家の長女として淀殿がうまれたとき、えらばれてその乳母になった。以後、淀殿と運命をともにしてきた。

治長も、その大蔵卿局の子ということで秀吉からとくべつに目をかけられ、秀吉の晩年馬廻役《うままわりやく》になり、一万石の身代になった。

「修理になんの武功がある」

と、こういう秀吉の晩年の人事に不満だった福島正則《まさのり》などは、蔭《かげ》でののしっていたことがある。側室の乳母の子というだけで一万石というのは、なるほど過分かもしれない。

大野修理には、武功がなかった。なぜならかれが秀吉につかえたのは豊臣政権の全盛期で、戦国乱世はむかしがたりになっていたからである。

「言いたい者にはいわせておけ」

と、修理は、そういう蔭口が耳に入るたびにいった。かれに言わせると、恩禄《おんろく》などというものは過去の武功に対してばかりおこなわれるのは不合理で、将来なすであろう戦場の功名を予想しておこなわれることもあってよい、わしの一万石はそれよ、ということであった。

なるほど、そうかもしれない。

秀吉が死ぬと、家康はその日から別人のように暴慢になり、大坂城に登城しても秀《ひで》頼《より》を主人として礼せず、対等の礼をとった。それやこれやの家康の天下取りの奸策《かんさく》を石田三成が見るに見かね、のちの関ヶ原の一戦を企画したのだが、この三成派とはべつに大野修理も一時、家康打倒を画策し、大坂で家康を暗殺すべくうごいた。ところが事が露顕し、証拠不十分のまま家康によって関東の結城《ゆうき》に流されてしまった。失敗したにせよ、秀頼の将来のために家康を亡《な》きものにしようと企てた豊臣恩顧の家来といえば、関ヶ原の敗者の石田三成とこの暗殺未遂者の大野治長しかいない。双方ともあまりに過激な豊臣家への忠誠心のために、

「淀殿といかがわしい関係があるのではないか」

というううわさがあった点でも、共通している。この時代は江戸期の儒教倫理による忠誠心がまだ世の中に根づいていなかったために、人間の倫理現象としての忠誠心というものが、それがあまりにはげしすぎるばあい、「あの主従《しゅうじゅう》は男色関係があるのではないか」といわれたりした。豊臣家のばあい、事実上の主人は淀殿である。この特殊さのために、豊臣家への忠誠心は、淀殿への恋慕というかたちで世俗に理解されやすかった。

世俗といえば、この時代は江戸期とくらべてはるかに好色であり、徳川家康ですら、秀吉の未亡人である北政所《きたのまんどころ》の心をつかんでしまったとき、「おふたりは閨《ねや》をともになされている」という噂《うわさ》がたったほどである。

いずれにせよ、大野修理亮治長は、その一万石の恩報じを、暗殺未遂事件をひきおこすことによってやった。この点は小幡勘兵衛も、

「修理は凡百の大小名より男だ」

と、かねがねおもっている。

さて、修理の武勇の点である。

この男は、石田三成が上方で兵をあげたとき、関東の下野《しもつけ》結城の配所にいた。とこ

ろでこの時期、下野の小山《おやま》まで家康がきていた。大野修理は結城から出てきて家康に対面し、従軍をねがい出た。

従軍が、ゆるされた。大野修理の経歴のおもしろさは、関ヶ原の合戦においては家康方で戦っていることだった。この点、小大名ながら福島正則などとかわらない。

戦功もあった。西軍の宇喜多勢が大いに気負っていたとき、修理は家来の米村権右衛門とともに槍を入れ、宇喜多家できこえた槍仕《やりし》の高知七郎左衛門を、一槍で突き伏せている。

戦後、家康は、

「修理どの、大坂へ使いされよ」

と、かれを名ざしで命じた。家康の口上というのは、「わが敵は石田治部少輔《じぶしょうゆう》三成であり、豊臣の御家ではござらぬ。一指もさしませぬゆえ、ご安堵《あんど》あれ」というもので、この口上の使いとして大坂へゆくのに大野修理ほど適任はなかったにちがいない。

大野修理は、この関ヶ原の功によって豊臣家をすて家康につかえることもできたのだが、このとき使者の用をはたすとそのまま大坂城からうごかなかった。あと幼い秀頼につかえた。母親の大蔵卿局が豊臣家の女支配人のような位置でいる以上、他の武将たちのような身軽なことはできなかったのかもしれない。

さて。――

小幡勘兵衛のもとに使いにきたのは、大野修理の家老米村権右衛門である。権右衛門は前記のとおり、関ヶ原で活躍した人物である。

「ああ、あなたが」

と、小幡勘兵衛は、この男としてはめずらしく好奇心をあらわにし、身をのりだすようにして客を見た。米村権右衛門という人物は草履とりから一躍家老になったという。その経歴は大坂で知らぬ者はなく、勘兵衛もきいている。その点に、興味がある。近江水口《おうみみなくち》のちかくに大野という村があり、大野氏の数代前がそこから出てきたといわれている。米村権右衛門はその村の小作百姓の子で、修理がまだ小身のころ、草履とりとしてつかえた、という。

(これが、小作百姓の子か)

と、うたがわしくなるほどにいい武者面《むしゃづら》をしており、物言いもしずかで、ともすればこちらが威圧を感じてしまう。

(この男の威というのはなんだろう)

勘兵衛は、語りながら考えた。

米村権右衛門は、大野修理の家老として謀臣をつとめるという立場にあるから、かれ自身はわずか六百石の身上《しんしょう》であっても、大豊臣家をうごかす人間のひとりであることはまぎれもない。そういう世俗の権勢が、この小作あがりの男の威になっているのかと勘兵衛はおもったが、よくみるとそうでもない。権右衛門はいかにも朴訥《ぼくとつ》なところがあり、背後の威光を藉《か》るような軽薄さがなかった。

ところで謀臣というが、米村権右衛門はどうやらそんながらではなさそうであった。目から鼻にぬけるような才気や政治的才略などはなさそうであり、要するに根っから武弁というたちであった。戦場で大野家の軍勢をあずかり、進退みごとに軍配をつかうというところに権右衛門の自信のすべてがあり、その自信が威になっているらしい。

さらに語りあううちにわかったことは、主人大野修理に対するこの権右衛門のいっこくなばかりの忠誠心のつよさである。

「拙者はいまでこそかような人がましい姿《なり》をしておりますが、むかしは権助と申す草履とりでござった」

言いにくい前歴をからりという。

だから、と米村はいう、自分の忠義は、お大名衆の豊臣家に対する忠義のような高級な忠義でなく、政治性のない、下郎の忠義である、主人修理亮の身代りとして死ねといわれればいつでも死ぬ忠義で、これ以上の忠義も芸も自分にはない、といった。

（なるほど）

勘兵衛は、すこしずつ感動しはじめ、よくよく思ってみればこの米村権右衛門のもっている威というのは、そういう一途《いちず》なところから出ているのかもしれない、とおもったりした。

「小幡どの」

ときどき、権右衛門は大声を出す。

――主人修理を協《たす》けてくれ。

というのが、米村の用件であった。

米村権右衛門という者の気持のよさは、自分という者の器量の限界を知っていて、虚勢を張らないところにある。自分は五百人の兵を進退させることに長《た》けており、これをやらせればたれにも負けぬ自信がある、しかし十万の軍を駈《か》け引《ひ》きさせる軍略の才はない、という。それに政略の才もござらぬ、といった。ところが主人大野修理はいざ豊臣家の危機のとき、豊臣家をせおって立たねばならず、そういう主人を輔佐《ほさ》するのは、この米村権右衛門の器量ではなく、それにはそういう人物が要る、というのである。

「その役を、足下に頼み入る」

と、この男はいう。

「私に、軍略、政略の才があるとなぜおわかりになった」

と、勘兵衛はいった。

「そこはもう」

調べぬいた、と米村権右衛門はいった。それあればこそ貴殿の道場にも大野家の家来数人をかよわせてきたし、大野修理自身がわざわざ城下に出て唐物町を歩いている勘兵衛を見たこともあり、さらにはこれは申してよいかどうかわからぬが、主人修理のめいい御でお夏さまと申されるお方、先刻、貴殿をお見知りでござるよし、といって、権右衛門はやや意味ありげに微笑《わら》った。

「お夏どの？」

勘兵衛には、おぼえがない。

「どういうお方か」

女ずきの勘兵衛は、むしろそれが気になった。お城の上臈《じょうろう》衆など、勘兵衛は知らない。

お夏の亡《な》くなった母は大蔵卿局のむすめで、お夏にとって父にあたるその夫は早く世を去り、このためお夏は大野修理のもとで成人した。いま祖母大蔵卿局とともに淀殿のそばにつかえているが、婦人の多い大坂城内でも屈指の美人だという。というようなことは、米村権右衛門が辞去したあと、勘兵衛はその門人からきいた。

この翌朝、未明から風が吹き、やがて瓦《かわら》をふきとばすほどの吹き降りになった。勘兵衛がおどろいたことに、その豪雨のなかを、蓑笠《みのかさ》で身をかためた武士が駈けてきて、勘兵衛の土間にころがりこんだ。見ると、米村権右衛門である。

「お約束でござる」

と、この男はいう。

じつは勘兵衛は、大野屋敷へゆくかゆくまいかを考えていた。おいそれと尾を振ってゆけばかえって相手が不審をいだくのではあるまいか、ここは二、三度断わるという狂言があってよいのではないか、と考えたりしているところへ、米村が濡《ぬ》れねずみできた。そとは、蓑も笠も役だたぬほどの風雨である。

(大野修理は、みごとな家来をもっている)

つい権右衛門の熱心さにひきずられて、勘兵衛は土間で裸になった。笠も蓑も役立たぬ以上、素っ裸でゆくしか仕方がない。

勘兵衛は衣服と大小を油紙でつつみ、それを裸の背へ背負い、どっとそとへ出た。

(妙な入城になった)

われながらおかしかった。

本丸、二ノ丸以下の城郭地帯は、このながい坂をのぼりきった台上にある。風は坂にそって城へ吹きあげており、裸の勘兵衛と蓑笠の権右衛門は、風に吹き散らされるように駈け、ときに風を避けて石塁のかげに身をひそめ、ようやく京橋御門に駈けこんだが、あとは水中を駈けるような雨である。郭内に入ると、風は石塁と石塁の谷間にうずを巻き、ときに体が地上から持ちあがった。

(呼吸《いき》もできぬ)

そんなぐあいで城内の大野屋敷の大きな玄関に入ったとき、勘兵衛は亡者《もうじゃ》が極楽にたどりついたような心地がしたが、しかし顔には出さず、ゆっくりと油紙包みを解きはじめた。

大野屋敷は、当主がわずか一万石の身上ともおもえぬほどに豪壮で、二ノ丸城内でも一要塞《ようさい》をなしている。関ヶ原までは石田三成の屋敷だったという。三成は十九万五千石であり、あとの棲《す》み手の大野修理が一万石であることをおもいあわせると、豊臣家の規模そのものがちょうどそれだけの縮尺で縮んでしまったことを、小幡勘兵衛はおもった。

小書院に通された。

そこにすわっていると、さすがに岩室《いわむろ》のなかにいるようで、そとの嵐の気配がいっこうにひびいて来ない。

（大坂城だ）

と、勘兵衛はあらためて感動するおもいがした。

やがて、修理が入ってきた。

なるほど町で見たとおりすねがながく、ひざを折ると、こんどは長すぎる上肢《じょうし》をもてあますようにした。やがて手をひざの上に置いた。

「治長でござる」

痩《や》せた、筋張った顔で、ものに困ったような微笑をうかべ、それが妙に愛嬌《あいきょう》があった。このいつも困ったようなこの男の表情は、この男の癖らしく、その後もかわらなかった。

あいさつがあり、適度に会話があったのち、修理は本題に入った。

「当家にきてくださるまいか」

という。

（いったい正気か）

と、勘兵衛がおもったのは、自分が二十年前に徳川秀忠の児小姓をつとめていたことを、米村と言いこの修理といい、いっこうに意にも介していない様子であることであった。そのあたりが、豊臣家の家風の大きさであろうか。

その疑問を、勘兵衛は露骨に口にした。修理は、唇許《くちもと》に甘さの匂《にお》った微笑をうかべ、

「豊家《ほうけ》の風《ふう》は大きゅうござる」

と、鷹揚《おうよう》に出た。なにしろ秀吉は、信長の子や孫、それに徳川家康でさえ傘下《さんか》の大名にしていた人物である、貴殿が徳川家の粟《ぞく》を二十年前に食《は》んでいたということぐらいで、ひとに差別《けじめ》はつけ申さぬ、といった。

「それに貴殿は」

徳川家をお恨みあるよし、と修理はいったが、それについては勘兵衛はかぶりを振り、遠いむかしのことでもはや恨みなどはわすれた、それに自分の旧主は徳川家であるとは自分は思ってもいない、旧主は甲州武田家でござる、といった。

「さもあろう」

修理は、勘兵衛の小幡家というものの武田家における由来をよく知っている。

「いいや」

と、勘兵衛はそれにもかぶりを振った。

「拙者に旧主などあってたまらず、思うてもおり申さず。勘兵衛は天地ただ一人の勘兵衛にて、二十年、諸国を遊歴して興亡のあとをたずね、天下の崩し方、築き方を考え、さらには弓矢攻防の理をきわめたつもりでござるが、これはたれに召しかかえられようという下心あっての修業ではござらなんだ」

ただその理をきわめるのがおもしろくて、それだけのことである、と語ったのは、これは勘兵衛の本心であった。

ただ勘兵衛が、自分の道場にやってくる豊臣家の若侍どもをけしかけて、なぜ天下を徳川家からとりもどそうとせぬと言いつづけているのは、これは煽動家《せんどうか》としてのしごとである。むろんその本音のことは大野修理亮治長には明かさない。

「武門にうまれた者なら、当然その意気があってしかるべきだというところから、若侍どもを煽《あお》ってはおります」

というと、こんどは修理のほうが手を大きく横にふって、

「それはこまる」

と、顔から微笑を消した。徳川家を刺《し》戟《げき》したくない。右大臣家をしてできるだけ穏

便な御生涯を送らせ奉《たてまつ》りたいというのが豊臣家の方針である、と修理はいった。

「そのことは二度と申されるな」

修理がいったとき、米村権右衛門が廊下にあらわれ、閾《しきい》ぎわにすわって、本町橋東詰めの小幡勘兵衛の道場は、この猛《たけ》り風が空中へ持って行ってしまってあとかたもない、といった。

「風が？」

勘兵衛がわざとにぶい表情でききかえした。

「左様。風が最初は屋根をふきとばし、そのあとへ豪雨がふりそそいで壁土などはことごとく泥になっている」

といった。いや、勘兵衛どのの道場どころか、この大風で大坂の町家の大半は倒壊し、その光景を城楼から見はるかすと、船場あたりは一面が平たくなってしまっている、という。

大野修理は、急に笑いだした。

「よい卦《け》よ」

と、勘兵衛の顔をのぞきこんだ。

今日、これから帰ろうにも帰るべきねぐらがない、いっそこれを奇貨とし、今夜より当屋敷の一室を起居の場所とされよ、と、修理はいった。

（……凪か）

勘兵衛は妙な気がした。先刻、凪に吹きあげられ、吹きおくられるようにしてこの城のなかに入ってきたのだが、その凪が同時に勘兵衛の寓居《ぐうきょ》まで始末してしまった。

（天意かもしれない）

とおもうほど勘兵衛は感傷家ではなかったが、それにしてもこれからの歳月は容易なぐあいではすむまい、とほのかにおもった。

住　吉

時勢は江戸というあたらしい政治都市を中心にうごめいている。諸大名はことごとく江戸へゆき、大坂には足をむけない。

大坂城内の男女というのは、時勢から置き去られたにも似ている。ざっと七十万石によって養われているかれらには、互いのうわさしか楽しみがなかった。

ということにも、よるのであろう、小幡勘兵衛《おばたかんべえ》が大野修理《しゅり》の客分として城内に住まうことになったといううわさは、その数日後にはもう、御本丸の淀殿《よどどの》の耳に入ってしまっていた。

たかが牢人《ろうにん》がひとり、大野屋敷の一隅《ぐう》に住んだといううわさなど、なんの価値もない。が、この世俗との交渉のうすい、「城内」という別天地のなかにあっては、大野屋敷の猫が八ひきも仔《こ》をうんだということだけでも、十分女どもの話題になりえている。まして、相手は、人間の男ではないか。

「どういうおとこです」

と、淀殿は身を乗り出すようにしてきいた。この話を彼女の耳に入れたのは、例によって大蔵卿局《おおくらきょうのつぼね》である。

「ただいまも申しあげましたとおり、諸国の地誌人情にあかるく、たとえば日本の北のはしにすむ津軽侯はいまなにを考えているかとか、さらには去年薩摩《さつま》ではやって人死《ひとじに》が三千人も出たという疫病が今年もまたはやるかといったたぐいのことを、掌《たなごころ》を指すように知っておりますだけでなく、武芸にいたっては百般いたらざるなく……」

「そういう男が、この世にいるのか」

淀殿は信じられず、それだけに目がうるむほどに興をもったらしい。

「顔は?」

「まあ、ぶおとこでござりますげな」

「ぶおとこか」

淀殿は、失望したらしい。しかしそれでもいったん熱っぽくなった興はさめにくいらしく、

「とはいえ、なにか取り柄はあるであろう。声が涼しいとか、歯ならびが愛らしいとか」

「さあ、そこは……」

大蔵卿局は、かんじんの勘兵衛を見ていないのである。彼女はいつも御殿のお局《つぼね》に住み、息子の住む大野屋敷に宿さがりすることはめったにない。そのお夏が、彼女の娘腹の孫娘であるお夏は、三日に一度ほどは大野屋敷に帰る。そのお夏からきいた話を、そのまま請け売りで話したにすぎない。

「では、お夏をよべ」

「お夏はおりませぬ」

「どこへ参った」

「もうおわすれとは、お気楽な」

大蔵卿局は淀殿のわすれっぽさをからかいながら、笑って、

「きょうは住吉大明神のお日でございますぞえ」

と、いった。

淀殿のまわりの高級女官たちの多忙さというのは、世間の想像をはるかに越えている。淀殿は秀頼《ひでより》の安泰のために畿内《きだい》一帯の社寺に祈願しているが、それらにはそれぞれ縁日というものがある。その日その日に侍女を手わけして代参させるのだが、きょうは住吉大明神の縁日で、お夏が代参を命ぜられた。このためお夏は朝から盛装し、黄金《きん》の金具をうった塗り駕籠《かご》にのり、供行列をととのえて八丁目の城門から出て行った。住吉の宮というのは、城から十キロばかり南へくだった海浜にある。昼前には着くが、そのあと参籠《おこもり》をせねばならぬため、三日経《た》たぬと帰城しない。

「三日、待たねばならないのか」

淀殿は、どんなくだらないことでも、思いのままにならないと気持が鬱《うつ》してくる。たかがこれくらいのことで、すでに顔色まで冴《さ》えなくなっていた。

幼いころから乳母として育ててきた大蔵卿局は、そのことはよく知っている。

「よびかえして参りましょうか」

と、わざと腰を浮かしていった。これが治療法であることを大蔵卿局は知っていた。

「よびかえす？」

淀殿はおどろいた。

「早くおきめくださいませ」

と、大蔵卿局は、淀殿の意思にまかせた。そのあたりがこつであった。代参にゆく者をよびかえせば不吉であることは淀殿も知っている。やむなく自分で自分に言いきかせてなっとくするのである。

お夏は、駕籠を進めている。

行列は、閑々としてゆく。行列の宰領を騎馬武士二騎がとり、駕籠わきを徒士《かち》四人がかため、その前後に徒士が十人、女どもが十人、足軽中間《ちゆうげん》が二十人といったぐあいで、わずか十八歳のむすめながら、「御代参」だけに小大名《こだいみよう》の行列よりも美々しい。

(すこし吹きすぎたかしら)

と、お夏はかるい後悔をおぼえている。

頭のまわりのいい娘だから、自分が祖母の大蔵卿局にいったことが淀殿にどう伝わり、それに対し淀殿がどう反応したかということぐらいは、わかるのである。

もともと大蔵卿局がいけない。大蔵卿局はいつも淀殿に世間のことや城内のことなどをおもしろく話してやる習慣(淀殿の幼女のころからつづいてきているものだが)があっ

て、ときにたねが切れる。だからときどきお夏に、

——夏どの、なにかおもしろいことはないかや。

といってきくのである。

お夏は、話上手という点では、祖母大蔵卿局の才能をたっぷり遺伝している。質《たず》ねられるとすぐ、こんど屋敷にきた小幡勘兵衛という、ちょっと神秘的で奇《く》しい感じの中年男のことを話した。話しているうちにだんだん誇張が入り、それだけに大蔵卿局ものめりこむように聞き惚《ほ》れ、

「まあ」

とか、

「ほんにそのような」

とか、叫ぶような相槌《あいづち》を打って、祖母は聴いてくれた。しかしいまになってお夏はよくよく考えてみて、

——ちょっと、言い過ぎた。

という気持がないでもない。小幡勘兵衛という男を、帝釈天《たいしゃくてん》とか毘沙門天《びしゃもんてん》の神力や功力《くりき》を語るような大げさな言いかたで語ってしまったのである。が、その誇張は、ただ祖母をおもしろがらせようという気持からだけ出たものではないであろう。

お夏は、えりのなかにその細いくびをうずめた。

「馬鹿《ばか》」

と、叫びだしてみたいような奇妙なはずかしさがあるが、叫ぶにはまわりに供が多すぎる。

（……なにやら、妙な気持）

と、あらためて自分の心の内側にもぐりこんでみて、いままで嗅《か》いだことのないきなくさい煙が匂《にお》い立っているようにおもえるのである。

お夏は、じつは小幡勘兵衛をそれ以前に知っている。

いまから二十日ばかり前、彼女が京へのぼっての帰路、船からおりて急に町歩きをしてみたくなり、行列だけは京橋御門から城へかえした。そのあと中間の供ふたりをつれて唐物《とうぶつ》問屋の町をあるき、呂宋《ルソン》屋五兵衛という懇意の商舗の奥で休息した。

呂宋屋は、堺《さかい》によくある中国風の店舗で、店を入るとすぐ大土間がある。下は漆喰《しっくい》でかためられており、その上に卓子が置かれていて、来客はその椅子《いす》へ腰をおろす。

お夏は、その奥にいる。そのあいだをのれんがへだてていて、店先の様子がわりあいわかる。

お夏は茶をのんだ。そのあいだ主人の五兵衛がお守をしてくれる。お夏は、呂宋や交趾《コーチン》あたりのはなしをきくのがすきで、ときどきこの町にやってきては、この呂宋屋五兵衛やこの筋むかいの厦門《アモイ》屋治左衛門などから海のむこうのはなしをきいたりする。この界隈《かいわい》で商舗をならべている商人なら、四十年配以上の者のたいがいは海外へ渡った経験をもっている。

——むかしは、虹《にじ》のような時代でございましたな。

と、五兵衛なども、秀吉のころの大冒険時代というべきむかしをなつかしむのである。

「太閤《たいこう》さまにいたっては」

と、五兵衛はいう、——われわれが大船を仕立ててどんどん海を渡り珍宝を満載してかえるのをお城からうらやましげに見ておられる、とうとう我慢しきれずおれならこうする、とおおせだされて軍勢を催し、大明国までうち入ろうとなされましたな——と、秀吉をあきんどの大親玉のようにいうのである。

関ケ原からこのかた、世の中はすっかり灰色になった。

というのが、かれら大坂の商人たちの共通した時代観らしい。かれらは露骨に家康をののしって、「天下の政治《しおき》を三河あたりの百姓の料簡《りょうけん》でやっている」という。すべてが事なかれの時勢になった。

そのうち、店先の気配がかわった。

(――たれが？)

と、お夏は顔をあげ、のれんのすきからのぞいてみようとしたが、あいにく風がなく、のれんが動かない。

声だけがきこえてくる。声というのはゆったりとした低い声だが、しかしそのあたりの塵《ちり》をうごかすように底響きし、その響きのためにお夏は耳の穴のうぶ毛がくすぐられそうな感じがした。

声が急に高くなり、あたりの空気を震わせた。笑ったのである。お夏はたまりかね、

「あれは、どなたですか」

と、呂宋屋五兵衛にきいた。

「あれはね」

五兵衛は、声をひそめた。

「唐物勘兵衛どのでございますよ」

五兵衛がいうのに、あれは甲州牢人小幡勘兵衛と言い、本町橋の東詰めに兵法の道場をもつ唐物好きの変り者で、赤い珍陀《チンタ》酒《しゆ》をこのみ、酔うと、わしに五百人の軍勢を藉《か》せ、船を仕立てて海をわたり、呂宋城を三日でとってみせる、などとその異域の城

の攻略法をくわしく弁じたてる、というのである。

「法螺《ほら》ふきですか」

「なかなか、どうして」

五兵衛がかぶりをふった。勘兵衛というのは大変な出来物《できぶつ》で、世が世なら倭寇《わこう》の大親玉にでもなる男だ、という。しかしながら惜しいかな、江戸の百姓は――と五兵衛は徳川氏のことをそういう――日本国という一天下を庸人《ようじん》の国にすべしとかかりきりでござるゆえ、勘兵衛どののような仁《じん》の生きる道はございますまい、といった。大坂では町人にいたるまで、家康の消極主義とは気分があわないらしい。

「だから、あの方は牢人をしていらっしゃるのですか」

「それしかござるまい」

だからあの仁は空想家なのだ、という意味のことを五兵衛はいった。現実にはありもせぬ城取りや合戦のことなどを空想してそのやり方を研究したり、諸国諸大名の能力批判などをしてうさを晴らしているのでございましょう、と、五兵衛はいった。

（それならいっそ、大坂城にいらっしゃればよいのに）

と、お夏はふとおもい、祖母の大蔵卿局に話してみようかとおもったとき、風でのれんが揺れ、店の土間に腰をかけている勘兵衛の横顔がみえた。なんとまるで海浜の

奇《き》巌《がん》が、海風に吹き曝《さら》されているような風貌《ふうぼう》であり、

（これなら、五兵衛のはなしもうそではあるまい）

と、息を忘れるように思った。

ところが偶然、というよりお夏の知らぬ筋でおじの大野修理やその家老米村権右衛門などが小幡勘兵衛という人物に接触しており、やがて勘兵衛が城内の大野屋敷の一隅に住むようになった。

ある日、お夏は宿下りしてきて、そのことを知った。知った日、表書院へとおってゆくながい廊下の途中で、むこうからやってくる勘兵衛にばったり出会ってしまったのである。勘兵衛は両肩を盛りあがらせ、白扇をパチパチいわせながらやってくる。お夏は避けないし、避ける必要もない。彼女は婦人の権勢の高いこの城内にあってそのなかでも淀殿の側近であり、大蔵卿局の愛孫であり、当家の主人大野修理のめいなのである。当然、勘兵衛のほうから避け、体を欄干に寄せて、膝《ひざ》を折りまげぬまでも立礼はすべきであろう。

ところが勘兵衛は立礼せぬばかりか、避けようという様子もみせず、ゆったりとやってきて、胸で押さんばかりのあつかましさで、お夏の前に立ちはだかったのである。

お夏は、むっとした。

「神妙になされませ」

と、一喝してやった。

勘兵衛はお夏を見おろし、そよ風が吹いたともおもわぬ顔で、お夏の目をじっとのぞきこんでいる。瞼《まぶた》が大きく、両眼にふかぶかと光がやどっていて、お夏はあやうく吸い寄せられそうになった。が、気をとりなおし、どなたです、わたくしは当家の族縁の者、夏といいます、というと、申しおくれた、御当家の厄介者小幡勘兵衛と申す、とその男はいった。

「無礼でございましょう」

お夏は腹が立った。勘兵衛にとって自分は主筋ではないか。主筋への礼をとるべきではないか。

勘兵衛は、突如皓《しろ》い歯を見せた。

目は笑わず、唇だけで破顔《わら》っているのである。そのうえ言ったことの憎々しさはどうであろう。

「女は抱かるべきものでござって、威張るべきものではござらぬ」

お夏はあやうく飛びあがりたくなるほどの怒りをおぼえたが、しかし勘兵衛は目でおさえつけ、

「よろしいか。お家（豊臣家）の危難は、江戸の徳川氏にあらず、女衆が右大臣家の威権にたかってそれを左右しているところにある」

「御当家に仕える殿輩《とのばら》が、どなたもこなたも意気地がないからでございます」

と、かろうじてお夏がいったが、そのときは勘兵衛は動きだしており、聴きもせずに行ってしまった。

そのあと、お夏はこの小幡勘兵衛のことを祖母の大蔵卿局に話している。どういうわけか、まるで神将の到来のように言ってしまって、かんじんのあの男の無礼さについては胸にしまって言わなかった。この気持は、お夏自身にもわからない。


住吉ノ里は、西が海に面している。

神域は広大で、幾千という磯馴《そな》れ松が海風に鳴り、本殿はつねに靄《もや》にかくれ、その神域内にかぞえきれないほどに摂社末社が鎮《しず》まり、まわりには神代のころからつづくという社家津守《つもり》氏の館《やかた》や禰宜《ねぎ》、神人《じにん》の屋敷が軒をならべている。

それらのなかに草ぶき檜《ひのき》づくりの古びた一殿舎があり、それが貴人のための参籠殿《さんろうでん》になっている。お夏は、ここで泊る。

まず斎室《さいしつ》で潔斎《けっさい》をした。湯殿で体をきよめ、あがって練絹白装に着かえ、紅の袴《はかま》をつけると、侍女たちが見惚《みと》れるほどに清げな姿になった。

二日目の夜は、献歌をしなければならない。夜がふけ、子《ね》ノ刻になると、お夏は参籠殿のそとへ出、露をおいた玉砂利を踏んだ。禰宜一人が供に炬火《たいまつ》をもたせて案内してゆく。やがて神殿の前にくると、拝殿にあがり、板敷にすわる。お夏は、すわった。禰宜は神にこの代参者の到来を告げるべくながい祝詞《のりと》をあげ、やがて拝殿を降り、お夏ひとりのこして退いて行った。

あとは、お夏のひざ前に燭《しょく》がひとつ燃えているだけである。お夏は、神前でこの日の作業をはじめねばならなかった。

淀殿と秀頼が詠《よ》んだ和歌を献ずることであった。すでに用意してきている。淀殿・秀頼の歌というのは、京の下級公家《くげ》で豊臣家の歌学師範をつとめる舟橋秀賢《ひでかた》が添削したもので、調べのなだらかな古今《こきん》調の歌であった。

お夏は顔をまっすぐに神殿にむけつつ、小さな声でそれをよみあげた。次いで、代参者であるお夏自身の歌も、詠みあげねばならない。お夏は、急にひざをうごかした。彼女はじつはこのことに困《こう》じはてていた。和歌がどうにもきらいで、数日前からそれをひそかに用意はしたが、しかし神前でよみあげるべきかどうか、彼女なりに勇気が要った。

しばらく思案していたが、やがて意を決したように顔をあげた。

「君が代の久しかるべきためしには、かねてぞ植ゑし住吉の松」

とよみあげたとき、横合で思いもよらず影が湧き、わずかに動いた。たれか、いる。

その影が、笑った。

「それは、古歌ではないか」

お夏は胸が凍るほどにおびえた。狼狽《ろうばい》のあまり、神があらわれたとおもったが、神などあらわれるはずがない。人である。その人影が、さもおかしそうに、

「それは続千載集《しょくせんざいしゅう》にある津守氏人《つもりのうじと》の歌ではないか」

といった。

いつのまにか、勘兵衛はこの拝殿のすみにすわっているのである。お夏はなぜこの男がこんな住吉の拝殿にうずくまっているのかというふしぎさよりも、歌盗みに対して神が怒って出てきたのではないということの安堵《あんど》のほうがさきに立った。

「いや、おもしろい」

勘兵衛は、はだけた胸をさすりながらいった。

「献詠に歌を盗むとは、たのもしい度胸だ」

と、勘兵衛はさもそれが気に入ったように声に弾みをもたせていうのである。

「だって、それは」

お夏は言いわけしようとしたが、それよりも自分をこのように吃驚《びっくり》させたこの男の出現の異様さに腹が立ってきた。

つい、喚《わめ》いてしまった。なにをわめいたか覚えないほどに気昂《きたかぶ》りして悪態をつき、罵声《ばせい》をあびせ、それも台所女《みずしめ》がつかうような下品なことばも二つや三つ、歯のあいだから飛びださせてしまった。

目が馴れ、勘兵衛の顔がみえる。その顔が神妙にお夏の罵声をきいている。

やがてお夏は言うことばに詰った。その間《ま》を勘兵衛は吸いこむように吸いとって、

「抱こうと思って来たのよ」

と、いった。

お夏は、呆然《ぼうぜん》とした。燭台の灯が、ゆれつづけている。

山《やま》里《ざと》郭《ぐるわ》

お夏は、勘兵衛《かんべえ》の胸のにおいを嗅《か》いでしまった。なにやら剝《は》ぎたての生革《なまかわ》のようなにおいがした。

(——それも、住吉の神前で)

とおもうと、勘兵衛との男女の縁が、神秘的なおもいがせぬでもない。城にかえってから、二、三日、谷間から靄《もや》が湧《わ》きつづけているようで、たえず頭がはっきりせず、からだが湿るようであった。

「どこか、わるいのか」

と、祖母の大蔵卿局《おおくらきようのつぼね》がきいたくらいであった。わるい風邪がはやっている。淀《よど》殿《どの》もそれにかかり、寝たままである。

「さあ、どうでしょう」

お夏はしらばくれたが、それでも喋《しやべ》りだすと弾んでくる娘で、住吉さまには幾柱も摂社や末社の神々がまつられている、そのうちのわるい神でも憑《つ》いたのではないでしようか、といって笑った。女が神もうでをすると、よくそういうことがあるらしい。

「憑く？」

大蔵卿局は、お夏のこの冗談が気に入った。

「そなたのような娘にも憑く神があるのか」

大蔵卿局は老女のくせに元来そういう神秘譚《たん》を信じないたちであったから、この孫娘をからかうたねにした。

「その神は、男神《おがみ》か女神《めがみ》か」

「むろん、男神」

「よかったの」

と、祖母は笑ったが、そのあと急に真顔になって、「小幡《おばた》勘兵衛のことであるがの」と言いだしたのには、お夏のほうが息がとまるほどおどろいた。その勘兵衛との秘事を、この祖母は知っているのではあるまいかとおもったのである。

が、ちがった。祖母がいうのに、淀殿がその小幡勘兵衛なる者に興味をもたれている、御回復なされればお話し申しあげよ、ということであった。

お夏は、ほっとした。

「それならばいっそ」

と、お夏はいった。

「御方様おみずから勘兵衛どのを御引見あそばしてはいかがでしょう」

「ああ」

それがよかろう、と大蔵卿局も、思った。むろんおなじ畳で対面するには身分が懸絶しすぎていてまずいが、お庭で会うという方法もある。勘兵衛は草むしりという体《てい》にしてあらかじめ庭で待たせておき、たまたま淀殿が通りかかって言葉をあたえるという形式にすればよい。

「そういうことだ」

と、勘兵衛にその一件をつたえたのは、大野修理《しゅり》である。

「そこもとはよほどよい運《ほし》にうまれついておられるらしい。御方様が位階のない者にお会いなさることなど、絶えてないのだ」

と、恩に着せるようにいったのが、勘兵衛のかんにさわった。その御方様ご自身が、なんの位階もないではないか。前右大臣《さきの》豊臣秀頼《ひでより》の母親であるということをのぞけば、なんのことはない、位階がないという点ではそのあたりの物売り女とおなじなのである。そういう婦人が、あたかも女帝のように豊臣家に君臨しているところにこの御城の致命的な病患があるのではないか、と勘兵衛は毒づいてみたかったが、もっともそこまで言うことはない。そうおもって、だまっている。

翌日、大野修理は勘兵衛をつれて本丸にのぼった。勘兵衛は、平装のままである。大玄関までくると、修理は、

「これにて待つように」

といって、入ってしまった。大玄関からは、勘兵衛の身分では入れない。やむなく大玄関前の砂のうえに膝《ひざ》を折ってひかえていると、なんと、お夏が出てきた。

「そなたは、小幡勘兵衛どのでありますか」

と、紅緒の草履に足をのせ、勘兵衛を見おろしながら、しらじらしくきくのである。

「左様。――」

と、勘兵衛は答えざるをえない。

「山里郭までご案内いたしましょう」

「御本丸ではござらぬので」

「はい。そなたさまは、御本丸へのぼれるご身分ではありませぬ」

（なにを言やがる）

と、勘兵衛はおもったが、すでにお夏はさきに立って歩きだしている。勘兵衛も立ちあがり、大きな白扇をにぎって歩きだした。お夏の足の指の爪《つめ》が、赤く血の色を帯びて貝殻のように可愛《かわい》い。勘兵衛はちょっと俯《ふ》し目になってその爪の色をながめたり、かとおもうと目をあげて細いうなじを見たりした。

「いい女だ」

勘兵衛は、露骨に声を出していった。お夏はあやうく勘兵衛のほうへ倒れそうになった。

石塁と石塁の谷間をあるいてゆく。城内はよほどひろいのか、足がくたびれるほどであり、途中、人にも会わない。

やがて、天地が一変した。赤松の樹叢《こむら》が鬱然《うつぜん》とうずくまり、川があり、滝の音がとどろいている。山里郭である。

(これがかの、山里郭か。――)

と、築城通の勘兵衛は感嘆しながら、あたりをみまわした。ふりむくと、草むらから雉《きじ》が飛んだ。秀吉が大坂城をきずくにあたってかれの趣味性を発揮したのがこの山里郭で、城内に草ぶかい山里の自然をもちこんだものであった。

「――これにて」

と、お夏が青い紀州石を指さした。石のわきに鬼羊歯《おにしだ》がしげっている。これに、、、てというお夏のことばに勘兵衛はちょっと錯覚した。お夏の手をとってひきよせようとした。お夏はひきよせられた。さからわない。

が、唇だけはひどく落ちついていて、正確に自分の意思をつたえた。

「勘兵衛どの、またなさるのですか」

と、問いつめるようにいうのである。勘兵衛はがらにもなくたじろいだ。

「これにて、と申したではないか」

と、気弱くいった。惚《ほ》れてしまったのかもしれない。

お夏は、笑いだした。木洩《こも》れ日がまぶたのあたりの血を透かせている。

「これにてお待ちあれ、と申したまででございますよ。やがて御方様が参られます」

と言い、言いながらかたわらの幹にからんだ蔓草《つるくさ》をぴちりと切った。蔓に、野茨《のいばら》のようなとげがついている。勘兵衛はあやうく悲鳴をあげるところだった。そのとげを、お夏は勘兵衛の二ノ腕に突きたてていた。

「痛い？」

どういうわけか、無邪気そうにくびをかしげ、しかも顔だけは真顔で勘兵衛の感想をきいている。なんのつもりなのか、勘兵衛には見当がつかない。それにしても、とげはたっぷり肉に食い入っている。

「いかが」

お夏はきいた。

「まず。痛い」

にがい顔で、勘兵衛はいった。

「そう」

お夏は、目をいっぱいにひらいて勘兵衛の目をのぞきこんでいたが、やがて、

「お夏はもっと痛かった」

言うなり、羊歯でふちどられた小径《こみち》を足音もなく駈《か》けおりてしまった。そのあと、勘兵衛は腕に歯を近づけて、とげを噛《か》み、抜きとった。たちまち傷穴から血が盛りあがって、唇をぬらした。

（おれに惚れてやがる）

そうとでも思わねば、このばかばかしさと痛みにたえられない。勘兵衛が諜者《ちょうじゃ》として適しているとすれば、まずそんな楽天的なところにある。

山里郭には大きな赤松がそびえていて、そのむこうは芝生になっており、やがて茶亭がある。

淀殿はそこにいる。茶会をしていた。

彼女自身が亭主であった。客は、この城内ではとくべつな礼遇をうけている婦人である。数日後には、加賀へ帰るべくこの住みなれた城を出発しなければならない。席

は自然、華やかではない。

この婦人は、この城内では、

「宰相局《さいしょうのつぼね》」

とよばれている。故太閤《たいこう》の側室のひとりであった。

ついでながら、故太閤の側室は、かぞえきれない。大坂や伏見の城内に殿館をもっていた者だけでも、淀殿のほかに三条局、三ノ丸殿、姫路殿、松ノ丸殿、加賀局などがいた。いずれも武家の名家のむすめで、三条局は蒲生氏郷《がもううじさと》の妹、三ノ丸殿は織田信長の第五女、姫路殿は信長の弟信包《のぶかね》の娘、松ノ丸殿は京極氏の出、といったぐあいであったが、いずれも太閤が死んでからそれぞれの実家や、縁ある家にひきとられたり、京の公卿《くぎょう》あたりに再縁したりして、いまは淀殿しかのこっていない。

ただ宰相局だけが例外であった。彼女だけが城内に心細げにのこらざるをえなかったのは、ひとつには関ヶ原の前からわずらい、体をうごかすことができなかったからであった。いまひとつは、帰るべき実家がなかった。宰相局は、むかし尾張織田家につかえていた平侍の子で、のち秀吉の正室北政所《きたのまんどころ》のもとに奉公にあがったが、このとき秀吉の手がついた。秀吉は、その生涯でかぞえきれぬほどの女と閨《ねや》の縁をもったが、そのうちの一パーセントも側室にしていない。側室という、いわば豊臣家の一員にするのはすべてしかるべき大名の娘にかぎられていたが、この宰相局だけは唯一《ゆいいつ》の例外であった。

――殿下もよほどのご執心だったにちがいない。

と、当時ひとびとは蔭《かげ》でいったが、いまなお宰相局は四十をこえていながら、唇の色があざやかで、齢《とし》によるおとろえがあまりない。

「加賀の尾山《おやま》(金沢)は、京に似て」

と、淀殿はいった。

「よいところだと申しますよ」

なぐさめているのである。

おなじ秀吉の側室であったとはいえ、宰相局の運命のさびしさはどうであろう。彼女は実家をもたないために、身を寄せるべきところがなかった。

――いつまでもこの御城に居てくださってもよいのです。

と淀殿の側ではいってくれるが、考えてみると宰相局は淀殿からそのように恩をほどこされる理由《いわれ》がないようにおもえる。太閤の側室としてかつては上下はなかった。太閤の死後、いつのほどか淀殿がこの巨城の事実上の女王になってしまっている。

「加賀へ帰る」

というが、宰相局は加賀が故郷《さと》ではない。故郷でないどころか、加賀も金沢も見も知らぬ土地で、これからの心ぼそさをおもうと、気持が滅《め》入《い》ってきて息も細まるおもいであった。

ここにいたったいきさつは、他人《ひと》のなさけがからんでいる。一月ほど前、太閤の京の廟所《びょうしょ》に参詣《さんけい》したとき、当然そのそばの高台寺に住む正室の北政所をたずねた。側室というのは元来正夫人の宰領下にあるため、秀吉の墓まいりをしたあとは正夫人の機嫌をうかがいにゆくというのは、当然の礼儀であった。ところが北政所は客殿に入ってくるなり、

「あなたのことはすっかり忘れていた」

と、罪のない笑い声をたて、正直なことをいった。宰相局は、苦笑するほかなかった。元来、彼女はその存在がぎらつかない上に、長くわずらって人交わりもしなかったため、噂《うわさ》ひとつ人の口の端《は》にのぼらなかった。

「それで、今後どうするのです。やはり大坂のお城にいるつもりですか」

と、北政所はきいた。

宰相局は、答えられなかった。むろん、あの城に居たくはない。居ればどうやら、とほうもない災害にまきこまれそうな気がする、戦火に――である。彼女のような世

を捨てたつもりの者でさえ、関東と大坂はゆくゆくこのままではおさまるまいという匂《にお》いを嗅いでいる。そのとき城内にいれば、どうなるであろう。しかしかといって、どこへゆくあてもない。

「加賀へゆきませんか」

と、北政所はいった。

加賀前田家に対して北政所は口をきいてやろう、というのである。

前田家と宰相局は、尾張織田家のむかしにさかのぼれば多少の縁がないでもない。前田利家はすでに他界し、その妻お松――家中《かちゅう》から芳春院と尊敬されている――は、いま江戸にいて、徳川氏への人質のようになっているが、この芳春院の実父がやはり織田の家中の篠原主計《しのはらかずえ》という人物で、その主計のいとこにあたるのが、宰相局の実父の高畠《たかばたけ》十三郎である。だから、もとをたずねれば加賀前田家と姻戚《いんせき》筋といえなくもないから、前田家に宰相局をひきとらせようと北政所はいうのである。

「加賀へゆけば、再婚なさるとよい」

と、北政所はひとりぎめしながら、力をこめていった。再婚のさきは前田家がさがすであろう。加賀はさいわい真宗の強大な地盤で、門徒何千軒という小大名のように裕福な寺も多い。そういう真宗寺にでも縁があれば、大名へ縁づくのとはちがい、政治上の小うるささがない、と、北政所はいった。

それで、いまの茶会である。

「加賀につけば、利長卿《としながきよう》によろしくおつたえください」

と、淀殿はなにやら意味深げな表情でいった。利長とは、前田利家の子である。利家の死後、前田家の当主として関ヶ原のとき徳川方に味方し、北陸の西軍と対戦し、戦後加増されて百十九万石という日本最大の大名になった。その利長も、いまは五十を越して家督を弟の利常にゆずり、高岡に小さな隠居城をきずいて余生をたのしんでいる。

——その前田家を。

と、淀殿はかねがね考えている。ゆくゆく関東と手切れになったばあい、その前田家を味方にたのもう、と淀殿はおもっていた。頼むべき筋あいはたっぷりある。家祖前田利家と秀吉の縁はふかく、竹馬の友であるうえに秀吉が天下をとってから大いにひきたて、ついには家康に次ぐ位置をあたえた。さらに秀吉は遺言して、利家を秀頼の傅人《めのと》にした。「利家に万一のことがあれば利長が傅人になってくれるように」とまで秀吉は遺言しているから、加賀百万石の御隠居である利長は、秀頼の傅人であるはずなのである。もっとも慶長五年の関ヶ原からこのかた、前田家は大坂に対し機嫌うかがいの使いものぼらさず、いっさいゆききを絶っている。豊臣家に対し、できるだけ疎遠に冷淡になってゆく以外に前田家の生きる道はない、と利長はおもっているのであろう。

が、淀殿には、そういう世の中というものがわかりにくい。彼女にとっては秀頼という絶対的存在だけが思考の基準であり、世間もきっとそうにちがいない、とおもいこんでいるところがある。

（前田家は、当家の家来である。将来、大坂に豊臣家の旗があがりさえすれば、北海の岸からはるばるとかけつけてくれるであろう）

そうおもっていたが、一面不安でもある。だから、この宰相局が加賀へくだるのをさいわい、彼女に言いふくめてその節はよろしくということを、暗に利長に通じさせておこうとおもったのである。

茶の会がおわった。

淀殿は宰相局をかぶき門のそとへ送りだしてから、ふとお夏から耳うちされていたことをおもいだした。

（——勘兵衛）

その男のことである。この庭の一隅で待っているはずだが、まだいるだろうか。淀殿は露地に立ち、お夏をかえりみて、どうであろう、と目顔で問いかけた。

「さあ。……」

と、お夏は、すこし当惑した。妙な男だから、もう消えてしまっているかもしれない。

「さがしてまいります」

と、顔を上気させていったが、淀殿はもう庭草履をはいてしまっていることでもあり、ついでにそのあたりまで歩いてみましょう、と言い、歩きだした。供の一人が、うしろから朱の日傘をさしかけた。

鳶《とび》が、啼《な》いた。あの赤松のこずえに、鳶が巣をしているのである。

芝生をつききって枯れ滝のそばを通り、やがて山道にさしかかると、そこに青い紀州石の一群がある。その石組のあいだに、人がいた。

羊歯が、男の顔をかくしている。正体もなくねていた。

「この男か」

と、淀殿はお夏をふりかえった。お夏はあわてていた。勘兵衛をおこすべく足を踏みだしたが、淀殿の手が、それをとめた。男の寝姿が見物できるなど、めったにないことである。

淀殿はひさしぶりの上機嫌で勘兵衛の顔のそばにしゃがみこみ、その顔をおおっている大きな鬼羊歯の葉をつまみ、そっと除《の》けた。

(なるほど)

相当な面魂である。この城内の侍どものなかで、これだけの顔をぶらさげた者はいない。

あちこちの石組のかげからのぞきこんでいる侍女たちが、口々に勝手な声をあげた。よい男、という者もあれば、金峰山寺《きんぶせんじ》の修験者《しゅげんじゃ》のような、という者もいる。

(なにを、くだらぬ)

と、勘兵衛は目を閉じながら腹が立ってきたが、いまさら起きるわけにゆかず、ねむったふりをしている。

「尼どの」

と、淀殿は大蔵卿局をふりかえった。

「どうであろう、この者を加賀にやっては」

淀殿は、われながらこの思いつきが気に入った様子で、目がかがやいている。

宰相局はああいうさびしい境涯だから、加賀まで連れてゆく侍女もせいぜい三人ほどしかおらず、むろん抱え侍などもいない。淀殿は加賀までの道中の危険を考え、宰相局のために豊臣家の侍を何人か警固につけてやるつもりでいるが、それとはべつに加賀前田家の様子をさぐり、できればいざというばあい、前田家が豊臣家に忠誠をつくすという言質《げんち》のようなものをとっておきたい、それだけの芸ができる者はいまの豊臣家には居そうにないのである。

「この男が」

と、淀殿は声まではずんできた。

「たれよりもふさわしい」

「牢人のままの身分で？」

と、大蔵卿局がいった。

「その身分は、修理が考えるでしょう」

と、淀殿がいった。ころがっている勘兵衛にすれば冬瓜《とうがん》かなんぞの品さだめでもされているようで、いい面《つら》の皮であったが、しかしこの程度の女どもが、この程度の女思案でうごかしているのが天下の豊臣家であるという実態を目《ま》のあたりに見て知っただけでも、ひとつの収穫であった。

加　賀

小幡勘兵衛《おばたかんべえ》が加賀へゆく。ついては、このくだりは余談ながら加賀の前田家物語ということにせねばならない。世に百万石といわれているこの日本最大の大名の立場というのはどういうことかということである。

前田家は、利家が興《おこ》した。

利家はこどものころから織田信長につかえ、利《き》かん気のむこう見ずな性格のために戦場ではつねに猪突《ちょとつ》し、槍《やり》さきの功名が多かった。大軍の軍配をとるというより、一介の槍武者といった柄の人物である。

信長の若年のころからの近習《きんじゅう》で、当時犬千代といった利家とは男色の関係があった。信長の晩年、安土《あづち》城で諸将の酒宴があったとき、信長は利家のひげをひっぱりながら、他の連中にむかって、

「この男のひげのおかしさよ。いまでこそこのようにゆゆしき大名であるが、この男

の少年のころはなかなかの童《わらべ》でな、わしはいつも側《そば》に寝かせたものよ」

と、さも楽しげにいった。

べつに男色関係から栄達したわけでもないが、信長の交情は濃厚だった。利家がすねて織田家を脱走し、一時牢人《ろうにん》したこともあるし、かとおもうと利家が前田家にあっては弟の分際でありながら、信長の鶴《つる》の一声で二千貫の本家を相続するというような格別なこともあった。

信長の晩年には、利家は越前府中（武生市《たけふ》）で三万石強の大名にしてもらっていた。戦場では比類なく勇敢といえる男だが、しかし力量からいえば三万石程度の小部隊長といったところが利家のがらに適《あ》ったところであろう。

ところが信長が死に、秀吉が興ってきた。秀吉が、旧織田勢力の相続権を柴田《しばた》勝家とあらそったとき、前田利家は地縁の関係で勝家に属し、両勢力の決戦場であった賤《しず》ヶ岳《たけ》付近の一峰に布陣した。このとき利家は、勝家を裏切った。

「裏切った」

という露骨な表現があてはまらないほどに利家の裏切りは隠微で、巧妙であった。

こういう話がある。秀吉は戦いの前、敵陣にいる利家に密使を送り、

「合戦がはじまったら裏切りをたのむ」

と、言わせた。秀吉と利家はたがいに織田家の若侍であったころからの仲よしで、利家がその妻お松（芳春院）を娶《めと》ったとき朋輩《ほうばい》の秀吉がその仲人《なこうど》をつとめたという話さえ当時世間で信じられていたほどであった。

律義《りちぎ》者で知られた利家としては、この局面ほどつらいことはなかったにちがいない。かれは柴田勝家からも深く信頼されていたのである。ついでながらこの賤ヶ岳合戦は、勝家と秀吉を二つの峰とする織田家の将校団内部の大喧嘩《げんか》で、利家にとっては勝家も秀吉もともに自分の同僚であった。主従ではない。

「裏切りはこまる」

と、利家はきっぱりことわった。利家は心からそういう男なのである。しかし利家のおもしろいところは、ぎりぎりの最後のところにかならず保身感覚を残していることであった。利家も一介の巷《ちまた》の任侠《にんきょう》ではなく、一団体の将である以上、その団体を保ってゆく責任がある。さらには保ちたいという利害感覚もある。利家は、

（勝家がほろび、秀吉が興るだろう）

というさきの見通しもあった。そういう力関係を測ったり見通したりすることにかけては、利家はなかなかのところがある。利害でいえばここで寝返って秀吉につくほうがいい。しかしそれでは露骨すぎる。利家は気ざっぱりした好漢として織田家では

評判だったという、かれ自身の人間としての老舗《しにせ》がある。その老舗の手前、裏切り者の名を世間にひろめるわけにはいかない。

「だから、合戦の最中は中立でいる」

と、秀吉のほうへ申し送った。

いよいよ合戦がはじまり、それが熾烈《しれつ》になって柴田軍の先鋒《せんぽう》佐久間盛政が賭博《とばく》的な突撃を敢行したときも、利家はうごかない。その盛政隊が崩れる前に、利家は自隊が潰乱《かいらん》したような体《てい》をつくって勝手に退却し、自分の城のある越前府中をめざして走りだした。それが主要原因でないにせよ、柴田軍は全軍総くずれになった。主将の柴田勝家が、その居城である越前北ノ庄（福井市）へむけて逃げかえる途中、当然経路として利家の府中をとおる。敗残の勝家は、利家の城に立ちよった。

利家は、鄭重《ていちょう》にもてなしたが、このとき利家の家来の大井直泰という者が、

――殿、修理亮《しゅりのすけ》（勝家）どのを首にして、羽柴（秀吉）どのにさし出され候《そうら》え。

とひそかにすすめたが、利家はそれをきいて激怒し、おまえはそれでもさむらいか、さむらいの道を知らぬのか、とどなり、直泰の胸を力まかせに突きとばした。保身家の利家の表看板は、そういう利かん気と、心意気なのである。

敗残の勝家は、利家を友情家としてあくまでそう信じ、利家の手をとって涙ながら

に、

「自分は北ノ庄に帰って自決するつもりだ。君の高義はわが身死すとも忘れない」

といったというが、これは前田家がみずから編纂《へんさん》した家譜による。これがもし本当だとすれば勝家はよほどお人好《よ》しに見えるし、でないとしても利家は利害計算に障《さわ》らぬ範囲内では、この当時の人間としてはめずらしく友情家であったといえる。利家は二十《はたち》前後のころはやくざっぽい姿《なり》(当時のことばでいえばかぶいた姿)を好み、言動もそのようで、織田家の家中でも侠者《きようしや》の名が高かった。このころは四十なかばで、傾《かぶ》いたところはなかったが、そのかわりきわめて質朴で、律義な中年男になっていた。勝家はそういう利家が好きだし、感謝もしたのであろう。勝家はさらにいう。

「私がこのように敗亡した以上、天下は秀吉のものになる。となる以上、私への義理などもう立てなさるな。これからはご自分のお為《ため》を考えなされ。さいわい、あなたはむかしから秀吉との間柄がよい。秀吉に従って身を立ててもらいたい」

やがて秀吉が勝利軍をひきいて府中へ乗りこんできた。いまから北ノ庄の勝家を攻めるという。利家は秀吉に説得され、その系列下に入った。ただし秀吉は、

「あなたは律義者だから勝家攻めに参加することは心苦しいであろう。だからその攻防戦には参加しなくてもよい。勝家がほろんでからわが軍中に加わりたまえ」と、い

った。

利家はこのように、味方の勝家からも敵の秀吉からも感謝されていたわられている。しかも実質は、勝家を裏切って敵の秀吉に味方したのだが、世間もその点はすこしも気づかず、むろん攻撃もしない。一種誠実を売り物にした芸というか、これを芸といえばこの芸は利家が独創し、利家のつぎの利長、利常がそれを芸の「型」として踏襲し、その後数百年の前田家の伝統的な世渡りの型になって幕末までつづいてゆく。

「秀頼《ひでより》を寝かすも起すも、加賀大納言《だいなごん》（利家）の心次第」

と、しきりに言ったのは、死のまぎわの秀吉である。秀吉は自分の死後は利家ひとりが心だのみであるとおもい、利家を秀頼の傅人《めのと》にした。傅人とは家臣ながら、父親がわりに公子を養育する者をいう。養育といってもむろん利家は秀頼のそばに付ききりでいて抱いたりあやしたりするわけではないが、しかし精神的にはそれにちかい。傅人であれば秀頼を大事にして、秀頼の将来の危難を身がわりになってすくってくれるであろうと秀吉は期待した。

「又左《またざ》（利家の通称）は、律義者ゆえ」

ということを、利家の前でもたれの前でもいった。律義者つまり誠実さでもって知られた利家を、いやがうえにも律義者にしてゆくことによって、自分の死後の頼りに仕立てようとした。仕立てるといえば、秀吉は早くから利家に対してその意図があり、豊臣家の筆頭大名である徳川家康を牽制《けんせい》するために、利家をその対抗者として取り立ててゆき、官位などもどんどん昇任させた。

「家康、利家」

というのは豊臣家の双璧《そうへき》である。秀吉は座談などでこの二人の名を言うときは、ときに、

「利家どの、家康どの」

と順序をわざと逆にして言い、利家におのれの思い入れの深さを悟らせようとした。

秀吉がその死の床の上で言いのこした死後の豊臣体制というのは、利家と家康をもって幼童秀頼の輔佐《ほさ》役とし、豊臣家の家政上の代理者（傅人）は利家、行政上の代理者は家康とした。

ところが秀吉が死ぬと、家康はたちまちその野望を露骨にした。諸大名を味方にひき入れるためにさかんに婚姻関係を結び、徳川党というべきものを私的につくりはじめた。秀吉は死の前、これを予感し、おそれ、その遺言で「大名のあいだの婚姻は勝

手にやってはいけない」と禁じておいたのだが、家康は公然とそれを無視した。奉行石田三成が少禄《しょうろく》の分際ながら家康を糾弾しはじめたのはこの暴慢からだが、三成とは縁のうすい利家は、三成の家康糾弾とは別個に、

「内府はけしからぬ」

と怒りだし、利家のこの憤激が、すぐ世間にひろがり、騒然となった。スワ合戦か、と大坂城下では町人までさわぎはじめたほどであったが、調停者があいだに立ち、利家のほうから家康に詫《わ》びることになった。利家はこのころ重病の床についていたのだが、そういう体を押して大坂から淀川《よどがわ》舟に乗り、家康のいる伏見まで出かけ、同僚である家康に対面して、

「自分には他意がない」

という旨《むね》のことをいった。利家はその健康からいっても、その力量からいっても、とうてい家康ほどの男と一戦を構えて豊臣家をまもりぬけるような男ではなかった。この時期、利家はとりわけ無力感がつよかったであろう。利家は秀吉によって官位こそ高くなったが、所領のほうは八十万石ほどで、とうてい家康の関東二百五十余万石に敵すべくもなく、そのうえ、利家は諸大名から敬愛されてはいても、威望ということになると家康のほうがはるかに上であり、さらに家康は自分に接近する諸大名を意

識的に私党化しようとしているのに対して、利家は自己勢力の増大ということにはまるで無策で、好まないようであった。この点も、前田家ののちのちまでの体質になった。

利家は、秀吉の死の翌年閏《うるう》三月に死んだ。これによって秀吉の期待はむなしくなった。利家が重態になるや、伏見から家康がわざわざ見舞にきた。そのときの利家の態度は——以下のことだが——真偽はどうであれ、前田家の正統の家譜になっている。利家はあれほど家康の陰謀を憤慨しておきながら、このときは床から身をおこして家康にむかって合掌し、

「自分の命はあといく日もありますまい。死後はなにとぞせがれ利長を頼みまいらせます」

と、いった。利家というひとは晩年まで朴直な姿勢のあった人物で、他人に対しこのような卑屈な姿をとるということは考えられない。病に衰えて気が萎《な》えたためか、それとも利家以後の前田家が、徳川幕府にこびようとして話を作ったのか、よくわからない。この話は、前田家が幕命によって幕府にさしだした家譜(寛政重修諸家譜)に書かれている。媚《こ》びたのかもしれない。

利家以後は、利長である。

利長は、すでに若僧ではない。

年少のころ賤ヶ岳にも従軍したから、元亀《げんき》天正の戦国のたぎりや焔硝《えんしょう》をわずかに嗅《か》いでいる。それに戦国人そのものの父親からの影響もつよい。父の利家は家臣の前でも癇癪《かんしゃく》をおこすと利長をなぐりつけたというような男で、本来なら利長も戦国粗豪のふうがあってもよいのだが、行動の派手さよりも考えぶかさを尊ぶ男で、父利家が心の奥に秘めていた利益計算の感覚をそのままうけつぎ、それを思考と行動の型にした。

要するに、前田家をどう保全するかである。

「前田家など、豊臣家に殉じてつぶれてももともとなのです」

と、大坂城で大野修理に加賀前田氏論を論じたのは、小幡勘兵衛であったが、他人からみれば勘兵衛のいうとおりであろう。前田家は織田時代はそこそこの身代の大名であったが、秀吉が豊臣家の柱石の家にしたかったために八十余万石という大身代にした。なるほど殉じてももともとかもしれない。が、

「大名の家は、興すよりも守るほうが難事なのだ」

というのが、利長の立場であった。

関ヶ原の直前、老当主の利家が死んでほどなく、伏見の家康は一策を講じ、前田利

長を挑発して自分に敵対させようとした。利長が加賀で兵をあげれば家康はそれを討伐するという大義名分のもとに豊臣家の諸大名をごっそりひきいて北征し、前田氏をほろぼしたあと、そのまま天下の権を確立してしまおうとおもった。しかし利長はその手に乗らなかった（この家康の注文どおりになってしまったのは、石田三成と上杉景勝である。両人とも物事に能動的でありすぎた）。

利長は、乗らない。

かれは家康と同格でありながら八方手をつくして家康に詫《わ》び、誠意をあらわし、疑いを解こうとし、ついには母親の芳春院を人質として江戸に送った。この人質の件は、芳春院が、

「私が人質になって江戸にくだり、誠意をあらわせば家康どのの疑いも晴れるでしょう」

と言いだして、自発的に江戸へくだった。前田家の「誠意」の型は、未亡人芳春院にもひきつがれている。

これにはさすがの家康も、手も足も出ず、不問に付さざるをえなかった。

関ヶ原の戦いのときには、前田家は家康に味方し、北陸の西軍と戦って、戦後、家康によって加増され、百十九万石というとほうもない大封《たいほう》の家になった。もっともこ

の関ヶ原のとき、次男の利政だけは、

——豊家《ほうけ》の大恩、忘るべからず。

として分派活動をし、西軍に味方した。戦いにやぶれてから利政はその分家料二十一万石をうしない、牢人になって京の嵯峨野《さがの》に隠棲《いんせい》したが、兄の利長は年々一万石の隠居料を送った。これは要するに、関ヶ原が西東いずれの勝ちになるにせよ、兄弟それぞれが両方に加担しておればどちらが負けても前田氏の名跡《みようせき》はのこるという政略だったにちがいない。

政略といえば、利長は家康との縁を濃厚につなぐために、家康に懇望し、その孫娘を前田家に頂戴《ちようだい》したいと申し出ていた。利長の相続者は弟の利常で、この利常は関ヶ原当時まだ幼い。この嫁に、というのである。

「まだおさないのだが」

と、家康は煮えきらなかったが、しかし前田家をつなぎとめておく必要はあった。そこで家康は関ヶ原の戦後、慶長六年五月この縁談を成立させ、子々《ねね》姫を加賀へ送った。子々姫は、千姫の妹である。姉の千姫は六歳で嫁に行ったが、妹の子々姫のほうがさきで、この時子々姫は二歳であった。亭主の利常は八歳である。

それやこれやで、利長は家康とのむすびつきを固くし、子々姫を金沢城にむかえた翌年の慶長七年正月、その御礼のためにはじめて江戸にくだった。利長四十歳、官位は中納言《ちゅうなごん》であった。大坂の秀頼に対しては父の役目を相続して「傅人」ということになっているが、大坂へはゆきもしない。

江戸にむかった。

(徳川家は、自分をどうもてなすか)

というのが、利長の気がかりのひとつであった。じつは大坂に豊臣家が存在する以上、前田利長は法的には豊臣家の家来であって、徳川家康とは同僚である。ただ力関係によって家康を盟主として立てているわけであり、家康の家来ではない。

正月の暮、江戸についた。

その日、板橋に入ったとき、利長にとっておもいがけぬ事態がおこった。家康の相続者の秀忠が、大納言の身をもって板橋まで出むかえてくれていたのである。

(たいそうな処遇だ)

と、利長はおどろき、かつよろこび、徳川家が自分に対したとえ対等でなくても客礼をもって礼遇してくれることを知った。

「さすが、徳川どのだ」

と、その夜、江戸の宿舎で家来どもを前にひどく昂奮《こうふん》して語った。利長のような冷静かな男がこのようにはしゃいだのは側近たちにとってもはじめての姿であった。

ところで、翌日登城した。

対面の場所まで案内されてみると、ひろい書院である。

「これにおすわりあれ」

と徳川家の接待係が指さした場所は、はるかな下座《げざ》であった。

やがて、利長の場からは見霞《みかす》むばかりに遠い上段ノ間に秀忠が太刀持をつれてあらわれ、ゆるりと着座した。家康ならまだしも、せがれの秀忠なのである。

(――これは、なんと)

と利長がおもううち、かれは平伏せしめられ、平伏しながら、詐略《さりやく》にかかったような不快さと屈辱に身がふるえるおもいであった。

「利長、このときはくやしき事に思はれしとぞ聞えし」

と、のちの徳川家の儒官である新井白石もその「藩翰譜《はんかんぷ》」に書いている。

「利長は、それよりのちは、養子の利常に家をゆずり、自分は引きこもってふたたび関東へは来なかった」

と、白石は言う。

白石のいうとおり、利長は領内の越中（富山県）高岡に隠居城をきずいてそこにいる。

小幡勘兵衛が大坂城の密使として加賀へくだったのは、そういう時期である。

湖　北

めかけなど、当主が死ぬと廃馬のようにあわれである。秀吉の数多い側室たちの運命も、お袋さま（淀殿《よどどの》）をのぞいては、世俗のそれとかわらない。

宰相局《さいしょうのつぼね》は、さとの加賀へ帰る。

——せめて行列なりとも、はなやかに。

という淀殿の配慮で、女五十人、男九十人という行列が組まれたが、しかしびわ湖の北路の峠をのぼってゆくその行列はまるで葬列かとおもわれるほどに影がうすい。

「なに様のお旅すがたであろう」

と、旅人たちも、足をとめて見送った。貴人の道行きをみる場合は、中世のむかしから庶民たちはひざまずいて拝礼すべきであったが、この場合は、これほどの行列であるのに、行列側のお供たちがそれを強要しないのである。なぜならば、宰相局は故太閤《たいこう》のめかけであったという以外に、なんの栄爵《えいしゃく》もない。官位がなかった。

官位がないといえば、淀殿にもない。豊臣家で官位（宮中序列）をもつのは従《じゅ》一位北政所《きたのまんどころ》として尊ばれてきた正妻の寧々《ねね》、尼になっての公称である「高台院さま」だけであった。第二夫人以下は、この点はみじめであった。淀殿は女の身ひとつで徳川氏から憚《はばか》られている身ながら、官位という点では他の閨房《けいぼう》の同僚たちと同様、無官なのである。淀殿の権勢と高貴さは、単に右大臣秀頼の実母であるということにのみ、つながっている。ついでながら淀殿が秀吉の死後大坂城を出たことがなかったのは、この「無官」であるということが理由であろう。たとえば京にのぼって御所に入れば、淀殿の身分は御所の台所の雑仕女《ぞうしめ》同様のことになる。法理論的にはそうなる。またあるいは、彼女は大名や公卿《くげ》に謁《えつ》するとき、上段ノ間から高々と謁するのだが、そのときでもかならず秀頼と同座する。秀頼と同座しない単独の淀殿というのはただの女であり、官位をもつ大名や公卿や門跡《もんぜき》は、彼女に対して拝礼する根拠はなくなるのである。めかけとは、所詮《しょせん》はそういう位置にすぎない。

ましてや官位をもつ子ももっていない宰相局の地位のこの世でのはかなさは、推して知るべきであろう。局には実家すらなかった。加賀前田家を仮の実家にしてくれたのは、彼女を憐《あわ》れんだ本妻の「高台院さま」なのである。

「いやさ、これだけのお行列でありながら、土下座せずともすむというのは、ふしぎなお行列であることよ」

「狐《きつね》の嫁入り行列ではあるまいか」

と、旅人たちはささやいた。

行列の主《ぬし》の輿《こし》はむろん女乗物である。金の金具を打った黒うるしの長棒、それにところどころに加賀前田家の梅鉢《うめばち》の定紋がちりばめられている。

いまひとつ、女乗物がゆく。これも豪華な装飾がほどこされていて、揚羽蝶《あげはちょう》の定紋がちりばめられている。

お夏が、乗っている。

彼女は、淀殿の命によってその代理として宰相局を加賀へ送ってゆく。そういうわけで、この行列における最高の指揮官が、このお夏になっている。

小幡勘兵衛《おばたかんべえ》も、いる。勘兵衛は馬上で、先駆している。勘兵衛の立場は、大野修理《しゅり》の名代《みょうだい》ということであった。自然、お夏の下位に立ち、お夏を輔佐《ほさ》せねばならない。

湖北では、木ノ本に泊った。

「ふしぎなものだ」

と、夜中、勘兵衛は寝床の上にあおむけざまになりながら、ひとりごとをいった。

闇《やみ》の中である。

――早く、お灯を。

と、部屋の入口のほうで、落ちついた声がせきたてている。女の声である。お夏であった。

お夏は、勘兵衛に相談ごとがあって、この部屋をたずねている。相談というのは、明後日、越前福井城下を通過するにあたって、城主にあいさつの使者を送らねばならないかということであった。儀礼問題ではあれ、これは重大であり、とくに越前松平家が徳川家のいわゆる御家門である以上、ささいなことで豊臣家と外交問題をひきおこしてはならない。

(ずうずうしい男だ)

と、お夏がおもったのは、勘兵衛はこの闇のなかで目が醒《さ》めているらしい。その証拠にひとりごとをつぶやいている。そのくせ、お夏の来訪を知っても起きあがろうともせず、灯を入れようともしないのである。

――灯を。

と、お夏はもう一度言い、ついには腹が立った。さっと衣《きぬ》をすらせて立ち、廊下へ出た。廊下には燭台《しょくだい》がある。その火を懐紙にうつし、そろそろと掌《て》でかこって勘兵衛の部屋に入り、その寝床のそばの燭台にともしびを点じた。

（まるで、わが宿の妻のようだ）

と、勘兵衛はあかるくなった部屋のなかで、起きあがった。お夏を見あげた。お夏は、立ったままでいる。

「勘兵衛どの」

お夏は、威厳をこめていった。

「起きていらっしゃったのに、なぜお返事をなさらないのです」

上下の関係からいえば、勘兵衛のほうが目下になる。跪《ひざまず》いて迎えねばならぬのに、返事もしないというのはどういうことか。

「女であるとして見縊《みくび》ってはなりませぬぞ」

「考えごとをしていたのだ」

と、勘兵衛は立ちあがって寝床のはしをもちあげ、ポンと蹴《け》って柏餅《かしわもち》のようにした。

「あすも、降りやむまい」

と、雨戸をかすかに叩《たた》く雨の音を勘兵衛は柏餅を背にしながら、ゆったりと聴く風《ふ》情《ぜい》を示した。行列が夕刻、この宿場につく前から雨がふりはじめた。この木ノ本ノ宿《しゅく》は湖北山塊の山麓《さんろく》にあり、あすからは山越えになり、越前敦賀《つるが》まで山と谷と峠と尾根が、幾起伏もつづいてゆく。この雨で、行列は大いに難渋するにちがいない。

「雨とは、行路のご心配をしてくださっていたのですか」

「いいや、三十年前のこの木ノ本のことを考えていた」

「勘兵衛どのは、当地のおうまれですか」

「わしは三十歳ではない」

いちいち話が食いちがう。

「でも、この在所で」

「左様、この湖北の山河のなかから、三十年前、豊臣家が誕生した」

賤《しず》ヶ岳《たけ》が、西にそびえている。

木ノ本の村をつらぬいている街道は北国街道といい、天正十一年四月二十日の夜、美濃《みの》大垣から急行してきた当時の羽柴《はしば》秀吉は、この木ノ本で大軍を集結させ、北方の山岳地帯の峰々に布陣する柴田勝家の軍にむかって攻撃を開始し、この秀吉の神速な行動が功を奏して翌二十一日、柴田軍は全戦線にわたって大崩壊し、秀吉の天下取りへの道が一挙にひらけた。流浪《るろう》の戦術家をもって任ずる小幡勘兵衛はかつてこのあたりを何度も踏査して、一木一草まで知るほどになっている。

その後、秀吉は天下のぬしになった。

（その豊臣の栄華も）

とおもえば、勘兵衛もいささかの感慨をもよおさざるをえない。さらにはまた、

——いまの豊臣家とはいったいなんだろうか。

と、木ノ本の雨を聴きながら、想《おも》いはそこまでおよんだ。

（——要するに）

と、おもうのである。

（秀吉の栄華のぬけがらではないか）

もはや権力もない。京の公卿《くぎょう》などと同様、栄誉だけがある。いや、栄誉だけではなく、金銀は大坂城の床がぬけるほどある。

（しかしながら、一時は、大韓王国から大明国、さらには南海の呂宋《るそん》国（フィリピン））にまで威名をとどろかせた日本の豊臣家というのは、もはやどこにもない）

その秀吉一代の栄華のぬけがらの象徴のようなものが、宰相局であろう。秀吉の死後、世にすてられて、近縁でもない加賀前田家に身をよせようとしている。

（それを、おれが送ってゆく）

とおもうと、なにやら勘兵衛は、自分が故秀吉とゆゆしい因縁でむすばれているような思いがしてきて、間諜《かんちょう》がもってはならぬ豊臣家への忠誠心のようなものが、危う

く湧《わ》きかけたところへ、お夏が入ってきたのである。

「局どの」

と、勘兵衛はよびかけた。お夏は、すわっている。濃いまつげのかげがうごき、

「お夏どのと称《よ》んでくださってもよろしゅうございます」

と、表情を崩さずにいった。敬称でよばずともよい、という。

(なかなかのおなごだ)

と、勘兵衛はおもった。名でよんでよいというのは、すでに住吉明神で体を知りあってしまった仲を、お夏自身がはっきりみとめたことになる。というよりさらに飛躍して、今夜、閨《ねや》を共にしてもよいということを、お夏みずからが、謎《なぞ》として提示したことになるかもしれない。

「そう称んでよいのか」

「どうぞ」

と、お夏は急に顔を伏せ、ちょっと肩をすくめた。含羞《はにか》んでいるのではなく、笑っているらしい。

(妙なむすめだ)

とおもいつつ、勘兵衛は自分の話題をつづけた。お夏に質問した。豊臣家というも

のを、往年東アジア最大の武威をほこった秀吉のころにもどしたいのかどうかをである。淀殿は知らず、お夏のような若い側近衆はどうおもっているかということを、勘兵衛はきいた。

「存じませぬ」

お夏は、そう答えた。お袋さまのご胸中など家来として申すべきでない、という。

「いや、お袋さまでなくともよい。お女中方、ご一同の肚《はら》の中のことでいい」

「存じませぬ」

それは、お夏にとって正直なところだった。祖母の大蔵卿局などは、たしかにその願望はもっている。が、それはあくまでも願望で、それをかなえるために計画をたてたり、行動をしたりということになると、祖母はどうであろう。なにも考えていないし、できもしないのではあるまいか。

「祖母は、お袋さまお大事だけの、ただの乳母でございますよ」

「では、お夏どの自身はどうだ」

「わたくしの?」

と、お夏はおどろいてみせた。

「晦《くら》ましちゃいかん。ちゃんと胸の中のことをきかせてもらいたい」

「わたくしの気持なら、申すことができます。豊臣のお家をば、故殿下のむかしにもどさねばなりませぬ。お夏のいのちをその事のためにささげてもよいとおもっています」

（いい娘だ）

勘兵衛は、豊臣家のために心から祝福する気になった。

「ところで、御用は？」

「そのことです」

と、お夏がいったのは、あさってには入るであろう越前福井城下での城主への辞儀のことである。辞儀をすべきか、だまってとおるべきか。辞儀をするとなれば、どの程度の辞儀か、いずれにせよ、そうときまれば明早朝、前触れの使者を先発させておかなければならない。

「なるほど」

行列の宰領役であるお夏を輔佐すべき勘兵衛のほうが、そのことをうっかりしていた。

越前福井は、かつては北ノ庄といった。織田信長の末期にはその老将柴田勝家の居城がここにあり、のち勝家が秀吉にほろぼされて北ノ庄城は落ちた。その後家康が関ヶ原の一戦で天下の権を得るや、その翌年、結城《ゆうき》秀康に高六十七万石をあたえてここに封《ほう》じた。

「越前黄門《こうもん》」

とよばれて、慶長年間、世の尊崇をうけていた人物である。結城秀康は、ずっと「結城」という姓を名乗ってはいたが、家康の実子であった。しかも現将軍秀忠の兄であった。当然、家康についで二代将軍になるべきところを、運命がそうはさせなかった。秀吉は賤ヶ岳で柴田勝家をほろぼしたあと、東海の徳川家康と対決したが、やがて、これと和睦《わぼく》し、その和睦のしるしとして人質をおさめた。その人質が、当時まだ義伊丸《ぎいまる》とよばれ童形《どうぎょう》の身だった秀康であった。秀吉は秀康を大坂城にむかえると、これを自分の養子にした。

そのあと、秀吉はこの秀康に、関東の名家である結城氏の名跡をつがせ、中納言《ちゅうなごん》にのぼらせてつねに自分の側近に侍《はべ》らせていた。

「わしはそのほうの父ぞ」

というのが、秀吉の口癖だったらしい。秀吉一流の人心収攬《しゅうらん》術であったというより、かれはこの秀康という、家康の子を、肉親のように愛していたらしい。

秀康も、秀吉を父のように思い、実父の家康に対するよりも肉親の愛を感じていた

ようであった。関ヶ原ノ役がおこる前など、

——秀康さまは、石田三成に味方なさるのではあるまいか。

という風聞がとんだくらいである。しかし秀康は関ヶ原ではむろん実父の側に属した。戦後、徳川氏に復帰し、結城姓をすてて松平姓を名乗り、この越前福井に封ぜられた。しかし、弟が将軍である。幕府も大いにこの秀康に遠慮し、この越前松平家を特別あつかいして「御家門」とよんだり、

「制外の御家」

とよんだりした。

秀康は越前福井にうつってから五、六年後に三十三歳という若さで死んだから、お夏や勘兵衛らが北国街道をたどっているこの時期には、すでに世には亡《な》い。

「越前黄門が世におわせばどれだけよかったかと、祖母なども申します」

と、お夏はいった。お夏はまだ童女のころ祖母につれられて御本丸にのぼったとき、桜御門とよばれていた門のそばの腰掛石に呆然《ぼうぜん》とすわって桜を見あげている異形《いぎょう》の人を見た。顔全体を白布でぐるぐる巻きにしている。両眼だけが出て、きらきらと光っている。お夏は怖《おそ》れて足がすくみかけたが、しかし祖母がていねいに礼をするので、彼女もやむなくそのとおりにした。あとで祖母にきくと、

――結城宰相さまです。

と、祖母は小声でこたえた。お夏は後年知ったのだが、秀康はその若い晩年に梅毒をわずらい、ついに顔まで崩れた。あのとき、秀康が面をおおっていたのは、おそらくそのせいだったのであろう。

秀康は、その死まで大坂の豊臣家のことを心配し、

「秀頼公は、私にとって弟にあたる」

と、たえず言い、それにひきかえ江戸の徳川秀忠が自分の実弟であるということはほとんど口にしなかった。さらに、

「もし徳川の吏僚どもが大坂をとりつぶすようなことがあれば、自分は大坂へかけのぼり、秀頼公をたすけて関東と一戦も二戦も辞さない」

と、いったりした。

その秀康が慶長十二年に病没し、嫡子《ちゃくし》忠直があとをついだ。「越前宰相」とよばれているその忠直が、いまの福井城主である。

「あほうだそうだな」

と、勘兵衛は当主の忠直のことを、そういった。

「すでに忠直卿の代でもあり、さらにはその忠直卿も暗愚だというから、豊臣家につ

いての亡父の志を継ぐということはあるまい。ともかくも会釈《えしやく》のこと、家老の本多富正まで使者をやっておくほうが、豊臣家のためにいいかもしれない」

と、勘兵衛は一応は言ってはみたものの、あてにできるような大名でないことはわかっている。


翌朝、雨のなかを行列は出発した。道はすぐ坂になった。勘兵衛は馬上、先頭をすすんだ。蓑笠《みのかさ》姿で手綱をとり、馬の脚もとを見さだめながら、昨夜のことをおもいだしていた。

（あの娘の怪《あや》しさはどうであろう）

勘兵衛は、手の甲に滴《したた》る笠の雫《しずく》をなめた。ふとお夏の匂《にお》いがした。

あれから、勘兵衛はふりむいて、燭台の灯を吹き消した。そのあとごく自然なりゆきが、お夏のからだを勘兵衛のひざのうえでひらかせた。沈丁《じんちょう》の花に似た濃い匂いが部屋にみちるのを、勘兵衛は嗅《か》いだ。

——お夏。

と、勘兵衛はお夏の耳たぶに唇をつけて、よびすててみた。が、お夏の反応は勘兵衛にとって意外で、空《うつ》ろな表情のまま唇をわずかにうごかし、それは違いましょう、といった。どのと敬称をつけられよ、というのである。

やがてお夏が寝床のなかで裾《すそ》のみだれをなおしたとき、勘兵衛はからかうように、

——さっき、なぜ左様なことを。

というと、お夏は急に勘兵衛に甘えたようにその胸に顔をうずめ、そのくせ声音《こわね》だけは別人のようなたしかさで、

「勘兵衛どのの飼われ女《め》になってはたまらない」

と言い、そのあとくすくす笑った。

(妙なやつだ)

「わしの女になるのは、いやか」

「勘兵衛どのをこそ、わたくしは自分のおとこにしましょう」

というと、お夏はもう起きあがって寝床のそとへ出、どうやら居ずまいをただしたらしい。闇のなかで身支度をととのえおわると、

「勘兵衛どの」

と、寝床のなかの勘兵衛へ身をのりだすようにしてささやきかけた。

「このお夏が」

と、いった。

「あなたの主筋でありますことをお忘れなさらぬように」

それも、権高に言うのではなく、なにやら艶冶《えんや》な気分が、勘兵衛の耳のあたりにただよった。

ぴちっ、
と、勘兵衛の頬がみじかく鳴った。お夏は去りぎわに勘兵衛の頬を指ではじいたのである。

勘兵衛は、手綱をぐっと左へひいた。馬の蹄《ひづめ》が、大きな石をあやうく避けた。左手の煙雨のなかに、賤ヶ岳のみどりが霞《かす》んでいる。

金沢城下

加賀へ入ると、秋が一段と深い。大聖寺《だいしょうじ》から松任《まっとう》まで十里の街道はひろびろとした田園のなかになる。

松任から金沢城下までの三里は、田園のなかの森が紅葉で色づき、その紅葉の森ごとに小さな村落がある。

（このゆたかさはどうだ）

馬上、小幡《おばた》勘兵衛《かんべえ》は、溜《た》め息《いき》が出るおもいがした。やがて金沢城下に入るころは、土地がやや高くなる。城下には水がゆたかで、街を犀川《さいかわ》谷という谿谷《けいこく》が割っている。侍以外の庶人の人口だけで三万五千。勘兵衛が七年前にきたときよりもいっそうに繁華になっているのは、前田家百万石の消費力の大きさを示すものであろう。社寺だけで二百四十ばかりある。

一行は、そのうちの一軒である本福寺という寺を宿所とした。この土地は「加賀門徒」で知られるように一向《いっこう》宗（本願寺）の勢いがつよく、この本福寺も、白壁の塀と浅堀をめぐらし、太鼓楼をやぐらのようにたかだかとあげて、小さな城のように大きい。

「むかしは加賀は、われら一向宗の勝手領分でござった」

と、本福寺の隠居で九十歳ほどになる老僧が、ややくやしそうにいった。戦国期二十年ほどのあいだ、おどろくべきことに加賀一国はいかなる大名にも屈せず、門徒集団と地侍集団の連合によりなるいわば共和国のようなかたちでおさめられていた。老僧がいう「勝手領分」とは、宗教共和国といってもよいかもしれない。

前田家がきて、この城下の名称を「金沢」と変えた。もとはオヤマである。御山、尾山とかく。加賀をおさめる本願寺御坊の所在地であったからである。

「あのお城の小ささをご覧《ろう》じあれ」

と、老僧は金沢城の規模の小ささにこそ前田の殿様の小心さが出ている、とわらった。なるほど百万石の城としては小さく、内濠《うちぼり》よりなかは三万二千坪しかない。巨城をつくれば江戸からにらまれ、さては北陸に割拠して天下をうかがおうとするつもりか、という痛くもない腹をさぐられるのがいやで、わざと城は小さくしてある。

「すべてはあすに」

ということで、城下に入った夜は、この豊臣家の一行は休息した。ところでこの宿所本福寺の山門のわきには、

「豊臣家御家来於夏局《おなつのつぼね》　御宿所」

という大きな関札が出ている。

門前を通るひとびとは、この、

「豊臣家」

という三文字をみて、ことごとく目をみはった。白昼亡霊を見たようなおどろきをもつ者もあれば、気の早い者は、

——さては、御家は大坂にご加担か。
と、かんぐったりして、この日のうちに城内城下の話題になった。
——あれは、こまる。
と、この一行の始末についてこの夜、三人の家老を中心にした前田家重臣の緊急の寄合があり、どの連中も、
「豊臣家」
という家名を、城下の目抜きの場所に堂々と書きだされていることに当惑の声をあげた。
ついでながら、この夜寄り合った前田家の家老の姓は、
本多氏
横山氏
長《ちょう》氏
である。前田家の性格をあらわしている。
慶長五年、関ヶ原合戦をピークとする政治混乱期を徳川加担でのりきった前田利長は、それでもなお前田家の肚《はら》の中をうたがってかかろうとする徳川家に対し、思いき

った手をうった。

——家老を一人、頂戴《ちょうだい》したい。

ということであった。家康の家来衆のなかから、家老をもらう。それも筆頭家老を頂戴して、前田家の政治をとりしきってもらいたい。つまり家康の公然たる間諜《かんちょう》を前田家に容《い》れて、それを首相とし、内政と外交のすべてをやってもらう。

——出来ますれば、
と、前田家では、名ざしで頼んだ。家康の謀臣である本多正信の子こそ、前田家としてはのぞましい、という。本多正信はむかし鷹匠《たかじょう》をやっていた男で、その才気を家康からみとめられてながい期間、謀臣をつとめ、諸侯からおそれられていた。その長子の正純《まさずみ》は、これまた父に似てなかなかの策士で、家康は関ヶ原ののちはもっぱらこの正純を用いている。前田家としてはこの家康謀臣の正信の次男で、正純には弟にあたる本多政重という者を筆頭家老に頂戴したい、というのである。徳川氏への阿諛《おべつか》もここまでくれば徹底しぬいているというべきであろう。家康はこの申し出をきき、

——加賀中納言《ちゅうなごん》はおもしろいことを申される。

と、よろこび、慶長七年、本多政重を加賀へやった。当時政重はまだ若僧で、戦功もない。この程度の男に対し、加賀・越中・能登三州の太守である中納言前田利長は、

わざわざ城門までみずからむかえ出、新参の家来であるのに賓師《ひんし》に対するような礼をとった。さらにこの本多政重に、三万石という、大名級の高禄《こうろく》をあたえている。

その本多政重が、今夜の首座である。

その横にならぶ横山長知は、前田家の家祖利家がまだ織田家の下級将校にすぎなかったころからの郎党あがりの家にうまれた。いわば前田家はえぬきの譜代代表である。

ついで長姓を名のる某は、遠く鎌倉のころから、この地方の大豪族の家である。前田利家は加賀に入国するにあたって、地元を慰撫《いぶ》する政治的必要から、この長氏を家老にした。

要するに、前田家の存立の基盤というのは、この三家老という三本の柱が象徴しているであろう。本多氏は徳川幕府からの目付役、長氏は地元はえぬきの地侍をおさえておくようにという意味からの地元代表、横山氏は、尾張以来、戦場で辛苦をともにしてきた前田家草創のころからの連中を慰撫するため、というものであった。

そういう体制のなかへ、

「豊臣家御家来於夏局」

という者を筆頭とする大坂の使者一行が金沢城下に入ってきたのである。その用むきはむろん事前にわかっている。故太閤《たいこう》の側室であった宰相局をおくりとどけてきたのである。それは前田家としては一向にさしつかえないとして、問題は宰相局を送りとどけるにしてはあまりにも仰々しすぎる人数であった。なにか、秘密外交の意図があるのではないか。

その疑惑が、

「こまる」

と、口々につぶやいているこの一座の当惑になって出てきている。

もっとも一座の首座である本多政重だけがいっこうに当惑気でなく、最初に、

「おのおの、よきように」

とひとことといっただけで、終始、あぶらびかりした顔に微笑をたたえつづけている。なにしろ政重は、徳川家の公然たる間諜でありしかも前田家の首相であった。

（諸重臣は、これをどうさばくか）

と、上座から見おろしておればよい。もし徳川家へ二心《にしん》あるような言動がこの一座から出れば、事と場合によっては加賀百万石をとりつぶしてしまうことも、かれの権能にはふくまれている。

「こまる」

と、諸重臣がいう本当の意中は、じつは本多政重に対する思惑であった。政重が妙

に誤解して江戸へ告げ口をしはすまいか、という恐怖心が、かれらを当惑させている。日本歴史におけるもっとも苛烈《かれつ》な政治的状況をかれらは経験しつつあるというべきであろう。

席上、みな口を渋らせて、意見らしい意見も出ないままに、

「野村治兵衛《じへえ》にまかせてしまえばどうか」

という者があり、そのひとことに一座は灯がともったようにほっとし、みな声をあげて賛同した。

野村治兵衛も、重臣のはしくれである。この座の末席にいる。

「では、それがしが。――」

と、野村治兵衛と名乗る泣いたような顔の初老の男が、ゆっくりと顔をあげ、臆《おく》せずにひきうけた。

「治兵衛は、利長無二の寵臣《ちようしん》なりき」

と、前田家譜にもある。

寵臣という、このことばの誤解を避けるために前田利長という人物についています

こし触れておかねばならない。

利長は、いま越中高岡城に隠居し、晩年をむかえている。かれは父利家の盛名が華やかであるため、それにかくれて、世間もかれの名前についてさほどの評判を立てていないが、あるいは利家以上の人物であろう。かれの戦歴からみれば戦場では十分に勇者であったし、のち家政を統裁するようになってからも、父の代以上に膨脹した百万石の家政をよく統裁した。また利家が単純な人情家であったのに対し、利長の性格は思慮ぶかく、その半生で一度も感情でもって事を処理したことがない。かれは、この時代の大名としておそらく先端的教養ともいうべき儒教を身につけ、松永昌三という学者をまねいてこれと共同作業をし、「七書講義私考」という書物をあらわした（後年、在野の軍学者山鹿素行《やまがそこう》がこの書物を発見し、内容をほとんどそのまま盗用して、「七書講義備考」をかれ自身の著書として刊行した。盗用のことはべつとして、素行が盗用するにあたいすると判断したほどの知的作業を、利長はやったのである）。そういう利長が、野村治兵衛を寵臣としていた。治兵衛がどういう人物であるかが、ほぼわかる。

「治兵衛の泣きっ面《つら》」

といわれているが、この治兵衛がその泣きっ面をすさまじいほどに利用したことがある。

関ヶ原の前夜ともいうべき段階で、大坂の石田三成が諸大名への事前工作をやっていたとき、三成は前田利長を味方に誘い入れようとし、使者に密書をもたせて加賀へやった。

利長はその誘いをことわる一方、

――もし家康にこの一件を誤解されては。

と不安になり、

「治兵衛、どうであろう」

と、相談した。

治兵衛は、利長の意中を心得ている。

その場から金沢城下を発《た》ち、夜を日についで江戸にたどりついたときは、家康はいない。奥州《おうしゅう》の上杉景勝を伐《う》つべく江戸を出発したあとだった。治兵衛はそれを追っかけ鳩《はと》ヶ谷《や》で追いついた。

「めずらしや、治兵衛か」

と、家康はなにをおもったのか、自分の寝所にひき入れてしまったのである。家康は、織田家が隆盛だったころから、この前田家の野村治兵衛という男の戦場での働きのすさまじさをよく知っていた。しかしそれにしても、接見するならするで、しかる

べき書院で威儀をただしておこなうべきであるのに、家康は、

「いや、治兵衛、辞儀などはよい。寝ころびながら話そう」

と、言い、寝所の次ノ間に治兵衛を寝かせてしまい、語りはじめた。

治兵衛は、この破格な処遇に当惑した。当惑しながらも、泣くような口調で前田家に二心はないことをのべると、

「わかっている」

家康は手をふり、「世間にはいろいろ風評をたてる者があるが、自分はかつて利長殿を疑ったことがない」とぬけぬけとしたうそを言い、「話はそれでおわった。あとは鷹野のはなしをしよう」といった。

治兵衛は、なおも泣くように前田家の立場を訴えた。

「治兵衛、泣くな。それよりも、鷹野のはなしだ」

と、家康はいった。鷹野とは、鷹狩のことである。家康は少年のころからこれを好み、晩年になってもこの野外スポーツをやめない。ところが野村治兵衛も鷹野がすきで、語りはじめれば尽きないほどの話題をもっている。

「されば」と、治兵衛は大胆に寝ころび、語りはじめた。

夜もすがら高声に鷹狩の御物語にて。

と、「前田家譜」にある。高声ということからして、家康の日常習慣からすれば、きわめてめずらしい。

家康の政治なのである。かれは脳裏に来たるべき関ヶ原合戦を想定しつつ、いまはとりあえず上杉征伐にむかっている。かれがひきいているのは豊臣恩顧の大名たちで、もし石田三成が秀頼を擁して大坂で兵をあげれば、多くが去就にまよって動揺するにきまっている。それをしずめるために、

――自分は、日本最大の大名のひとつである前田家とこれほど親しい。もし石田と対決するようになれば、加賀の前田家は一も二もなく自分のほうへ味方する。それが証拠に、利長の家来の治兵衛と寝ころびながら隔意なく物語している。

ということを、陣中の豊臣恩顧の大名たちに喧伝《けんでん》しておく必要があったのである。さらにいまひとつの目的は、「利長無二の寵臣」といわれたこの治兵衛の心を攬《と》って腹中におさめてしまうことによって、利長の加担を確実なものにするという意図もあった。

治兵衛は、外交に馴《な》れている。

——ここは、野村治兵衛に。

と、諸重役がいったのは、治兵衛のそういう器量を見こんでのことであった。

翌日、金沢城下にみぞれのようにつめたい雨が降った。

治兵衛は早暁《そうぎょう》、本福寺へゆき、家来に山門をたたかせ、

「ごあいさつに参った、とお伝えあれ」

と、よばわった。

門前には治兵衛の身分をあらわすために、かれの家来である騎馬武者が三騎、徒士《かち》二十人が、ひかえている。

お夏は治兵衛が何者であるかは知らなかったが、どうやら前田家の重臣であるらしいと察し、対面した。

「ご滞在中のうちあわせのために」

というのが、治兵衛がお夏にのべた用件であった。

お夏は、すぐいった。

「御当主さまと御隠居さまに謁《えつ》をたまわりとうございます」

当主利常と、越中高岡にいる隠居の利長にお会いしたい、という。お夏が淀殿《よどどの》の名代である以上、これは当然の希望であろう。

が、治兵衛としては、この一件、たとえ天地がくつがえっても、会わせてはならない。豊臣家の使者が当主や隠居と密談した——というわさがどのように歪曲《わいきょく》され、誇張されて江戸へ伝わるか、思うだにおそろしいことである。江戸は前田家にうわさの煙をたてさせてその火のたねをつつきかえそうとしているのである。

「まことに残念なことでござるが」

治兵衛は泣くような顔で、

「御当主さまはご幼少、御隠居さまはこのところお体がおもわしくなく、ずっとお臥床《ふしど》にて」

ということを、治兵衛はくりかえしのべた。

お夏は、当惑した。

「しかしそれでは、わたくしも主命がはたせませぬ。高岡の隠居さまがご病気とあれば詮《せん》なし、せめて御幼少ながらご当主に」

「それは」

と、治兵衛はおなじことをくりかえした。断わりの使者というのは多弁は無用で、おなじことを百遍でもくりかえすにかぎるということを、治兵衛は心得ている。

「では、珠姫《たまひめ》さまに」

と、お夏はいった。珠姫とは、輿入《こしい》れの前は子々《ねね》姫といい、将軍秀忠のむすめで、二歳のとき、八歳の前田利常に嫁《か》してきた。千姫とは二つ下の妹であることは、すですでに触れた。お夏としては、大坂に千姫がいる以上、珠姫にもあいさつをのべてゆきたい。

「ごもっともながら」

と、治兵衛はいった。珠姫に会うにしてもお城の本丸御殿にこの淀殿の使者をのぼらさねばならない。このこと自体がまずい。治兵衛は、珠姫さまもまた病気おひきこもり中でござる、といった。

「まことに、時期が悪《あ》しゅうござった。でござるゆえ、このたびは当家の大夫《たいふ》（家老）である本多安房守《あわのかみ》（政重）どのにお会いくださるよう、いまからでも御案内つかまつる」

「本多安房守。聞いたこともないお名でありまするな」

お夏はすでに向《むか》っ腹《ぱら》が立っていたから、わざとそんなふうにいってやった。むろん前田家が、家康に媚《こ》びるのあまり、徳川家の無禄侍をひとり、筆頭家老にもらったというはなしはきいている。

「めっそうもござらぬ」

治兵衛は、本多政重という家老がいかに格式の高い存在であるかを説明した。従《じゅ》五位下の安房守で石高は三万石、大名待遇の家老であり、江戸城に登城すれば田舎の小大名よりも殿中の待遇が重い、といった。

「おだまりなさい」

お夏は、わざと小さな声でいった。しかしよく透って、控えノ間で応対をきいている小幡勘兵衛の耳にまでするどくひびいた。

（なかなか、やる）

と、勘兵衛は、ひそかに感心した。

お夏は、居ずまいをただした。さすがに呼吸がみだれて、声がふるえた。

「治兵衛どの。前田家の主家から使いがきたと申すのに、家老だけであしらうということが、どこの国の礼にありましょう。いま聴くに、その本多某とやらの官位なり禄高なりが前田家ではいこう自慢であるそうだが、そのような自慢をきかせてもらいに下向《げこう》したのではありませぬ」

お夏としては、ぜひ隠居の利長か、当主の利常に会わねばならない。なぜならば彼女は秀頼の署名のある利長・利常への密書を懐中に入れてきているのである。

その密書の趣意は、

——関東との手切れのときには、よろしくたのむ。

というもので、その後、前田家をふるえあがらせるもとになったものであった。

ただし、控えノ間にいる勘兵衛には、お夏はこの密書のことは明かしていない。豊臣家の機密は、淀殿と大蔵卿局など数人の女性だけの共有になっている。その癖が、お夏にもあって、勘兵衛ごとき者に明かす気にはなれなかったのである。

文使い

(なんと、ばかな)

と、お夏はわれながら自分のみじめさをおもったのは、加賀前田家の使者野村治兵《じへ》衛《え》が辞去してからである。

口説き巧者の治兵衛にしてやられた。お夏が要求した御隠居さまとの対面も、ご当主との対面も、みな体よくことわられてしまい、明朝、本多政重とやらいう一番家老と対面するだけのことになった。

「してやられましたな」

と、隣室でやりとりをきいていた小幡《おばた》勘兵衛が、袴《はかま》のひもを締めながら入ってきた。袴のすそが濡《ぬ》れているのは、厠《かわや》で尿《ゆばり》をひっかけたのであろう。下座《げざ》にすわり、敬語でいったのは、お夏のそばに、副使格の小曾根《こそね》という女性がひかえていたからである。

「まったくのところ」

と、勘兵衛はいった。

「加賀は百万石ともなれば、よい家来をかかえておりますな。あの野村治兵衛という者、なかなかの巧者じゃ」

「なんの巧者でしょう」

お夏は、わざと冷たくいった。

「蕩《たら》すことのよ。治兵衛は関東の大御所をさえ泣きおとしにかけた男、大坂のお女中方を蕩すぐらい、やすいことらしゅうござる」

「べつに蕩されてはおりませぬ。あすのあさ、本多安房守《あわのかみ》という一番家老に会うことになっております」

「あっはは、それが前田家の思う壺《つぼ》」

と、勘兵衛がいったのは、前田家としては本多政重にさえ会わせておけば関東に疑われずに済む。本多政重自身が、関東の公然たる諜者《ちょうじゃ》だからである。

（前田家の重役連の巧みさよ。大坂をたぶらかすと同時に関東をたぶらかしている。まるで名人の芸を見るようだ）

と、勘兵衛は肚《はら》のなかでおもい、それにしてもお夏が可哀《かわい》そうになって、

「あすは拙者も同席しましょう」

と、いった。介添えしてやるつもりだった。

「それは、後日になさい」

お夏は、ぴしゃりといった。あす、お夏は淀殿《よどどの》の名代という資格でゆく。勘兵衛の資格は豊臣の執事大野治長《はるなが》の家来という立場だからお夏よりも一段下であり、であるために日を変えよ、とお夏はいうのである。

「なるほど」

勘兵衛は、あごをざらざらなでた。お夏が弁じたその論法では勘兵衛としてはひっこまざるをえないが、それにしても、

（権高なことの好きなおなごだ）

と、おもい、あほうくさくもあり、可愛《かわゆ》らしくもあった。

翌朝、お夏は城のそばの本多屋敷をたずねた。なるほど諸侯の邸第《ていだい》かとおもわれる

ような堂々たるかまえで、二番家老以下の屋敷とはまったくちがう。

政重は、茶亭の露地で庭師を指図していた。取次ぎがお夏の来訪をつげると、

——待たせておけ。

と、顔もむけずにいった。

（大坂の亡霊仲間めらが、まだこの世に未練があるらしいが、ぴしゃりと一釘《くぎ》うっておかねばならぬ）

政重はそのあと石の置きかえなどをさせて小一時間ばかり庭ですごしてから、居室へもどった。児小姓《こごしよう》が、衣類の箱をささげ、次ノ間で一礼し、ひざを擦《す》って入ってきた。

「着がえの必要はあるまい」

と、政重は言い、袴もつけずに廊下へ出、書院に入った。

華やかな衣装が目に入った。若いほうが正使で、中年の白粉《おしろい》くさいのが副使であろう。政重はその正使の若さと美しさに目をみはるおもいであったが顔には出さず、上座についた。

あいさつがおわって、お夏が、

（この関東者。——）

と、胸がつまるような怒りを覚えたのは、本多政重が着流しの姿で自分に対面しようとしていることであった。

――無礼でありましょう。

とはさすがに言えず、顔をわざと政重のほうにむけず、左手の紙障子を見て、しばらくだまっていた。突如、障子に鳥の影が映り、羽が障子を搏《う》った。あと、二羽、三羽と映っては消えた。

「――鳥」

と、声をあげてしまった。

「小鳥が、お好きか」

政重が、ぶのあついしわのなかから、低い声でたずねた。

「………」

と、お夏は目を政重にむけた。政重の問い方に腹が立っていた。小鳥が障子にせまったから声をあげたまでで、小鳥などべつに好きではない。第一、好きかきらいかという話題のもち出し方そのものが女子供に対するもので、当方を大人としてあつかっていない証拠である。

「お障子のむこうがみえませぬが、小鳥があのように群れていることをみますと、よほどお広いお庭なのでございましょう」

と、いったのはお夏ではない。副使の小曾根局《つぼね》である。小曾根はお夏が気配をけわしくしていることにはらはらし、取りなすつもりでいったのである。

「庭だけは広うござる」

「結構でございますこと」

と、小曾根は首をつきだし、感心するふぜいでゆらゆらと振った。世故には長《た》けているが、そのあたりの町女房のしぐさとかわらない。

「さすが、百万石のご家老」

小曾根は、まだやっている。お夏はうんざりし、

(小曾根と来るのは、これだからいやだったのだ)

と、おもった。祖母の大蔵卿局《おおくらきょう》が、お夏の気象やら若さやらをいつも心もとなくおもっているから、とくにしっかり者の小曾根をえらんで副使格にしたのである。

(豊臣家も、おちたものだ)

と、政重は、小曾根という中年女のさえずりをききつつ、冷笑したい思いでいた。

「豊臣の御家では、お女中衆がなかなかお盛んでござるそうな」

と、政重はいった。

「盛んと申しますと？」

お夏は、その言葉にひっかかった。が、小曾根がすかさず首を出して、ホホホと笑い、

「そりゃもう、水仕《みずし》や雑仕《ぞうし》の者までふくめますと、一万人もおりますものでございますから、にぎやかなものでございますよ」

「それはなかなか」

政重が笑いかけると、お夏が表情を固くし、

「安房どのは関東でございますそうな」

「うまれは三河でござる」

「三河には」

お夏は、目をするどくして、

「おはかまというものがないのでございますか」

「袴は、三河にも関東にもござるが」

「あっても、田舎ゆえ使いかたがおわかりにならぬのかもしれませぬな」

「これはこれは」

政重は自分のひざをみて苦笑し、それでもずうずうしげに構えて、袴をつけにゆこ

うとはしない。

お夏は、さらに言った——自分たちは高貴のあたりからの使者として来ている、それだけでなく、高貴のあたりから利長、利常どのへ宛《あ》てられたお手紙も、持参してきている、それをいま足下《そっか》に渡さねばならないが、その形姿《なりすがた》ではわたせない、といった。

「あっははは」

本多政重としては空笑いでも笑うしか仕方がなかったのであろう。が、若い女に誤った服装を指摘されてそのままでいるわけにもいかず、

「いや、つい心がいそぎすぎて、かような姿で参ったが、ではあらためて」

と、立ちあがり、奥へ消えた。やがてしかるべき姿をととのえて書院にもどってきたときは、なんとお夏と小曾根が上座に移っていた。お夏が、

「役目によりまして」

とだけいった。役目だから上座にすわる、という。本多政重はふとった胴を下座にすえざるをえない。

お夏は、当家の児小姓に用意させた黒塗の三方《さんぼう》の上に手紙をのせた。右大臣秀頼《ひでより》が、前田家の当主利常と隠居利長にあてた手紙である。

が、本多安房守政重は平伏もせずにうっそりとすわっている。

お夏は畳を打つような調子で、

「安房守どの」

と、声をはげました。

「右大臣家の御消息でございます。かまえて粗相あられまするな」

というと、政重はやむなく平伏し、やがて膝行《しっこう》して書信をとり、ささげて下座にもどった。ただしそのあとは、この場でばらばらと披《ひら》き、読んだ。

その文意は、

「関東の仕様《しざま》、怪《け》しからぬこと多く、いずれは諸侯を無法に催して豊家を攻めつぶそうとするかもしれぬ。そのときにはわれらは足下を頼み参らせる。前田家は利家以来、秀頼の傅人《めのと》の家であり、かつまた故殿下は豊家のゆくすえを案じてその柱石たらしむべく前田家に格別の恩禄《おんろく》をかけて来なされた。利長はそれについての御遺言も、じかに聞いたはずであるが、いまこそわれらとしては前田家の報恩のはたらきを必要としている」

というもので、政重が推量したとおりの内容であった。

「ところで、お返事は」

と、お夏はいった。この滞留中に頂き、大坂へもってかえるつもりである、いつま

で待てばよいか、ときくと、

「越中高岡のご隠居さまにもうかがわねばならず、五、六日のご猶予《ゆうよ》を」

と、政重はいった。

お夏はひきつづき宿所に逗留《とうりゅう》することにした。

前田家では本多政重を中心に協議し、ともかくこのことを「ご隠居」である高岡城住いの利長に報じた。利長からおりかえし返事がきて、

「すべて安房にまかせる。よきようにはからえ」

と、いってきた。この当時、諸侯随一の賢者といわれた利長ほどの男が、政重程度の男にこれほどの大事の処理をまかせきってしまうというのは奇妙だが、じつはそこが利長の賢さであるといえるだろう。本多政重は家康の代理人のような男であり、事が事だけに一切この男にまかせきってしまうほうが、江戸の覚えがよい。

(それが、加賀の政治だ)

と、利長は内心やるせない思いで、そのように自分に言いきかせた。

——利長は本来、天下の半分は斬《き》りとれるほどの男だ。

と、家康がかつていったことがある。実際家康はそのように思っていったのか、それとも政治的効果を予期しての発言なのか、その真意はわからないが、前田利長という人物はたとえ乱世の雄になっても一国や二国は斬りとれる男であったろう。それが、ひたすらに自家保存のためにのみその智恵《ちえ》と能力をかたむけている。

この時期、利長は、高岡城内で風邪のために臥《ふ》せていたが、金沢の家老たちにそう命じたあと、なにやら不安になり、

——わしは、いまから金沢へゆく。

と言いだし、夜中ながらにわかに人数を用意させた。駕籠《かご》のなかに火鉢まで用意し、医師二人を同行させ、夜中に高岡を発《た》った。家老の本多政重に会うためである。

「御病軀《びょうく》を押してゆかれるより、金沢から本多安房どのをおよびなされればいかがでございましょう」

と、腹心の側近がささやいたが、利長はこわい顔をして、

「そのほうどもは、本多安房という人物をなんと心得ている。あれを予の家来だとおもっているのか」

と、いった。前田家の筆頭家老というのは表むきで、駿府《すんぷ》の家康の分身であり、前田家をつぶすもつぶさぬも政重の口ひとつにかかっているのである。

途中、利長は駕籠のなかでおもった。

(上杉謙信ですら、その生涯で斬りとりえたのは越後一国のほかに越中、能登の三国ぐらいであった。前田家は謙信ほどの武功もなくすでに越中・加賀・能登の三国をもっている。三国を斬りとるよりも三国を保全するほうが、いまとなってははるかに英雄の事業である)

翌朝、利長は微服して本多政重の屋敷をたずね、書院で対面した。

「山鳥がきているようだな」

と、利長は障子のそとの庭のけはいに耳を澄ますまねをした。政重への愛想である。

「ああ、鳥でござるか」

政重も耳を澄ましながら、

「ことしは加賀はめでたくてこのような町なかの屋敷にも木の実がよく成り、寄ってくる鳥の種類も多うございます」

「安房の徳を、鳥も慕ってのことであろう」

「これは過分なお言葉」

「で、できたか、例の返書は」

と、利長は微笑した。

「いかにも出来《しゆつたい》」

と、本多政重はうなずき、人をよんで持って来させた。

利長は、読んだ。

「拙者事は、先年関ヶ原表一戦の刻《とき》、秀頼公に対し、すこしも等閑《なおざり》に存ぜず候《そうろう》をもって、旁々太閤《かたがたたいこう》御恩は奉じ奉《たてまつ》り候」

からはじまる文章である。自分は先年関ヶ原合戦で秀頼様のためにはたらき、そのことによって太閤の御恩は報じました、という。

ふしぎな論法である。利長は関ヶ原の戦いでは徳川に味方し、大坂方の石田三成をほろぼした。それが秀頼のためであったとし、それでもって太閤の恩は報じたという。この論法は家康の論法でもあった。家康は石田三成をもって豊臣家を毒する奸臣《かんしん》であるとし、それを正義の理論として豊臣家の諸大名をけしかけ、石田をほろぼした。その戦勝を理由に秀頼の天下をうばった。そのりくつを利長も（いや、正しくは起草者の本多政重が）つかっている。

「その後は、江戸・駿府御両所の御恩をもって、三カ国の太守と成り候につき、関東の奉公の外、他事を存じ奉らず候」

徳川からうけた新恩のために、いまは専心関東への奉公をこころがけている、という。

「一度御頼みなさるべしとの儀、一円《いちえん》心得がたく候」

いまになって拙者を頼むなどと申されることは、いっこうに心得がたいことであります、というのである。

一読して、利長はさすがに、

(世にこれほど酷薄な手紙があろうか)

と、おもった。冷えきった男女のあいだでさえ、いますこしの情のあらわしようがあるであろう。

「いかがでござる」

本多政重が、催促した。利長が顔をあげると、政重が先刻からじっと自分の顔を見つめていることに気づいた。利長ははっとしてあわただしく微笑をつくりなおし、

「いや、結構な仕様《しざま》だとおもう。これほどきっぱりと申してやらねば、大坂衆はわからぬであろう」

「それとも」

政重は笑わず、

「いますこし、情の思い入れを挿《さ》しはさみましょうか」

「いや、このほうが私の気持をよくあらわしている。余計な世辞などを入れると、それを都合よく解釈して、再三申して来られてはかなわぬ」

「なにしろ、殿は」

と、政重はいった。

「秀頼公にとっては父とも頼む傅人《めのと》でおわしますからな」

「時勢がかわったのだ」

「もし時勢が」

と、政重は皮肉をたのしんでいるらしい。

「変らぬとすれば、殿は豊臣家第一の柱石でおわしましょうな」

「安房」

利長は、話をそらした。

「この返書、のちの証拠のために、写しを二通とり、江戸表と駿府表にそれぞれお送り申しあげておいてくれい」

「そのこと、ぬかりはございませぬ」

「おお、抜からぬようにたのむ。すべてかようなことは以後も抜からぬようにたのんでおく」

と立ちかけると、しばらく、と政重は声でおさえ、

「殿、ご自筆を」

と、注意をうながした。自分の筆でこの起草文を書け、というのである。

「おお、わしのほうが抜かった。ちかごろ頭《つむり》に霧がかかったようで、物忘れがひどい」

と、利長はうそをつきながら、無造作に筆をとりあげ、書体をわざとぞんざいにして一気に書きうつし、署名と花押《かおう》だけは丁寧に入れた。

「これでよいか」

「しかし殿」

と、本多政重は、いまあたらしく思いついたような顔で、いった。

「あの大坂からきた一行、正使・副使の首をいっそお刎《は》ねなされば加賀前田家の断乎たる肚の底が大坂にもわかり、江戸にも覚えがよいのではございますまいか」

「……なんと申した」

さすがに、利長は自分の耳を疑った。

「あ、あいては、女ではないか」

「左様、女。――」

本多政重はうなずいて、

「いかにも女でござる。しかしもたらしてきた書状は秀頼どののからのもの。されば軍使でござらぬか」

「軍使」

「秀頼どのの書状は、関東との一戦を予期しての頼み状でござる。これを関東の立場からみれば挑戦状も同然。さてさてここで御思案くだされ、御当家がでござるよ、徳川家にとって無二のお味方でござる以上は、これは御当家に対する挑戦状ともうけとってしかるべきかと存じ参らせる」

(なんという男だ)

と、利長はおもいつつも、表情を政重に迎合させながら、ふむふむとうなずき、

「もっともな道理」

と、いった。

政重は急に声をおとし、

「この書状の写しを駿府へお送りすれば、大御所は豊臣家に対し、ただでは捨ておかれまいと存じまする。おそらくはこれを理由に早晩は一戦」

「一戦か」

「左様。天下にはいまなお江戸に面従しつつひそかに豊臣家に心をよせる諸侯が多いやにききます。そのときにあたって傅人の御家であるご当家が断乎として秀頼どのの文使いを斬ったとあれば、関東に逆意をいだく諸侯も雷《いかずち》に打たれたがごとくおびえ、弓矢をとる気力もうせて江戸へ心からなびくことに相成りましょう。関東への忠義、これ以上のことはあるまいと存じますが」

「安房、わしはすでに呆《ほう》けている」

と、利長はいった。

「むずかしい話をきくと、頭のみが痛うなってなんの考えもうかばぬ。これもあれも安房にまかせるゆえ、よしなに取りはからってくれい」

利長は懐紙をとりだし、顔をそむけ、小さな音をたてて洟《はな》をかんだ。

越前へ

——殺す。

と、家老の本多政重がやすやすといってのけたが「御隠居」前田利長にとっては、このあと気が逆上《のぼ》せ、本多屋敷を駕籠《かご》で出てからも、胴のあたりが慄《ふる》えつづけている。

(コロス――とはまたなんとおぞましい)

利長は賤《しず》ヶ岳《たけ》合戦(柳《やな》ヶ瀬《せ》の戦い)以来、亡父利家に従って数多くの戦場を踏み、その勇武は世間にも知られているが、しかし平時、人を殺したことがなく、殺そうとおもったことすらなく、また人に命じて殺したこともない。利長がとくべつそういう性質というわけでもなく、戦国のころもこの時代の大名も、むやみに人を殺すというような習癖は、ふつう持ちあわせていない。殺せば人の怨霊《おんりよう》がのこるという、遠いむかしから相続してきているこの国の恐怖信仰が、戦国乱世をへてきた利長にも濃厚にのこっている。

(しかも、相手は女だ)

家老本多政重は、正使のお夏局《なつのつぼね》と、副使小曾根《こそね》局との二人の首を刎《は》ね、さらに行列の宰領役の物頭《ものがしら》らしい男(小幡勘兵衛《おばたかんべえ》)の首をはねるという。利長がおもうに、女はとくに地上に怨恨《えんこん》をのこすようである。

(あとで、祠《ほこら》を建てておかねばならない)

と、利長はおもった。でなければ、あの女どもは前田家に祟《たた》りを為《な》すであろう。本多政重のいうところでは、かれらの行列が加賀領を出るあたりの山中に刺客《しかく》を伏せておき、突如襲わせ、あとは晦《くら》まして野盗のしわざのように見せかけておく。とすれば、（祠はその現場の峠のあたりにでも建つことになるだろう）

と、利長はもう、祠が山の雨に濡《ぬ》れているといったふうの、後年の風景まで脳裏にえがくことができた。祠を脳裏に描くことによって、このコロスというおそるべき罪業をわずかでも軽いものにしようとした。

が、本多政重にとって、このコロスというしごとは、事務であるにすぎない。かれはいわゆる三河衆である。かれの父の正信は家康の若いころ、鷹匠《たかじょう》の身分からひきあげられて晩年は家康政治謀略上の謀臣になり、いまは大名に列し、兄の正純《まさずみ》も父にひきついで家康の謀臣になっている。本多一族にとってその懸念《けねん》は徳川家の安全以外になく、江戸から派遣されて前田家の付家老になった政重も、その例外ではない。徳川家の必要のためにあの豊臣家の使者を殺す以上、戦場の闘殺とかわらず、政重にとっては、事務的冷静さで事をはこぶことができる。

政重は、三万石の身代である。かれ自身の家来が、三百人いる。そのうち屈強の者十五人をえらび、いっさいの進退を菅沼源蔵という者に宰領させることにした。

「かれらは帰路、越前の白山権現《はくさんごんげん》（平泉寺《へいせんじ》）に代参するらしい。それへの行きか帰りか、手頃の山中をえらんで待ち伏せしておけばよかろう」

と、政重はいった。


一行は、まだ金沢城下に滞在している。用事はまだ残っていた。たとえばお夏としては、大坂の淀殿《よどどの》や千姫からの贈り物を、当主前田利常夫人珠姫《たまひめ》にとどけなければならなかった。珠姫は淀殿にとってはめいであり、千姫にとっては二歳下の妹にあたる。

「そのために、ぜひ珠姫さまにお目もじしたい」

と、お夏から城のほうへ申し入れたが、前田家ではそれすら江戸への風聞をはばかってことわってきたのである。

「そんなばかなことがありますか」

と、お夏は、前田家の使者を相手に眉《まゆ》をあげて叱《しか》ったが、使者は顔をあげず、押しだまったまま、全身で恐縮の情を示しているのみで、応答さえしない。お夏は、

「なんと、あきれはてたこと」

と叫び、しだいに顔まで青くなった。珠姫への拝謁《はいえつ》をことわられたばかりか、音物《いんもつ》まで受けとらぬという。大坂へ持ちかえってもらいたいという。

「豊臣の御家への」

と、お夏は、怒りと屈辱で声がふるえつづけている。

「御恩をお忘れなされたこと、それはどうせ人ならぬ者のあつまりゆえ糾問いたさぬとして、はるばる持ちきたったお見舞の品々まで受けとることならぬとあれば、これは忘恩を通り越して侮辱でありまするぞ。前田家は、豊臣家を侮辱してよいのか」

使者ははじめこそ首を垂れていたが、しだいに身を縮めてゆき、ついに両手をつき、

「ただただ御勘弁を。――」

と、いうのみであった。

小幡勘兵衛はその様子をみていて、

（こいつァ、前田家もひどい）

と、義憤を感じた。

――諜者《ちょうじゃ》が、しかし義憤などを感じてもよいものか。

と、ふとおもったが、お夏の窮状にたまりかねる思いがし、この日の午後、濠端《ほりばた》の本多屋敷をたずねた。門番が勘兵衛を追いかえそうとした。

「大坂の大野修理《しゅり》家来、小幡勘兵衛」

と名乗りさえすれば、門は通れる。しかしせいぜい本多家の執事程度の者にしか会えないことはわかっている。

「待て。無礼をしてはあとで祟りがあるぞ。名は名乗れぬが、わしは殿の存じ寄りの者だ」

勘兵衛は、用意の封書をわたした。封書のなかに、

――拙者は小幡勘兵衛と申す者にて、かつて将軍家ご近習《きんじゆう》をつとめし者。ゆえあって御家を退転し、諸国を牢浪《ろうろう》した。そのうちに御兄君本多上野介《こうずけのすけ》どのに何やら深き思《おぼし》召《め》しあり、伏見なる拙者の茅舎《ぼうしや》を訪ねられ、そのときより拙者牢人をやめ、大坂城に入り、大野修理どのの昵懇《じつこん》を得ている。右、いつわりなし。これによっていろいろ御推察あれ。

と、書いてある。勘兵衛としては、諜者である以上、たとえ相手が本多政重であってもそれを明かすまいとし、この金沢滞在中もわざとお夏のかげにひそんで露《あら》わな働きをつつしんできたが、やや無謀ながら、封書の中で明かしてしまった。あとあと、こまるであろう。しかし、

(これは、思慮のそとだ)

と、目をつぶって、われながらまずいとおもわれる行動をとった。

この封書の内容は、効いた。本多政重が、すぐさま邸内で場所を設けて勘兵衛を引見したのである。

（この人相は、よくない）

と、勘兵衛は政重と対面早々おもった。容貌《ようぼう》ぜんたいが薄手なくせに両眼だけがきらきら光り、いかにも功名心のつよそうで、苦労知らずのくせにいっぱしの世故の才を誇りたがり、そのためになにをしでかすかわからないところがある。勘兵衛は、そう見た。

勘兵衛は、自分の手紙の内容にはふれず、いきなり用件に入った。

「珠姫さまへのお目見得がむりならばそれはそれでよろしゅうござる。このように右大臣家から御見舞の品々も宰領してきておりますことなれば、これが受領のためのお役人、御礼のお使者ぐらいは宿所につかわされよ。いかが」

と、いった。

本多政重は答えず、しばらくだまったまま勘兵衛の顔をみつめていたが、低い声で、

「そのほう、間《かん》（諜者）か」

と、いかにも下郎に対するような言葉づかいでいった。勘兵衛は、

——左様でござる。

と、いんぎんに言うべきであったが、逆に背を反らすという妙なことをやった。姿勢を権高にしてみせ、胸中、

（この種の男には、仕様《しざま》がある）

と、おもいつつ、声をわざと小さくし、さびをひびかせつつ、威たけだかに、

「それが、この小幡勘兵衛に申すことばか。言葉づかいに気をつけられよ」

と、ささやいた。

本多政重は、ぎょっとしたらしい。しかし瞼《まぶた》をとろとろと垂れて眠るような表情になり、

「将軍家の御小姓をつとめたというが、小幡勘兵衛という名など、きいたこともない」

と、いった。

「暇《いとま》を頂戴したのは、十代のころだ。名がきこえぬのも当然である。さらにお手前の身分はそのころどうであろう。まだ知行も頂戴《ちょうだい》せず、侍帳にお名前もない、部屋住みのご身分ではなかったか。そういうご身分では、拙者の名を知ろうにも知るよしもない」

「間《かん》であろう」

と、政重は勘兵衛のことばに取りあわず、自分の言いたいことを問いかさねてきた。

「…………」

と、勘兵衛が表情をひらききったまだまっていると、

「間ならば、なぜ、そのようにたやすく素姓を明かす。もしお手前が間であればその人間を信ずるに足らず、間でなく正真正銘の大野修理どのの家来ならば、わしをだましにきたことになる。いずれにせよ、わしとしては胸襟《きょうきん》をひらくことはできぬが、どうだ」

「………………」

「ええ？」

と政重は得意になっている。

「もっともだ」

と、勘兵衛は笑いだし、心から政重のいう理屈に服してうなずいた。しかし勘兵衛としてはいまはそういうことよりも、大坂から持ってきた見舞の品々のことである。

「素姓を」

と、勘兵衛は早口でいった。

「あかしたのは、明かさねば貴殿が会ってくれぬからだ。貴殿への都合でそのようにした。以後、この素姓をわしは明かすことはないが、それでもってなお世間に知られてしまうとすれば、それは貴殿の口からだということになる」

「屁《へ》のような理屈をいう」

と、政重は冷笑した。

「なるほど」

勘兵衛はまた感心し、なるほどわしの理屈は屁のようだな、と笑い、

「しかしいずれにせよ、わしはこのように頼み入りにきたのだ。聴き入れてもらいたい。五カ国の境をこえてはるばる運んできた見舞の品々を、それは要らぬと突きかえされて、お使者たるものがおめおめ大坂へ帰れるとおぼしめすか。たとえ女とはいえ、あのお局は自害するかもしれませんぞ」

（死ねばよかろう）

と、政重はおもった。自害してくれれば、わざわざ白山権現の山中に刺客を伏せておかずとも済む。

「あまり人をいじめぬことだ」

勘兵衛はつい、哀願する口調になった。

「豊家と申せばかつては天下さまであり、駿府《すんぷ》の大御所さまさえはるかに下座なされ、上段の御簾《みす》にむかって、神を拝するように平伏なされていたのだ」

「それは昔のこと」

「昔とはいわさぬ。わずか十四、五年前のことを昔といえるか」

「世の中が変化すれば、変化したそのときを境にそれ以前を昔というのだ。歳月ではない」

政重は、落ちついて言い、言いながら勘兵衛を疑わしげに見た。

「それではあまり無残ではないか」

勘兵衛は叫ぶようにいってから、

(どうも、豊家を弁護するようでまずい)

と口をつぐんだ。

政重はなお疑わしげに勘兵衛の面上に視線を這《は》わせていたが、やがて咳《せき》を一つし、勘兵衛のために譲歩案を出した。

……見舞の品々は、荷造りしたまま宿所の寺に置きすてて行ってもらいたい。一行が出立したあと、当方から人足をさしむけて受けとりにゆく。

という、いかにも豊臣家を愚弄《ぐろう》したような案であったが、しかし勘兵衛にすればそれでも大坂へ持って帰ることにくらべれば、お夏の立場はまだ救われるかもしれない
とおもい、

「そのように願いあげる」

と、本多政重にむかい、下郎のように丁寧な礼をした。政重はそれを見おろしつつ、

（どうせ、この男もコロスのだ）

と、おもった。江戸城では大名の礼遇をうけている自分に対しこのように不逞《ふてい》の態度をとる男などどうせろくでもあるまいし、それにこの男の豊臣家に対する思い入れが、どうやら擬態ではなく本気のにおいがする。白山権現下の谷で草木の肥やしにしてしまったほうが、まだしも徳川の天下のお為《ため》になる、とおもった。

勘兵衛は、ばかなことをした。

宿所にもどってお夏にこのことを伝えると、

「勝手なまねをなさいますな」

と、いきなり勘兵衛の得意顔に水をかけるような勢いで言った。お夏にいわせれば、お夏の許しをも得ずに勝手に本多政重に会いに行ったばかりか、そのように重大なことを一存で決めてきたことは不都合きわまる、という。

（おやおや）

と、勘兵衛はわざと目をほそめ、唇の片はしに微笑をのこしながら、お夏の申しぶ

んを聴いた。

「第一、不審なこと。あの阿呆《あほう》に狐《きつね》が憑《つ》いたように権高な本多どのが、よくまあ、勘兵衛どのに会うたことでありますな」

「いや、そこはひと工夫仕《つかまつ》った」

と、勘兵衛がごまかそうとしたが、お夏は的を射ようとしている射手のように勘兵衛から視線を離さず、

「――その工夫とは、どのような」

「いやさ、遠い昔」

「昔とは、千年も昔でありますか」

と、お夏はこれから勘兵衛が言おうとしているうそをはやばやと見破っているようで、勘兵衛もなにやら話しづらい。

「いや、さほどの昔ではない。この拙者がように前半生諸国や諸戦場をうろつきまわった者は、どの国々にも知人が居り申す。本多家の家来衆にも知る辺《べ》があり、訪ねてゆくと拙者をなつかしがり、その口利《き》きにて」

と、勘兵衛がいったが、お夏はそのことには急に関心をうしなったらしく、話の腰を折って、

「で、勘兵衛どののせっかくのご苦心の一件、そのことは決して相成りませぬ」

と、槌《つち》をあげて釘《くぎ》を打ちこむような調子でいったのには、さすがに勘兵衛も興醒《きょうざ》めるおもいがし、

（こういう女を見るのは、おれははじめてかもしれない）

と、お夏と対座しながら、別な想《おも》いにふけらざるをえない。この世に、お夏のほかに別のお夏がいるらしい。その別なお夏は、金沢城下に入ってからも、ときに単寝《ひとりね》が寝ぐるしくなるのか、半夜、影のように勘兵衛の部屋に入ってきて、夜具のなかに身をさし入れてしまう。ときに勘兵衛が知らぬ顔で狸寝入《たぬきねい》りをしていると、

――ね、住吉詣《もう》でを。

と、勘兵衛の耳に息を吹き入れるようにしてささやくのである。住吉詣でとは、お夏が自然につくった隠語であった。あの住吉明神での参籠《さんろう》の夜、勘兵衛はお夏をはじめて抱いた、そのことをお夏はいっている。

げんに昨夜、お夏は勘兵衛の臥床《ふしど》のなかではげしく悩乱した。お夏の熟れかたの早さは勘兵衛ですらとまどうほどで、閨《ねや》での逢瀬《おうせ》が一度重なるごとにお夏はそのつどもとの夜のお夏ではない。きのうの夜半などはどうであろう、声を忍ぶために勘兵衛の袖《そで》を噛《か》み、懸命に噛みつづけて痛々しいばかりであった。

ただし、それは別なお夏らしい。お夏はそのことが済むと後朝《きぬぎぬ》まで居ることなく、はじめ入ってきたときと同様、影かとおもわれるほどの気配のなさでそのまま闇《やみ》のなかで溶けてしまう。翌朝は、洗ったようにすずやかなお夏にもどっていて、勘兵衛につけ入るすきをあたえない。

(どの女も、こうではなかった)

勘兵衛は可笑《おか》しくもあり、なにやらふしぎでもあって、ごく人間としての生真面目《きまじめ》な好奇心から、お夏にそれを質問してみたことがある。

「勘兵衛どのが、お酒を召《さ》しあがるのは、なにが目的《めあて》でしょう」

「酔うためだ」

勘兵衛が答えた。

「それとおなじことです」

と、お夏がいって、それ以上、再度きくことを許さなかった。飲んでいるときは酔っている、それだけである、素面《しらふ》のときも酔っている馬鹿《ばか》はない、というのがお夏のりくつであった。勘兵衛は、

「いや、そうではあるまい。このことは酒とはちがい、女というものはそれを飲んでいないときも酔っている、それが恋というものだ」

と言ってみたが、お夏は勘兵衛が、

「恋」

といったことばが、この男の口から出たことにおかしくなったらしく、くすっと笑ったが、すぐあわてたように表情を清らかにし、

「勘兵衛どの、ただいまのぶんは許してさしあげますが、しかし爾今《じこん》このようなことは白昼申しませぬように」

と、あとは忙しげに立って行った。

いまそのお夏と対座していて、それらのことがしきりに思いだされているのだが、しかし結局はお夏の声が勘兵衛の想念を遮《さえぎ》った。

「わかりましたか」

と、お夏はいった。

珠姫へのお見舞の品々のことである。前田家がうけとらぬならさっさと持ちかえるばかりで、本多政重が要求するがごとくこの宿所に荷作りのまま置き去って帰れなどというようなことは、豊臣家の名誉にかけて到底できぬ沙汰《さた》である、できぬ沙汰どころか、太閤《たいこう》殿下の死後、豊臣家が関東からうけたかずかずの侮辱のなかでこれほどの屈辱はないであろう。

お夏はそれをいって、

「本多政重がなした侮辱については、いつか晴らすときがありましょう」

と、瞼をあげ、まばたきを停めた両眼から、みるみる涙をあふれさせた。

（この娘が。――）

と、勘兵衛は不意にこみあげてくる感情をどうすることもできず、お夏の心根に激しく同情した。が、同時に、

（屈辱の思いをいつかは晴らすとは、天下を相手に復讐《ふくしゆう》戦をするという意味か）

と、心の醒《さ》めた部分で推量した。

その翌朝、お夏らの一行は、金沢へやってきたときとおなじ行列を組み、城下を出発し西にむかった。

越前白山権現を経て、上方へ帰る。

この行列が発《た》つほんの半刻前《はんときまえ》、五人ずつ群れた三組の旅装束の武士が、一行とおなじ方向へむかったことは、勘兵衛も気づいていない。

坊官屋敷

「白山」

というのは北陸の天に連峰をつらねる大山塊で、その峰々、麓々《ろくろく》は、加賀、越中、越前、飛騨《ひだ》、美濃の五カ国の境にまたがり、上代のひとびとはこの高峰や幽谷をもって神遊びの場所《にわ》と信じ、その神を、

「白山権現《ごんげん》」

としてまつった。

上古、神につかえる者がここにむらがり、やがて仏教化し、この白山神《がみ》——大山塊そのものであろう——を越前側のふもとからおがみまつるために官営の巨大な寺ができ、その山林に法師どもが住みついて無数の住坊が立ちならび、さらには嶺《みね》をまもるために僧兵までが湧《わ》いて出て、中世の日本では叡山《えいざん》や高野《こうや》に匹敵する宗教都市がここに栄えた。平泉寺《へいせんじ》というのが、それである。

その寺域に、

「白山宮（白山神社）」

という広大な神域がある。森林のなかに山霊をまつる社殿があって、その修復は、豊臣家の存続をいのる淀殿《よどの》の祈願によっておこなわれ、右大臣秀頼《ひでより》寄進ということになっている。

お夏とその一行は、加賀から越前に入った。この日、淀殿の代参という資格で白山のふもとを登り、この森に入り、平泉寺の執事屋敷を訪ねて祈禱《きとう》料をおさめた。

その日、夜になってから炬火《たいまつ》をつらねて山麓へもどり、坊官屋敷に宿をとったが、気づいてみると、副使の小曾根局《こそねのつぼね》の姿がみえない。

（枝道にでもまぎれ入ってしまったのか）

勘兵衛《かんべえ》は、おもった。森のなかの山道をくだるとき、小曾根もお夏も土地でやとった山駕籠《やまかご》を用いていたが、駕籠かきたちは、足もとに難渋して妙にすすまない。足もとは中古、僧兵が上下した道で、子供の頭ほどに大きな栗石《くりいし》で舗装されており、それが苔《こけ》むしていてつい足がすべる。

「止めて」

と、お夏はじれて、ついに降りてしまった。そのころには夜霧が林間をつつみ、炬火の光がやっと足もとを照らす程度で、まわりは濡《ぬ》れたような闇《やみ》である。勘兵衛は手をさしのばして、お夏の歩行をたすけてやった。お夏は何度もよろけた。ついに勘兵衛はお夏の腰を抱き、さらうように抱きよせた。

——なにをなさるのです。

と、お夏は他にきこえぬよう小声で叱《しか》ったが、勘兵衛はだまって好きなように動作をつづけ、やがてお夏を背に負った。お夏は勘兵衛の首すじに頰を寄せ、おとなしくなった。結果からいえば、お夏は勘兵衛に背負われていたればこそ、たすかったのだろう。お夏は、奇妙な女だった。

——勘兵衛どの。

と、勘兵衛の耳もとでささやいたときは、先刻叱ったときとは声まで別人のようだった。

——今夜、勘兵衛どのの臥床《ふしど》へゆく。

（このむすめは、わしを何とおもっているのだろう）

娘を手なずけることにかけては三国一のつもりでいた勘兵衛も、仔犬《こいぬ》のように手なずけられているのは自分のほうではないかとくびをかしげる思いだった。

その間、小曾根局の駕籠は消えていたのである。

小曾根が坊官屋敷にもどっていないという報告をお夏がきいたのは、彼女が湯殿にいるときだった。

この白山権現のあたりの沐浴《もくよく》の仕方は古俗というか、湯殿が戸外に籠《こも》り堂のように独立しており、別に炭焼きがまのようなものが付属している。その土のかまのなかに入って熱気のなかに浸り、やがてそこから出ると、板敷の浴室に入る。浴室では湯釜《ゆがま》から湯を汲《く》んでからだに掛けるだけであり、お夏は侍女にそれをさせているとき、報告をうけた。

「勘兵衛どのをおよび」

と、お夏はいった。

勘兵衛が、きた。

「すぐ、山へもどって小曾根どのをさがすのです」

と、湯殿のなかから命じたお夏の声《こわ》調子は、先刻勘兵衛に背負われて耳もとでささやいたときとは打ってかわって権高であった。

(おやおや)

と、勘兵衛はおもったが、行列の宰領役は自分である以上、これはやむをえない。

すぐ人数をぜんぶ動員し、たいまつをかざしつつふたたび、山へもどった。

森が深くなり、やがて栗石の参道をたどってゆくうち、これ以上捜すまでもないことがわかった。

山駕籠と、小曾根がいた。彼女は、勘兵衛らが登ってゆく参道の途中で、捜索を待つようにして、動かずにそこにいた。勘兵衛が近づいて炬火をかざすと、駕籠の中から華やかな衣装がこぼれていて、小曾根が退屈そうにすわっていた。

が、首がなかった。

(世にはいろいろの不幸があるものだ)

と、勘兵衛は憮然《ぶぜん》とし、しかし小さな行動を開始した。炬火の炎を、栗石の横の水たまりへ突っこみ、さらに足で揉《も》み消した。闇が、勘兵衛を守るようにして包んだ。灯を消さねば危険だとおもったのである。この木立ちのどこかに、何者かが勘兵衛をうかがっているのではあるまいか。

その予感が、的中した。

どさっ、と勘兵衛の頭に炎がかぶさってきた。勘兵衛は、とっさにその男の重みを、腰でささえた。なま温かい血が勘兵衛のはだけた胸もとをぬらして流れ、やがて男は声もなく崩れた。のどに、矢が突き通っていた。お夏の行列についてきた中間《ちゅうげん》の一人であった。中間は先刻から勘兵衛の横にいて炬火をかざしていたが、矢は、炬火をねらったのだろう。

(的中《あた》った)

勘兵衛は、中間の不幸におどろくよりも、後年、軍学の祖になる男だけに、自分の予感が的中したほうに感動した。矢は、勘兵衛をねらい、中間はその身代りになったのにちがいない。

(さて、このあとどうすべきか)

と、勘兵衛はおもった。落ちついているようで、さすがに思慮が混乱して身をどう動かしていいかわからない。他の中間たちは参道のはるか下のほうにいて、この事変にまだ気づかずにいる。

勘兵衛は、梟《ふくろう》が啼《な》いていることにはじめて気づいた。

仰ぐと、東の梢《こずえ》にほそい寒月がかかっていた。勘兵衛は、そのようなあたりの景色のあれこれが目に入るまでに気を落ちつけてから、ゆるゆるとくだった。

——みな、寄れ。

と、勘兵衛は小声で伝え、二十人ばかりの顔を寄せさせてから、「どの男も」といった、「手にもった火を消せ」中間たちがわらわらと火を踏み消した。火の粉があちこちで舞いあがると、それをめあてにしたのか、夜気を斫《き》って五本ばかりの矢が頭上をとびこえた。

「夜鳥だ」

と、勘兵衛は一同を騒がせないためにそういったが、そこは中間とはいえ武家奉公でもする男たちであった。矢音であると気づいた。口々にさわぎはじめた。となった以上、勘兵衛はかれらを無事下山させるための思案がほかにあったのに、やむなく気を変え、事態を正直に知らせようとした。

「参道の上のほうで、お局が死んでいる」

といったとき、中間たちは理解しがたいような様子で沈黙していたが、ひとりが急に悲鳴をあげたことが、かれらの崩れのきっかけになった。みな、栗石の道をころびながら逃げだした。勘兵衛は、当惑した。かれらを逃がすつもりではなかった。

勘兵衛も、この場は逃げるほかないと思い、そのあとを追って駈《か》けはじめた。

「待て」

と、追いながら、結果は勘兵衛もかれらと一緒に逃げているはめになった。逃げるという動作を開始すると、勘兵衛の心は急に恐怖のほうへ変質した。心理というのは、妙なものであった。

「待て」

勘兵衛は、中間どもへ縋《すが》るように叫んだ。われながらこの恐怖がなさけなかった。

「待たんか」

と呼ばわりながら、勘兵衛は頭の片隅で、恐怖というのは意外に味のあるものだとおもったのは、先刻胆《きも》がすわっていたときにすこしも動かなかったかれの想像力が、水車が回転するようにして水流を弾《はじ》きつつ回転しはじめたのである。想像力とは胆力が生むものではなく、恐怖が生むものだということを勘兵衛は覚《さと》った。

（小曾根を殺したのは、前田家ではあるまいか）

首を刎《は》ねて関東へ送る。徳川への機嫌をとり、江戸体制の傘下《さんか》大名であることを内外に対して鮮明にするためには、大坂の使いを斬《き》ることがもっともよい。実際の差金は、前田家というより、その筆頭家老本多政重であろう。

（読めた）

恐怖が、勘兵衛を智者《ちしゃ》にした。さらに勘兵衛の智恵が旋回し、夜が明けるようなほの明るさで、敵の作戦がわかってきた。きょうの白山詣《もう》での山駕籠のかつぎ手は、地元でやとったが、あの駕籠舁《か》きは、本多政重のまわし者だったのであろう。闇にまぎれてお夏と小曾根をうばうつもりが、お夏が途中、駕籠をすてたことが偶然かれらの裏をかいたかたちになり、一命をひろった。しかしここで考えられることは、かれらが勘兵衛らの人数を、この山のなかにさそいこんだことである。これがため、お夏のいる麓《ふもと》の坊官屋敷はから、、になっている。かれらの一手は、すでに護衛のない坊官屋敷を襲ってお夏を殺しているのではあるまいか。

（そういうことだ）

闇の中で、勘兵衛の血相が変った。

――おれは逃げている。

のではなかった。

敵を追っているのである。敵が坊官屋敷を襲っているとすれば、一刻も早く宿へかえって斬り禦《ふせ》ぎをせねばならなかった。栗石が、月光に光りはじめた。勘兵衛は、急に飛ぶように走りだした。おなじ方向のおなじ動作であるのに、逃げるのとはまったくちがった心理が、勘兵衛をほんの一瞬前とは別な人間として走らせていた。というより、生来胆気にあふれた常のこの男にもどっていた。

「きけ、奴《うぬ》ら」

と、勘兵衛は中間たちに追いつきながらいった。言いながら、勘兵衛はころんだ。すぐ起きた。起きながら叫んだ。

「坊官屋敷に、曲者《くせもの》がいる。そいつらを叩《たた》っ殺すから、おれと一緒に働きたい者はついてこい。働きによっては徒士《かち》にとりたててやる。いいか、ついてきたい者はいま名をいえ。さあ名を言え」

と言いながら群れのなかを駈けぬけたが、たれもが沈黙し、名など名乗る者はいなかった。勘兵衛は、怒気で、髪が逆立つおもいがし、

「奴《うぬ》ら上方者とは、そうか、そういう性根か、局とはたとえ主従の間柄ではないとはいえ、大坂からはるばる供をしてきた上臈《じようろう》が、いま危難にいる、それを救おうともせんのか」

小幡勘兵衛は言ううちに、自分の言葉に感動した。そうであろう、大坂の上臈がいま関東から殺されようとしている、それを守ってやる者はこの天地に自分ひとりしかいないのではないか、という悲愴《ひそう》の思いが、この関東の諜者《ちようじや》であるはずの男を、道理も立場もない一個の俠徒《きようと》にした。

勘兵衛は、銀ごしらえの打太刀のコジリを天へはねあげ、脛《すね》をすさまじくまわして駈けはじめた。

お夏は、湯殿から出た。

そのあと、ふと夜分ながら化粧《けわい》をしようとおもい、灯をあかるくして鏡にむかった。

勘兵衛をおもってのことである。

（あの男とは、妙な仲になった）

お夏は勘兵衛を、心のどこかで奴隷《やっこ》かなんぞのようにおもっている。お夏は、女が実権をにぎる城でうまれ、そのなかでももっとも高い筋目の娘として、淀殿のそばちかくに仕えてきた。男とは、いかに大名であろうとも、自分たちの下仕事をつとめる存在であるということが、無意識のなかにある。

お夏が物心ついたときは、祖母の大蔵卿局《おおくらきょうのつぼね》などが、江戸の家康や秀忠を、まるで裏切った下郎のようにののしっているのを耳にし、そういう高調子な議論のなかで成人したために、加藤清正や福島正則《まさのり》といったような大大名でさえ、お城のかつての使用人という程度の印象で見てきたから、風来坊の小幡勘兵衛などに「殿御」という思いが湧かず、屋敷裏の納屋《なや》で薪《まき》でも割っている男どもと同類なようについ思えてしまう。

勘兵衛の行儀知らずについても、

（どうせ、卑《いや》しい男ゆえ）

ということでゆるせてきた。

ついでながらお夏やら、お夏と似たような年配の何人かの朋輩《ほうばい》たちは、たがいに、

――ひとの妻になるまい。

という気持を、何度か言葉にし合ってはそれを誓いのようにしてきた。徳川治下のなかでの豊臣家の運命が、卵の殼のようにあやういときに、秀頼や淀殿をすて他の家に嫁《とつ》ぐ気などはとうていおこらない。そのうえ、お夏がもし嫁ぐとすれば、秀頼直参の大名か大旗本の子弟にかぎられねばならないが、その連中はどういうわけかそろいもそろって懦弱《だじゃく》で、家康さえも、かつて二条城で秀頼と対面したとき、秀頼の側近衆に、

「大坂の御城衆は安公卿《くぎょう》のまねをして、武家の頼もしさがなくなっているという。その気さえおありなら、駿府《すんぷ》に交代で番をなされてはどうか」

と、すすめたほどであった。駿府へ参観《さんきん》交代せよ、鍛えてやる、というのである。大坂にとって虚実ともに敵であるはずの家康にそういわれるほど、お夏の目からみても大坂城の殿輩《とのばら》というのはたよりなく、娘としてどのような魅力ももてなかった。それからみると、勘兵衛はどうであろう。お夏は勘兵衛をはじめてみたとき、

(これが、世にいう男か)

と、全身の血がさわぐおもいがした。勘兵衛という男の毛穴からは革くさいにおいがたえずにおい出、野を駈けるけもののように油断ならぬ目つきをし、そのほか勘兵

衛のどこをとらえても、これが生きものだという魅力に満ちていた。

（――恋にはならぬにしても）

と、お夏は自分の勘兵衛への気持を、

（飼うに足る）

と、おもっている。

化粧《けわい》をおえたとき、雨戸が、二度三度とうごき、お夏を用心ぶかくした。

「たれ。――」

と、声をかけておいて、三基の燭台《しょくだい》の二つまでを吹き消したとき、雨戸がはずれた。

お夏はおびえずに最後の燭台を消し、長押《なげし》から薙刀《なぎなた》をとり、身を廊下のほうへひいた。

人影が、そろりと入ってきた。

（三人。――）

お夏はかぞえてからそっと廊下へ出、すべるように走って灯を二つ三つ吹き消し、
闇にし、

「曲者《くせもの》ぞ、出会え」

と、叫び、足のおもむくままに大台所へ出ると、なんとその土間にはすでに無言の人影が五人ばかり殺気をこめてかたまっており、まさにかまちにあがろうとしていた。

（これは、いかぬ）

お夏はあわてて身をかくし、外へ脱け出る工夫はないかと思案をした。

遠くで、人が争う物音がしはじめた。お夏は、この宿舎に残っている自分の供の連中は女どもか少数の徒士、足軽どもで、かれらの防戦能力をあたまから期待していなかった。身ひとつで逃げねばならない。

彼女は手近の部屋へとび込み、雨戸をはずした。風が、吹きこんできた。

庭へとびおりたとたん、そのあたりの樹々《きぎ》が隈《くま》をつくっていて、一面が明るすぎることに気づき、怖《おそ》れをいだいた。曲者は周到で、庭のあちこちに枯れ芝で篝《かがり》をつくってから討ち入ったようであった。お夏が篝を薙刀のコジリで突き倒したとき、人影がゆるりと近づいてきた。

「お夏局におわすか」

（逃げれば怪しまれる）

とおもう余裕があった。

「お局さまは、奥にて御寝《ぎよし》あそばされております」

「いいや、お手前がお局さまであろう」

風が、火の燃えかすをしきりに吹きちらしている。お夏は、男に対し頭ごなしにいった。

「そこもと、水をもっておじゃれ」

「水を？」

曲者は、ひるんだ。

「この火が、あぶないとはおもわぬか」

「お手前は、お局であろう」

と、曲者はくりかえした。顔を、黒いぬのでつつんでいることが、夜目にも見えた。

「お局は奥じゃと申すに」

と、お夏は背をむけて立ち去ろうとした。そのあとを曲者が足ばやに跟《つ》けた。

お夏は、逃げた。

因果居士《いんがこじ》

勘兵衛《かんべえ》は一面、暴勇の徒らしい。

闇《やみ》を駈《か》けて坊官屋敷の大杉を目あてに、その裏門あたりに達したとき、路上に手槍《てやり》の石突きを突き、足ごしらえをした一個の人影を見た。見たというより、突きあたりそうになってから勘兵衛は気づき、気づいたときには勘兵衛は高く跳ね、とびおりざま、ぬきうちに斬《き》りさげていた。相手は真っ二つになってたおれたが、勘兵衛の思案はそれからはじまった。

（ホイ、敵ではなかったか）

と、不安になり、かがみこもうとすると、その勘兵衛の胴を背後から槍が串刺《くしざ》しにするいきおいできらめいた。勘兵衛はあやうく避け、槍のケラ首をつかんだ。つかんだまま、身をねじり、刀を横なぐりにふるった。敵は槍をすててばたばた逃げた。

勘兵衛は、もう一度かがんだ。

（こいつは、本多の衆だな）

と、斃《たお》れている男の面体を見とどけたとき勘兵衛は敵を斬ったのか味方を斬ったのか、思案が混乱した。小幡勘兵衛が徳川の諜者《ちょうじゃ》である以上、本多衆も関東方であり、つまり勘兵衛は味方を斬ったことになる。しかし一体、人間にとって、敵とか味方とかいうのはなんだろう。

（いまは、お夏をまもればいい）

勘兵衛は、裏門から邸内にとびこんだ。この男は、夜目がきく。そのあたりを駈けまわっているうちに、裏山に人のさわぎ声をきいた。泉水を跳びこえ、築山《つきやま》へのぼると、そこからむこうが裏山になっている。赤松の疎林のあいだに炬火《たいまつ》が五つばかり動き、人をさがしているような様子だった。

勘兵衛も、狡猾《こうかつ》な獣のように息をひそめ、気配を消しながら斜面のあちこちを移動するうち、

——勘兵衛かえ？

と、ばかばかしいほどに落ちついた声が、勘兵衛の耳もとにひびいた。お夏の声に相違なかった。

（…………？）

と、勘兵衛があわただしく左右をみると、そばの枯《か》れ茅《かや》の大叢《おおくさむら》のかげにお夏がひざをかかえてしゃがんでいた。

勘兵衛はおどろきをしずめるために一息大きく吸いこんでから、

「なぜ、わしだとわかった」

と、小声でいった。

お夏はのんきそうに、もう小半刻《こはんとき》もこのようにして、このあたりの崖《がけ》をよじのぼったり叢に這《は》いこんだりしていると、なにやら小鼬《こいたち》にでもなったように急に鼻がきいて

きて、目よりもにおいでわかってくる、といった。

「ほう、においで？」

勘兵衛がおどろくと、お夏は顔を寄せて、

「勘兵衛どののにおいは、わたくしは覚えている」

と、女児がカタコトを言うように言うのだが、こんな場で平気できわどいことをいうこの娘の性根というのは、どうなっているのであろう。勘兵衛は不覚にも情念を熱くし、おもわずお夏の肩を抱きよせようとしたが、しかしこの男の余裕が、それをやめさせた。勘兵衛は袴《はかま》をはたいて立ちあがり、

「ちょっと、散らしてくる」

邪魔者を、である。勘兵衛は斜面をかけのぼり、ちょうど近づいていた炬火の一つに寄るなり、力まかせに横っ面《つら》を撲《は》り、

「失《う》せろっ」

と、山に谺《こだま》するほどの声でわめいた。その声であちこちの炬火が動揺したが、勘兵衛はさらにそれら炬火の群れにむかい、

「汝《うぬ》らァ、出直せ。出直して加賀へ帰って告げよ、大坂が憎けりゃ、乱破《らっぱ》素破《すっぱ》のまねなどせず、堂々陣鼓を鳴らし、軍勢の十万でも百万でもかり催して大坂城の堀端まで

寄せてこい」

と、咆《ほ》えちらしたのは、あるいは勘兵衛としても大坂方としても余計なことかもしれなかった。

炬火の群れが、あわてて駈けおりはじめた。勘兵衛は崖をすべりつつそれらをさらに追い、

「裏門前に汝《うぬ》らの仲間が死んでいる。いまごろは犬に食われているだろうが、逃げぎわにひっかついでゆくのを忘れるな」

と、わめき、喚《わめ》くだけではなく、これは勘兵衛の執拗《しっこ》さのあらわれかもしれないが、さらに追い、逃げ遅れた一人をむごいばかりの勢いでつかみ寄せ、背後からのどを締めあげ、ばたばたする男の頭蓋《ずがい》が割れるほどに拳《こぶし》をくわえた。男がぐったりなってうずくまると、さらに足をあげて横っ面を踏みつけ、ぎりぎりと踏みにじり、それを横から見ていたお夏が、あまりのむごさに胸がわるくなったほどで、ついにたまりかね、

「勘兵衛どの」

と言いかけたが、息がきれた。

「武士は左様にするものではありますまい」

「武士？」

勘兵衛はあざわらった。

「女首をとろうなど、こいつらが武士なものか」

と、ほとんど失神している男の顔をさらに蹴《け》ったのは、すこし酷《こく》すぎた。


この前後、豊臣家にとっての不幸は、浅野長政と幸長、それに加藤清正という三人の同情者が相次いで他界してしまったことであった。

「毒殺ではあるまいか」

といううわさが、大坂だけでなく、関東のお膝《ひざ》もとの江戸でさえささやかれた。

浅野長政が六十四歳で没したとき、

「これで、故太閤《たいこう》恩顧の長老大老というものがなくなった」

と、いわれた。長政は幸長の父である。秀吉の妻北政所《きたのまんどころ》の実家の当主ということで秀吉の壮齢のころから創業の苦労を共にし、豊臣政権の樹立後は子の幸長とともに執政面で活躍し、関ヶ原のときは石田三成に対する面憎さがおもな動機で家康に属した。戦後、徳川傘下《さんか》の大名になったが、豊臣家への旧恩を忘れず、秀頼への配慮をおこたらなかった。死因は老衰であろう。

ところが、豊臣家にとってさらにこまったことには、浅野家の当主の幸長も相次いで死んだことである。まだ三十七の若さであった。

幸長は関ヶ原で家康に属して家を保ったが、しかしその後も豊臣家への気持をすこしもうしなわず、加藤清正とともに関東との橋渡しの労をとりつづけた。幸長はこの当時、南蛮人がもちこんだあたらしい性病である梅毒を病み、それが重くなって余病を併発した。

幸長の病が重いということを駿府《すんぷ》の家康がきき、当時日本一の名医とされた曲直瀬《まなせ》道三《どうさん》（京都在住）に命じて、紀州（この当時、浅野家は紀州の国主で、和歌山城主）へさしくだらせた。道三は城に登って診察をし、慎重に投薬した。

幸長はその薬をのんだ直後から急に容体がかわり、吐瀉《としゃ》はげしく、翌々日には息をひきとってしまった。

「殺したのではないか」

と、大坂城内にいる小幡《おばた》勘兵衛でさえそうおもったほどであったから、このうわさは天下に信じられ、第一、幸長の臨終の状態をみていた浅野家の家来がいちずにそう信じた。このころ、人心が江戸時代よりも荒く、浅野家の家来の何人かがこれに憤慨して駿府に駈けくだり、まさか家康その人には対面できないから家康の妾《めかけ》おかめ（第九子義直の生母）に会い、会ったのっけからはげしく毒づいた。

「まあお聞きくだされ。わが主人紀伊守《きいのかみ》は徳川の御家と天下の静謐《せいひつ》のために大坂とのあいだを調停し、その功は大御所様もよくよくご存じのはずでござる。その左京大夫《だゆう》に道三なる者をくだして毒を飼われるとはどういうおぼしめしでござるか」

むろんこのことはおかめの口から家康の耳に入り、家康としてはこの場合、激怒しておかねばならなかった。陪臣ながら浅野家家来をそばによびつけ、

「汝《わい》らは、あらぬ風評を信じ、当所のせっかくの好意に逆ねじをくらわさんとするか。されば弓矢で来るか。弓矢で来るなら早々に紀州へ帰り、堀を深くし、壁を高くして待っておけ」

と、わざと三河の百姓ことばで罵声《ばせい》をあげておどすと、五人の浅野家家来は平伏したまま慄《ふる》えがとまらず、あとでおかめに多額な金品を贈ってとりなしを頼み、逃げるようにして駿府を去った。

古記にいう。

「彼《か》の家中衆（浅野家家来）、おかめさまへ悪《あ》しざまに申しあげ候《そうらい》て、大御所様御前、さんざん損じ、笑止之御事《しょうしのおんこと》に候」

加藤清正の死は、時期はこれよりすこし前になる。行年《ぎょうねん》、五十（かぞえ年）であった。

かれの生前、秀吉の小姓のころからの朋輩《ほうばい》であった加藤嘉明《よしあきら》（当時、伊予で二十万石）と江戸の殿中で世間ばなしをしていたとき、嘉明が、

「虎《とら》之助はどうもちかごろ不養生でいかん。いますこし体のことを思ったほうがよかろうとおもうが」

と忠告すると、清正は、

「いや、自分の気持はちがう。むしろ不養生をして早く世を去りたいと思い、そのことを思わぬ日はない」

と、容易ならぬことをいった。清正のいう理由は、うかうかするとこのぶんでは自分の目の黒いうちに関東と大坂の手切れがあるであろう、そのとき自分としては豊太閤にお世話になった御恩をかえすために大坂に味方せねばならぬ、しかし徳川家から受けた御恩も軽からず、これを思いあれを思うと、自分は身の処しようもない、しかしいまより数年出ずしてわが子の代ともなれば豊臣家につくとも徳川家につくとも自由であろう、だから早く死にたいとおもっている、ということであった。このことはたまたまそばにいた池田輝政（この当時、播磨《はりま》の国主）が聞き、その孫光政に話した。

その光政の談話をあつめたものに「烈公間話」があり、それに記録され、後世に伝わった。

清正の死んだのは、慶長十六年六月二十三日で、例の伏見城会見から三カ月足らずのちのことである。

「神君（家康）の御印籠《いんろう》には、不断、毒を貯《たくわ》え給《たま》うとなり」

と、「十竹斎筆記」にはいかにも家康が毒殺したように書かれているが、これもよくはわからない。「清正記」には熊本へ帰る船のなかで熱病を発し、気懶《けだる》げであったが、それでも帰国してすぐかれの主催で歌舞伎《かぶき》を興行し、家中《かちゅう》の者小身のはしばしまで見せてやった、とあり、さらに臨終の当日の様子として、

「からだが焦《こ》げたように黒くなっていた」

と、ある。やや毒殺をにおわせる書きかただが、しかし「続撰清正記」では症状は脳溢血《のういっけつ》のようで、

「病のはじめより舌がうごかず、物をおっしゃることもできず、そのまま他界なされたから遺言などということも、いっさいなかった」

という。要するに清正はその最期《さいご》にあたり、その晩年の苦のたねであった関東と大坂との問題については、ついに片言も発することなく死んでしまった。

清正の死は、家康にとっては大きな安堵《あんど》であったであろう。しかし大坂城にとっては異常な衝撃であった。

そもそも清正の容体が重いということが大坂に伝わったのは、その死の十数日前であったが、このとき淀殿はすぐさま大蔵卿局《おおくらきょうのつぼね》をよび、

「祈禱《きとう》をしや」

と、あわただしく命じた。淀殿にとってなにごとも祈禱のほか、彼女の願いをこの世で実現させる方法がないようであった。祈禱には莫大《ばくだい》な金銀が必要だが、豊臣家はそのことには事欠かない。すぐさま大蔵卿局は旅装をととのえ、醍醐《だいご》の三宝院へゆき、義演《ぎえん》門跡にたのんで清正平癒《へいゆ》の祈禱をしてもらった。義演は、豊臣家の祈禱掛といっていいほどにいままで各種の祈禱をしてきている。

「肥後守どのとは、加藤清正どののことでござるな?」

と、このとき義演が念を入れたのは、清正の祈禱を淀殿がするというのはやや意外だったのである。なぜなら清正はむかし太閤存生《ぞんじょう》のころ淀殿とは疎遠で、淀殿は石田三成と昵懇《じっこん》であった。その三成と清正が不仲であったため、淀殿はかつては清正を、

——われに善《よ》からぬ者ども。

のうちに入れていたのだが、その清正が晩年、他の大名がかえりみなくなった秀頼

のために一身で擁護をひきうけ、家康もそれをみとめ、

「おそらく清正どのがあのように生きてござるうちは、駿府の大御所といえども清正どのに遠慮をし、大坂城に手をつけることはあるまい」

という見方が、大坂城でも濃かったのである。淀殿は、そのために清正の寿命が一年でも長いことをねがった。すべて秀頼のためであった。

が、その清正が死んだ。

そのあと、池田輝政も死んでいる。輝政は豊臣家のためには清正ほどの存在ではなかったにせよ、天下に事あれば家康と秀頼とのあいだに立ってなにがしかの調停をしてくれるという期待がかかっていた。

「なんと、みな死んだか」

このころ、駿府城の居室で、家康は本多正純《まさずみ》を相手に世間のことを談じていた。

「ひとり、残っております」

と、次室で、正純が受けた。

「ひとりとは？」

「左衛門大夫《さえもんのたいふ》（福島正則《まさのり》）で」

と正純がいうと、家康は笑い、禅坊主《ぼうず》の言いまわしを用いて、

「孤掌《こしょう》鳴りがたし、というわ」

と、いった。孤掌うんぬんとは、てのひらが一つでは鳴らすことができないという意味で、福島正則も仲間をうしなっては何事もできまいということであった。

「しかしそれにしても」

と、家康はいった。

「腑甲斐《ふがい》ないことよ、清正にしても幸長にしても、わしより年若な連中が、なぜこうも寿命みじこう死ぬのか」

「多年、戦場の無理がたたったのでございましょうか」

「上野《こうずけ》、妙なことを申すでない。このわしはかれらより五倍、十倍も戦場の場数を踏んできたが、このように壮健だ」

「上様はおそれながらお誕生のとき、薬師如来《にょらい》がご胎内に入られたということをかねがね父からきかされておりましたが、並々とは別でございます」

「べつとはどういうことぞ」

「神か……」

と、正純は追従《ついしょう》しようとしたが、家康という男は若年のころから追従に乗るほど愛《あい》

嬌《きよう》のある男ではなかった。

「わしは人ぞ、正銘の。ただ人一倍養生に気をつけてきただけのことだ」

家康は先日、妙な老人を引見した。

「林間に住み、野草を採って食い、ふしぎの術を為《な》す者」

というふれこみである。京のまわりの愛宕山《おたぎ》、貴船《きぶね》、雲ヶ畑などの峰々を住みまわって幻戯《めくらまし》やら不老長寿の術をおさめたという者で、家康の侍臣が、

——かの者、京からくだっていま駿府に逗留《とうりゆう》しておりますゆえ、一度、お退屈しのぎにその者の幻術をご覧あそばしては。

とすすめたので、家康は承知した。

「因果居士」

という。家康は幻戯などという催眠術にはなんの興味ももたぬ男だったが、不老長寿術というものに食指がうごいたのである。

当日、その因果居士という老人が、枯れ葉色の僧衣をまとって参上し、板敷の大広間の下座にふわりとすわった。小男である。

家康は上座から、遠目で老人を見ていた。家康の左右には用心のために三十人ばかりの近習がならんでいる。

「この場所にて、幻戯をつかまつりますので?」

と、老人は案内役の士にきくと、家康が上段から、

「幻戯などはせずともよい。それより近うへ参られよ」

とまねき寄せた。

ちかぢかと見ると、老人とはきいていたが頰があかあかと艶《つや》めき、両眼に力があり、とても五十以上とは見えない。

「居士、おいくつになられる」

家康はきいた。家康側の記録（駿府記）の文章を借りると、
因果居士、京都ヨリ来ル。今日居士ヲ御覧《ごろう》ジテ曰《いわ》ク、ナオ活《い》キタルガゴトキカナ、ト。

ということになる。活きたるがごときかな——という家康の表現の実感は、左右に居ならぶ壮齢の近習どもの顔のむれが、この老人の顔一つを見たあとでは死人か病人の顔のむれのように家康には見えたからである。

「八十八に相成ります」

これには家康は声を放って感嘆した。自分よりこの居士は十八、九も年上ではないか。それでなお、この居士はこの場の壮者たちの顔が萎《しぼ》んで見えさせるほどに活力にあふれているのである。

「よい人を見た」

と、家康がわがひざをしきりにさすってよろこんだのは、自分もまだまだこれからだということで、自信が勢いづけられたからであろう。

長寿法をききたかった。しかしこの方面ではずいぶん物を調べ、人にもきいてきた家康は結局は摩訶不思議《まかふしぎ》な方法などこの世にはないという結論に達していたから、べつなきき方をした。

「毎日、どのような暮しをしている」

ということから質問しはじめ、この居士の生活、運動量、食餌《しょくじ》、睡眠などをこまかくきいた。居士は教説を垂れるどころか、単に生活報告者として家康に自分のすべてを説明するだけの用を果した。

そのあと、幻戯をして御覧に入れたい、といったが、家康は笑って手をふり、

「それはよい」

と言い、退《さが》らせた。すべて家康というのはこの式であった。

……で、正純と話している。

「とはいえ、わしも」

と、家康は自分の寿命のことをいった。

「百まで生きることはむずかしかろう。清正も幸長も死んだ上は、大坂のこと、ここ一両年のうちに片づけてしまいたいと思っている。むろん、方法は合戦以外になかろう」

「合戦」

「調略（謀略）ではひまがかかる」

と家康がいったのは、自分の寿命を考えて事をいそごうとしているのであろう。

「合戦で始末する。ただし戦《いく》さをおこすにしても天下がなっとくするだけの理由がなくてはおこせまい。その思案がないか」

「思案は」

「いや、数日かかってもよい。考えてみよ」

と、家康は正純に命じた。

大仏殿

徳川家康というこの複雑な人格は、その前半生においてはまるで善人であることが商売であるような、とほうもない善人でありつづけた。わかいころから、

「三河どのは律義《りちぎ》のお人にて」

というのが、かれの人格上についての一致した世評で、このばあい、律義者というのは正直者、小堅いひと、約束をまもるひと、という意味であろう。戦国乱世ではめずらしい徳目の具現者といっていい。

かれはその半生において、三人の強者の下請《したうけ》をつとめた。年少のころは駿河《するが》の今川義元であり、青年期から壮齢にかけては織田信長であり、老熟期には豊臣秀吉であった。この三人に対し、家康はそれぞれのかれの時代ごとにみごとな弱者を演技した。三人の強者はかならずしもかれを優遇せず、義元は苛酷《かこく》であり、信長にいたってはときに冷酷でしばしば家康を生死の苦境に立たせたが、家康は羊のように従順で、驢馬《ろば》のように臆病《おくびょう》めかしく自分をみせ、反逆のけはいもみせなかった。秀吉は家康を警戒

しつつも優遇し、まるで豊臣政権の賓客であるかのように鄭重《ていちょう》にあつかったが、家康はその優遇にあまえず、秀吉の威を心からおそれるようにふるまった。

秀吉の死後の家康は、豊臣家に対してはまったく別人である。ながい歳月をかけてみがきぬいた善人稼業《かぎょう》を一夜でやめてしまった。と同時に身をひるがえして史上類のない悪謀家になったあたり、家康を英雄とすれば、かれのように人格演出の巧妙な類型は古今東西にない。

「できたか」

と、数日してやってきた謀臣の本多正純《まさずみ》にいった。できたか、とは、豊臣家を武力で攻める口実作りのことである。

「できましてござりまする」

正純は、家康の分身であるかのように、家康の性格や好みをのみこんでいる。

「すべて、上方《むこう》の手駒《てごま》をつかいます」

と、正純はいった。この政略に活躍させる手駒は、徳川譜代の大名をつかわず、豊臣家恩顧の諸大名をつかう、というのである。どうせ悪謀である。徳川譜代の大名を悪役にせず、豊臣系を悪役に仕立てたほうが、世間にあたえる印象が多少でもいい。

「そのこと、わが思いのとおりだ」

家康は、正純のことばに満足した。

たとえば家康はすでに藤堂高虎《たかとら》に重大な一件を申しきかせてある。ついでながら高虎という男は近江《おうみ》の産で、牢人《ろうにん》から身をおこして乱世のなかで主人を転々と変えつつおのれの運をひらき、やがて秀吉の弟の秀長に属し、ついに秀吉につかえて伊予（愛媛県）で七万石の大名になった。秀吉に仕えているとき、早くも、

（豊臣家はながくはつづくまい）

と、諸方を転々としてきたかれのかんで見ぬいた。秀吉に子がなかった頃のことで、そのあと秀頼《ひでより》という後継者ができたが、高虎のみるところ、幼少ではとてもこの政権を維持できまいとし、秀吉の全盛期に早くも家康に接近し、

——自分をどうか家来同然におもうてくだされ。

と言い、秀吉から知行をもらいながら、家康と秘密の主従関係をむすんだというふしぎな人物であった。家康は関ヶ原前夜での豊臣家への裏面工作には、この高虎をさんざんにつかった。高虎のしごとは、諜報《ちょうほう》と切りくずしであったが、家康の期待以上にこのしごとをみごとにやってのけた。

関ヶ原のあと、家康がひそかに大坂攻めを構想しはじめたころに、この高虎を大抜《ばっ》擢《てき》してもとの伊予のほかに伊賀（三重県西部）一国をあたえた。あわせて二十二万石

という大身にしたが、いずれにせよ伊予と伊賀というおそろしく離れた両国を一人の人間に同時に統治させるという家康の構想には、じつは思惑がある。

高虎に伊賀の国主を兼ねさせたころ、そのお礼にやってきた高虎に、

「わしの内意がどこにあるか、万事に慧《さと》い和泉守《いずみのかみ》どのにはお気づきであろうの」

高虎はかしこみ、懐紙をとりだして、

「大」

という文字を書き、家康に示した。大とは、大坂攻めの準備という意味である。これは世間に洩《も》れてはまずい。家康はべつにうなずかなかったが、声を立てずに破顔し、

「和泉守どの、伊賀の城はできるだけ堅固に大きく築かれよ。その設計《なわばり》については、上野《こうずけ》とよく相談されよ」

と、きわめて重大なことをさりげなくいった。

いったい、伊賀の国というのは古来「隠れ国」といわれるほどに奇妙な土地である。畿内（近畿地方）でありながらよほどの田舎の印象があり、ふと伊賀といえばひとびとは京・大坂から遠隔の地のように錯覚する。しかし実際には京のある山城国とは山中で国を接し、大坂に対しては木津川の渓流に軍船をうかべさえすればそのまま山々の間を縫って大坂の天満《てんま》に直行することができ、城攻めの大軍をまるで魔法のように

みじかい時間で輸送することができるのである。

「申しおくれたが」

と、家康はいった。

「その大の字を攻めるときは、和泉守どの、貴殿に先手《さきて》（先鋒《せんぽう》）をやってもらう」

武将としてこれほど名誉なことはない。

家康はさらに、

「いま一度くりかえすが、城はできるだけ大設計《なわばり》がよい」

と、いった。伊賀上野城のことである。

ここに、大坂攻めの先鋒軍である藤堂軍とその応援部隊、徳川軍全体のための兵糧《ひょうろう》などを収容しておかねばならない。関東の命令一下、それらが木津川をくだるのである。

この地形を大坂側からみれば、ちょうど隣室のふすまのかげに敵の刺客《しかく》多数がひしめいているようなものだが、しかし伊賀という土地が意外にもそういう戦略的意味をもっていようとは、世間も大坂城の連中も気づいていないところに、家康のこの構想の妙味があった。ついでながら、この高虎に対する内々の申し渡しは、この物語のこの時期よりずっと以前の慶長十三年であった。秀頼が、侍女の成田氏に国松を生ませた年であり、関東と大坂の関係は表むき平穏にすすんでいる時期である。

豊臣家は、おろかすぎたかもしれない。家康と高虎の密談はむろん窺《うかが》いようもないことであったにせよ、しかし高虎の伊賀入国と伊賀上野城の大々的な改築をみればなにごとかが想像できるはずであった。この時期、家康は天下の諸侯に対し、一国に城は一城たるべし、新規の城普請《ふしん》はすべからず、という法令を出したばかりのときで、高虎の伊賀上野城の改築工事だけが例外としてすすめられたのである。大坂衆としては、家康がすでにこの慶長十三年から戦いを準備しているということに気づくべきであった。

ところで。――

本多正純である。

「大坂城の城内の図面をくわしく書きとり、石垣の高低、堀の深さ、郭々《くるわくるわ》の強弱をあますところなくしらべる方法を思いつきましたが、このこといかがでございましょう」

と、家康にいった。

「ほう」

と、家康がめずらしく声をあげたのは、かれの鬱懐《うっかい》は、城攻めにあったからである。

家康は野戦の名手とされていたが、どういうわけか若いころから城攻めがにが手で、苦手である以上にきらいだった。この家康の物嫌いを世間も知っており、その点、豊臣家の連中のなかにも、

——駿府どのは城攻めがきらいゆえ、まさか天下第一のこの巨城を攻めようとはおもうまい。

と、安堵《あんど》している気分があった。

家康自身、それをひそかに苦に病んでいたが、本多正純はそれをよく察して、この案を作ったのである。

「図面というのは、大坂の城に潜ませてある諜者どもに作らせるのか」

家康は、やや不信の表情をうかべた。諜者がいかに利口でも、城については素人《しろうと》である。

正純は、このときめずらしく、

「小幡勘兵衛《おばたかんべえ》」

という名前を出した。この勘兵衛は——という。若年のころから諸国を歩き、天下の城をあまさず見たという人物でございますが、しかし実際に墨を打ち、石をつみあげ、城を築いたというような経験があるわけではなく、まして図面までは作る能をも

っておりませぬ、というと、家康はあたりまえのことだ、と言い、勘兵衛などを意にも介さなかった。第一、家康の記憶には勘兵衛という存在は片鱗《へんりん》も残っていない。

本多正純も、勘兵衛のような素人をつかう気は毛頭なかった。

「中井大和守《やまとのかみ》を大坂城に入れるのでございます」

といったとき、家康は膝《ひざ》を大きく打ち、

「気づかなんだ。あの男なら、まちがいない」

と、ながい鬱懐が晴れたような声調子でいった。

中井正清は大和守というまるで大名のような官称をもっているが、じつは大工の棟《とう》梁《りょう》である。その声望といい、技術と言い、職人の動員力と言い、天下にこの中井正清ほどの者はいない。

正清はもともと大和の人である。

大和の国の村々のほとんどは中世のころ興福寺、東大寺といったような奈良の大寺の寺領で、それらの寺々に仕える建築技師たちも禄《ろく》をもらい、一種の武士まがいの形態で村々に住みつづけてきた。中井家は遠くは帰化人で、巨勢《こせ》氏と言い、正清の代になってその実力が天下に知られた。

家康がこの人物に目をつけたのは、かれが豊臣家に属した翌年の天正十五年であったから、もうこの主従関係は古い。家康はかれを上方に住まわせたまま、徳川家の大《だい》工頭《くがしら》とし、二百石をあたえ、直参とした。正清ははじめ藤右衛門《とうえもん》と言った。しかし家康につかえてからは主水《もんど》と称し、さらに慶長十一年、家康が朝廷に取りついでやり、従《じゅ》五位下大和守という大官にのぼった。

この中井正清の目下のしごとは、京の方広寺の再建《さいこん》である。

方広寺について多少ふれておく。

秀吉がその全盛期に、京にも奈良の東大寺の大仏をしのぐ大金銅仏《だいこんどうぶつ》を作ろうとし、天正十四年からとりかかった。ところがこの当時の日本にはブロンズの鋳造技術が衰えていたため、技術的に不可能になり、木造漆膠《しっこう》にきりかえ、ついに二年がかりで十六丈の大仏をつくり、さらに四年がかりで高さ二十丈の大仏殿をつくり、これを方広寺と名づけた。

ところがここで千僧供養《せんぞうくよう》があった翌年に大地震があって大仏も殿舎も大崩れにくずれてしまった。

その後、家康が豊臣家の経済力を涸《か》れさせてしまう目的で、大坂の秀頼に対し、

「お父君が執心なされた方広寺の大仏がくずれたままになっております。あれを再建なさるこそ孝養の第一でございましょう」

とすすめたのは、慶長七年である。

豊臣家の家老片桐且元《かたぎりかつもと》も、家康の内意をうけて熱心にすすめた。秀頼は（実際は淀《よど》殿《どの》だが）これを承知し、その年からこれにとりかかった。

「再興されるならいっそ、金銅仏がよろしゅうございましょう」

と、さらに家康の側はすすめた。秀吉ですらそれが出来かねて木造漆膠製にしたのに、秀頼には金銅仏にせよ、とすすめたのである。いかに豊臣家に財宝があろうと、城も傾くにちがいなかった。

造営についての入費は、秀吉のときにはかれは天下のぬしであったため、天下二十八カ国の大名に工事経費を分担させたから、秀吉自身のふところは痛んでいなかったが、こんどは秀頼一個の資力でやらねばならない。

片桐且元が奉行になり、その再建にとりかかったところ、ある夜不審火があり、秀吉時代から残っていた堂塔伽藍《がらん》がすっかり焼けてしまった。

「豊臣家の負担を大きくするために関東が焼いたにちがいない」

といううわさが、一時京に満ちた。この時期の家康とその側近はそんなことでも仕かねない状態で、おそらくうわさは事実だったにちがいない。

このとき、淀殿はすこしも動揺せず、

いた。

「また造りや」
と、ためらわずに命じた。彼女は家康の目的をどうも見抜くことができず、神仏のことになると浮世のどういうことよりも熱心だった。彼女にすれば秀頼をまもってくれるのは秀吉の遺臣（ほとんどの大名が家康に臣従した）ではなく、神仏であると信じていた。

こんどは、一からはじめねばならない。豊臣家の財力はこれで尽きるかもしれないが、片桐且元は、

「このこと、なさらねばなりませぬ」
と言い、焼けあとを片づけたその日から建築にとりかかり、一方、鋳造にもとりかかった。鋳造のほうは存外早くできて、慶長十七年には金で鍍金《めっき》した燦然《さんぜん》たる六丈の巨像が鋳《い》あがった。

つぎはその容《い》れものである。高さ十二丈の大仏殿、塔、仁王門その他四方の門を造営するのが、これは大事業であった。豊臣家がこの建築のためについやした金は、黄金千四百枚、銀が二万三千貫、米二十三万石というとほうもないものであった。

この建築にあたって、徳川家は豊臣家に恩を着せて技師を貸してやった。

それが、中井大和守正清である。

正清は、京の寺町丸太町上ルに京都屋敷をもっている。そこから大和大路の現場まで毎日かよっている。

大坂からはときどき片桐且元が普請奉行として現場を見にきて、棟梁の中井正清とうちあわせをした。

それが目下の現況であった。この現況の上に立っての本多正純の思案は、簡単といえば簡単だった。

「中井大和守から且元に会うべく大坂城へやればよい」

というものであった。正清は城内の片桐屋敷で泊らねばならない。その泊っているあいだに、正清を城内隈《くま》なく歩かせ、攻城の面からみた城の見取り図をとらせ、さらに強弱の測定をもさせてしまうのである。

本多正純は、京へのぼった。正純は、豊臣家の家老の片桐且元にはなんの指揮権もない。が、且元はすでに徳川家を必要以上に憚《はばか》っており、且元を京に来させようとすれば、

「私はいま京にいる」

と、且元の居城である摂津茨木《いばらき》城へ一声かけるだけでいいのである。

案の定、且元は正純の宿所へやってきた。正純は人払いをし、

「市正《いちのかみ》（且元）どの、貴殿とわしのあいだだからこそ歯に衣《きぬ》を着せずに申したい」

と、視線を且元の両眼に据えたまま、頭から要求のかたちでこの一件を出した。

「今後、中井大和守を大坂城内の貴殿の屋敷にしばしばうかがわせたい。方広寺の普請作事のためとあればたれも怪しむまい」

と、正純はいった。

——御冗談を申されるな。

と、本来なら一も二もなくこの要求をはねつけるべきであろう。ふつう、城というものには、城の構造上の秘密をまもるために他家の大工が入ってはならぬことになっている。武士ならば当然わかっている作法である。

且元はことわるべきであったろう。が、

「よろしゅうござる」

と、簡単に承知してしまった。

「そこで」

正純はさらに要求をかさねた。

「中井大和守は、後学のために太閤《たいこう》御普請のあとを見たいと申しておる。御城衆のなかにはあるいは頓狂《とんきょう》な者がいて、大和守が筆などを携えている姿をあやしむかもしれぬが、そういうことのないよう、貴殿において十分に配慮ねがいたい」

（お城の図面をとるのか）

片桐且元は、本多正純が言っていることの裏側の意味がわかったが、かといって、

「それは豊臣の御家のためにならぬこと」

と、はっきり言うこともできず、

「それは多少は困難な……」

と、目をそらし、意味のわからぬことをつぶやいただけでうなだれてしまった。且元が当惑しているのは豊臣家の利害を考えてのことではなく、自分の立場がどうか、ということであった。且元はすでに豊臣家の将来というものに見切りをつけてしまっており、出来れば将来惹起《じゃっき》されるであろう大難のときに、自分と自分の家だけは救われたいとおもっていた。

そういう且元の意中は、正純は百も承知してしまっている。正純はすかさず、

「これは申すまでもないことだが、上様のお胸から出たことでござる」

と、小声でいった。

「お胸から？」

「左様、市正どのならばそこをうまくとりはからってくれるであろうと上様は申された」

「たしかにそのように？」

と、且元がほっとして目をあげたのは、その家康のことばこそ、且元自身の将来を保障することばであろうと判断したからである。

且元はそこは老熟していて、念を押した。

「もし城衆が騒ぎますと、拙者は大坂に居づらくなります。このことにつき、上様は御同情下さるでありましょうか」

「ご念にはおよばぬこと。上様は貴殿のご苦心を逐一ごぞんじでござる」

「それならば」

と、且元はいった。

「中井大和守にそれがしの城内屋敷に何日でも逗留《とうりゆう》してもらって結構でござる」

「よう申された」

と、正純は、内心事が簡単にはこんだことをよろこんだ。仮想敵の城塞《じようさい》の調査と図面取りをこのような容易さで事が運べるということは、古来戦史にもないことであった。

中井正清は、正純のさしずどおりにこのことを実行した。かれの大坂城調査は攻城のためにはかりがたいほどの大きな便宜を提供したが、とくにかれの調査で重大であったのは、大坂城の天守閣の構造を力学的にしらべたとき、心柱を一つくだけばあれほどの大高楼が一時にかたむくという点であった。家康はこれを重視し、その心柱を砕くべき大砲を入手すべく英国商館のリチャード・コックスなどに相談し、ついにオランダ製のブリキトースという砲を三門手に入れた。やがて攻城になったとき、この砲による天守閣狙撃《そげき》が、天守閣を崩さなかったにせよ、城方の士気を動揺させる上で大きな効果があった。

石田茶亭

勘兵衛《かんべえ》がこの「茶室」に寝ころんで障子のそとをながめていると、縁のむこうでナンテンの枝がのぞいていて、実が、ぽつんと付いている。赤く色づきはじめていた。

（変な庭だ）

と、勘兵衛は寝返りをうちながらおもった。露地にも石組のあいだにも草がぼうぼうと生え、それが一様に枯れて、まるで廃園のけしきである。

（大野修理《しゆり》という男も、考えてみればよほど変った男かもしれない）

と、勘兵衛は考えている。

この大野修理の城内屋敷は、慶長五年のあの関ヶ原の変革戦までは石田三成の装束屋敷であった。三成は秀吉の在世中は秀吉の秘書のような位置で、その身上はわずか十九万石あまりであったとはいえ、威権は大したものであった。

（虎《とら》の威を借る石田三成か）

勘兵衛は、天井をみながらぼんやりと考えている。のち日本に「軍学」というあやしげな流行学問をひらいた男だけに、関ヶ原前後の政情や、合戦の模様などをくわしく知っていた。勘兵衛はなんとなく、石田三成という、癇《かん》の高い小型犬のような男がすきであった。十九万余石のぶんざいで、関東二百五十万石の徳川家康にいどみかかって天下分け目の戦いをやってのけたというのは、なんともいえずうらやましい男ではあるまいか。

（その三成の位置に、大野修理はつくことができるか）

どうも立場は似ている。

この東洋最大の大城郭での最高の実権者は、いまでは太閤《たいこう》秀吉でなく、その子を生んだというだけで大権威（多分に幻想的な）を得た淀殿《よどどの》である。修理は秀吉の当時、三千石の旗本にすぎなかった。しかしいまでは淀殿の乳母の子であるというだけの理由で、淀殿はこの城内のどの男よりも修理を信頼している。なにごとも、

「修理に相談せよ」

とか、

「このこと、修理はどう言うか」

などと、淀殿はいう。

（ところが）

と、勘兵衛は思う、この城のおもしろさは、実際の豊臣家家老は、修理ではなく摂津茨木城主の片桐且元《かたぎりかつもと》であることだ。

（あの老人も、きつねかたぬきの性《しょう》があって、いつのほどか豊臣家家老という顔で城の内外を歩きまわっている）

まったくおかしい。小幡勘兵衛はこの城にきていろいろ事情を知るうち、片桐且元という男の豊臣家における地位に疑惑をもつようになった。

且元自身は、

——故太閤殿下から私は秀頼《ひでより》さまの傅人《めのと》になるよう、ご臨終の床で命ぜられた。

といっているが、たれもその現場を見た者がいないのである。

故太閤が傅人として命じたのは、加賀大納言《だいなごん》の前田利家であった。これは公然の事実で、諸侯のあいだで知らぬ者はない。当時利家は老人で、病床の秀吉におとらぬほどに衰弱していた。秀吉はその様子を見、利家が早く老衰死するかもしれないことまで心配して、

——利家に万一のことがあれば、その子利長が傅人を継げ。

と、入念に付けくわえた。ところがその利長が関東の関係をいちずに大切にし、大坂の豊臣家を見捨ててしまったため、傅人というのは空席であるはずだった。が、且元は、

——私がそうである。

と、言い、かれの権威もそれでできあがっている。

なるほどもっともかもしれないのは、関ヶ原のあと、戦勝者の家康が京へのぼって公卿《くぎょう》たちの戦勝祝いをうけ、さらに大坂へくだって城内西ノ丸に入り、豊臣家の後見人であるという立場が公認された。このときの席で家康は片桐且元をよび、

「市正《いちのかみ》どのは物にも経《ふ》り（経験もふかく）たるお人ゆえ、秀頼さま傅人をつとめられよ」

と、命じた。つまり且元は少年のころから秀吉に仕えてきたとはいえ、秀吉死後は家康に任命されて豊臣家家老になった。

（妙なものだ）

と、勘兵衛はそもそもこの城の権威そのものがまぼろしではあるまいかとおもうのである。秀吉の妾《めかけ》であった淀殿に最高指揮権があるというのもおかしいし、それに家老――つまり豊臣家第一の忠臣という思い入れで家政を代行している片桐且元の存在も、太閤の遺命かどうかという点で虚偽《うそ》くさい。

（おなじうそでできあがった城ならいっそ、大野修理が総大将になりあがって関東と決戦してみればどうだ）

と、勘兵衛はふとおもい、おやおやおれは関東の諜者《ちょうじゃ》だったはずだと思いなおし、しかしさらに思うに、いやそうではあるまい、関東の諜者なればこそこの城に戦いをおこさせねばならぬ、片桐且元を押しのけて大野修理がその位置にすわらねばならぬ、とおもったりしたが、この大坂城のさらにややこしいところは、

（その押しのけねばならぬ片桐且元じたいが、要するに関東の公然たる大諜者ではな

いか）

ということなのである。勘兵衛のような小諜者が大諜者を失脚させて、大野修理をこの城の名実兼ねた大将にしようというのはじつにおもしろそうだが、どうもこれは、筋ということを考えると筋は通らぬ。しかしどうせ淀殿のうその権勢でできあがったこの城の権力世界はいわばまぼろしの世界で、筋の通るような、つまり実《じつ》のあることは一つも存在しないのである。

（さればなにをしようとおれの自由ではあるまいか）

と、勘兵衛はそれをおもうと楽しくなる。

（はて）

勘兵衛はくるりと腹這《はらば》いになって、キセルをひきよせた。

（大野修理という男はなかなかおもしろい）

と、考えはまたそこにもどってきている。

大野修理ははじめ勘兵衛を屋敷うちの一室に住まわせていたが、ある日、

――勘兵衛どの、茶室があいている。あれに住んだらどうだ。

と、いってくれた。茶室というのはこの時代大名屋敷にかならず付属したもので、大名同士の社交のサロンにつかわれ、ときには小城を築くほどの金がかけられる。こ

の大野屋敷はかつての石田三成の屋敷であっただけに、その茶室や茶庭は、世間にざらにあるようなものではない。

「治部少輔《じぶしょうゆう》（三成の官称）どのは」

と、大野修理はちゃんと敬称でよび、

「べつに茶に凝った人ではなかったが、それでもひと通りは名物などをあつめ、ここでしばしば茶会をしたものらしい。この茶室にはじめて釜《かま》がかかったとき、太閤殿下も来られたし、その後諸大名や堺《さかい》・博多の町人でこの茶室にすわらなかった者はむしろすくないくらいだろう」

「それにしても荒れておりますな」

と、勘兵衛があちこち見まわしていうと、大野修理のおかしさは、そりゃそうよ、おれが住んでいるのだもの、といったことだった。

「できればこの大坂城内の茶室と茶庭もことごとくたたきつぶして大根畑にしたいくらいだ。太閤御遺愛の茶器なども売って焔硝《えんしょう》、鉛を買うほうがいい」

「まるで籠城《ろうじょう》でもするような」

と、勘兵衛のほうがおどろくと、修理は、城は籠城のためにあるものだ、とさりげなくいった。それにしてもずいぶん不穏なことをいう。

「わしは、元来不穏な男だよ」

と、修理はいった。

（籠城の意思があるのか）

勘兵衛はそこまで訊《たず》ねるわけにいかなかったが、しかし女と腰ぬけ侍の寄りあつまりのこの城で、どうやら肚《はら》のすわった男といえばこの大野修理ぐらいのものらしいということは、勘兵衛にもぼつぼつわかってきた。

そこへ、片桐且元が、例の家康の大工頭中井正清を城内に入れて逗留《とうりゅう》客にしているというううわさがもちあがったのである。

はじめ、淀殿も、

「ご苦労なことです」

と、且元にねぎらっていた。

且元が言うには、大仏殿は仏閣としては日本で最も巨大な建造物になる。その設計についての参考にすべき建物といえば大坂城のお天守か、西ノ丸の御殿ぐらいしかない。そのため図面をとったり、心柱の太さをはかったり、木組の模様をみたりせねばならないのです、ということであった。淀殿は、なにぶん中井正清が秀頼寄進の方広寺の設計者であるため、はじめから好意をもっており、且元にもそのようにしてねぎらったのである。

中井正清は、毎日城内を歩いている。万一の場合の護衛として、片桐家の家士が十人ばかり、正清の前後をまもっていた。

(こいつは、恰好《かっこう》なたねだ)

と、勘兵衛がおもったのは、大野修理をけしかけて片桐且元と大喧嘩《げんか》をさせるにはこれ以上の材料はないということであった。

「あれは、城崩しの図面とりでござるよ」

と、ある日、勘兵衛は大野修理と煎茶《せんちゃ》をのんでいたとき、さりげなくその話題にふれた。

「まさか」

大野修理までが、且元の言い繕いを真《ま》にうけて、大仏殿設計に関したことだと思いこんでいた。勘兵衛は心得ていて、こういうことはくどくど言ってはかえって効果がないとおもい、一笑して、

「まさか、とお思いですかな?」

のんきそうに笑ってみせた。

「市正どのがそういうことをなさるはずがない」

大野修理はそこは苦労知らずで、そう信じているようであった。勘兵衛はいよいよおだやかに微笑しながら、

「すると、修理どのも片桐どののご一味で」

と、修理の顔をのぞきこんだ。

「なんの一味だ」

「城崩しの。――」

勘兵衛は、茶をのんだ。

さすがに修理も気がかりらしく、証拠はあるかとかなんとか口やかましく質問してきたが、勘兵衛は福禄寿《ふくろくじゅ》のような顔でにこにこ笑いながら、ついに口を閉じたままで押し通してしまった。

あとは、お夏である。

（お夏に会いたい）

と、おもったが、お夏は本丸の淀殿の御殿にあがりっぱなしだから、勘兵衛の自儘《じまま》にはなれない。お夏に工作すべきであった。お夏の耳に入れておけば祖母の

大蔵卿局《おおくらきょうのつぼね》の耳にはいる。大蔵卿局はおどろいて淀殿の耳に入れる。淀殿はすぐ大野修理をよぶだろう。

(——うわさは、すでに淀のお方様のお耳に入るまで公然たるものになっているのか)

と、修理はそのことをおどろき、城崩しの一件を半ば信じるようになるだろう。

幸い、その翌朝、お夏は本丸から宿さがりしてきた。午後、露地の落ち葉をふみ、飛び石をつたって茶室のにじりのそばまできて、

「まあ、荒れたこと」

と、なかの勘兵衛に聞えよがしにいった。茅《かや》ぶきの入母屋《いりもや》づくりだが、茅屋根に雑草《むぐら》がはえ、それが点々とすさまじい色に枯れて、見あげると山中の草庵《そうあん》をおもわせる。

入ると、往年、石田治部少輔三成が、おそらくそこにすわって客たちと関ヶ原の謀議をこらしたに相違ない炉のそばで、いまは勘兵衛がキセルをくわえて憮然《ぶぜん》としている。

炉に、炭が熾《おこ》っている。蒲《がま》天井が低く、窓が小さいため、室内は暗い。炭火の炎が、勘兵衛の顔をてらてらと浮き出させている。

「ああ、男臭い」

と、お夏は短い袂《たもと》ではたはたとあたりの空気を搏《う》つしぐさをした。

(その男臭さを嗅《か》ぎにきたくせに)

と、勘兵衛は女というものをそういう目でしか見ない。

「毎日ここでなにをなさっているのです」

「思案しているのだ」

勘兵衛は、炭取りをとりあげ、炭をつぎ足した。腕の付け根ほどもある炭である。

なんの思案を？　とお夏は顔をあげ、両手を火にかざした。

「いろいろある」

勘兵衛は、いわばペテン師である。

「関東の家康の胸中をあれこれ読むうちに三日三晩寝ることをわすれたこともある。さらには、わしに十万の兵を貸してくれればまず畿内を切り平らげて最後には関東と対戦し、いま一度豊臣の世にもどすことができるのにということを思案し、朝から日暮までめしを食うのもわすれたこともある」

「ほんとうかしら」

と、お夏はこの男が実やら虚やら、勘兵衛の言うことが半分いつも信じかねるのだが、そのくせにしばらく会わずにいるとたまらなく懐《なつ》かしい。

「ほんとうだ」

勘兵衛は、自然にうなずいた。なぜなら、勘兵衛自身も、じつは自分が諜者だということを忘れる日のほうが多く、それよりもこの実体のない幻のような城を手品のたねに、六十余州の天下を奪《と》ってのけるような、そういう大構想の世界に没頭してみたくて身もだえするような思いにかられることがある。

「空想ほど、愉《たの》しいものはない」

「まあ、空想でございますか、勘兵衛どののご思案は」

「残念ながら、空想だな。この御城は、人の心を空《うつ》ろな想《おも》いにふけらせるらしい。第一、十万の兵がこの城にいない。居るのは女と、脛《はぎ》の白い上方侍ばかりで、これでは戦《いく》さにもなにもならない。そこへゆくと関東は」

「関東は?」

「この城に対し、実のあることしか考えず、おこなわず、げんにいまのいま、片桐屋敷ではその実が、着々とすすんでいる。お城の衆はけっこうな幸若舞《こうわかまい》だ、一年後にはこの城が地獄の火の山になってみな討死するとも知らず、あれは大仏殿の絵図面とりよ、とおもっている」

「中井大和守のことですか」

「そんなことよりも」

勘兵衛は話題を飛躍させた。

「一年後には関東三十万の兵が攻めてくるということだ」

「うそ」

お夏はさすがにおどろいた。

「うそなら、うそと思え」

言うなり、勘兵衛はお夏の手をとり、膝《ひざ》の上へ倒してすそをすこし割り、押し倒した荒々しさの割には、そこだけは別のようなやさしさとゆるやかさで手を差し入れた。お夏はすでに濡《ぬ》れていた。が、お夏はそれどころではなかった。

「教えて。関東の軍勢が」

「いますぐここへ来るのではない、あと一年も間がある、お夏。――愉しむべきときは」

と、ささやいた。

「愉しまねばならぬ」

「厭《いや》。――軍勢が」

「軍勢が来れば、おれがふせいでやる」

と、勘兵衛が、吐く息の下でいったのは本心かもしれなかった。関東の軍勢三十万がくればいまのままの城では城中一万の婦人は、お夏をはじめたれも彼もことごとく炎のなかで凌辱《りようじよく》され、串刺《くしざ》しにして殺され、その屍体《したい》は火中に投ぜられるであろう。そのときに備えてそれを防ぐ者といえば大野修理か、この小幡勘兵衛以外にないではないか。

勘兵衛は、お夏を抱きながら、つい愛《いとお》しみのあまり、この世にお夏を救う者はこの自分以外にないと切なげに思った。

(片桐市正では、とうていふせげない)

勘兵衛のみるところ、且元にはとても豊臣家の運命を関東へ売ってわたすような悪心はないであろう。且元に悪心を持てといっても、この平凡な老人はおろおろするだけであろう。家康とその側近もそれを見抜いており、且元に対しては適度の情義と適度の利益約束と、そして適度の恐怖をあたえるだけでいる。

——豊臣家としては関東の言いなりになること、それだけが平和の道であり、豊臣家安泰の道である。豊臣家の家老としてお家に忠ならんとすれば関東の言いなりになることだ。貴殿は忠義者である。そのことは関東でもよく承知しており、つねづね感心しているところだ。その忠義の道にゆめ外《はず》れねば、豊臣家も安泰なら、片桐家はいよいよ永世に安泰である。

というのが、関東の論法であり、同時に片桐且元の家政方針であり、その意味では且元は関東のまわし者であった。こういう方針のゆきつくすえは、関東は豊臣家をなしくずしにして潰《つぶ》すか、それとも小規模なものにしてしまうであろう。

それをふせぐには、当然大軍備をもたねばならない。が、片桐且元のような男が家老の座にいるかぎり、この巨城に大武装をほどこし、大軍備をととのえて、武力を背景に豊臣家の安泰と利益をまもるというようなことはとてもできない、というのが、勘兵衛の考え方であった。

(且元をたたき出す、大野修理をそのあとにすえる)

それが、勘兵衛の「構想」である。間諜とはいまもむかしも、政治情報の窃盗《せっとう》者では決してなく、それよりももっと底の底から政治そのものを揺らぎ変えてしまおうという大構想と大情熱のもちぬしのことかもしれない。すくなくとも勘兵衛の大坂城内における昂奮《こうふん》はそこにあった。

勘兵衛のからだから激情が消えて、お夏をしずかに愛撫《あいぶ》している。お夏はこの時間、まだ虚空《こくう》にいた。意識が虚空で揺曳《ようえい》しつづけているらしく、唇を濡らし、ひざの力を溶かしきったまま勘兵衛の大きなてのひらのうごくままに身をまかせている。

時が、経《た》った。

身繕いをすべく厠《かわや》に立ったお夏は、ふたたびもどってきたときは別人がそこにいるように、衣摺《きぬず》れの音からして節度がある。縁のむこうのナンテンの葉かげにすでに夕《ゆう》闇《やみ》がせまり、お夏は柱の掛け行燈《あんどん》に火を入れた。

「先刻のお話、もう一度きかせてください。関東が一年後には大坂に攻めてくるというのですか」

（よくまあこれほど人変りができるものだ）

勘兵衛は内心感嘆しながら、そのとおりだ、といった。証拠がありますか、とお夏はいう。

「あの徳川家の大工頭の絵図面とりがそのなによりの証拠よ。京の大仏ができるころには家康は馬上、その絵図面を鞍《くら》に挟《はさ》んで大坂へ攻めてくるだろう」

「あの絵図面が、やはり」

「いやさ、絵図面とりなどはたかが大工のやることで、事を荒だてるまでもない。要は、戦いがもうそばまでやってきているということだ。戦うためにはどうすればよいか」

「人数を新規に召しかかえねばなりませんし、焔硝も買い、お濠《ほり》も深うせねばなりませぬ。大砲《おおづつ》も要るでしょう」

「できまい」

「なぜ」

お夏は、まぶたをすずしく上げた。

「なぜですか」

「お城内にそれをいやがる勢力がある」

「市正どののことですか」

「たれだかは知らぬが、たとえ豊臣家がつぶれても自分の本領だけは徳川から安堵《あんど》(保障)されている者がいることはたしかだ」

これは勘兵衛のつくった誹謗《ひぼう》ではなく、大名級の要人のなかで数人いることを勘兵衛は知っているし、げんに事変後、そのことがあきらかになった。

「かれらが、反対する」

「反対する者は」

と、お夏は勘兵衛を見つめたまま、まばたきもせずにいった。

「追うまでです」

——お夏はやる。

勘兵衛は、柱の行燈を見あげた。紙はすでに煤《すす》けており、ひょっとすると石田三成のころに張り替えてそのままかもしれない。

「お夏どの、灯をあかるくしてくれ」

勘兵衛は、酒がほしくなった。

大悪謀

この時期、豊臣家をほろぼすために家康がひねりだした悪智恵《わるぢえ》というのは、古今に類がない。

「すべては、この崇伝《すうでん》におまかせあれ」

と、口癖のようにいう坊主《ぼうず》あたまの悪謀家が家康のそばにいたことが、家康の対豊臣家の陰謀をたやすくはこばせた。

崇伝は、本多正純《まさずみ》とともにただふたりの家康の謀臣のひとりである。家康は若いころは参謀を必要としなかった。関ヶ原のすこし前ぐらいから家康の生涯における、いわば悪謀の時期に入るのだが、かれが大量の悪謀を生産しなければならなくなってから、謀臣を必要とした。初代の謀臣は正純の父の正信であった。家康は正信に対しては、婦人しか入れない寝所にすら出入りをゆるし、関ヶ原前夜の謀略は、すべてそういう雰囲気《ふんいき》のもとですすめた。

「本多正信というのはふしぎな男で、体じゅうのどこを押しても悪智恵が出てくる」

と、徳川家の臣僚のなかでもこの初代謀臣についてそう悪口をいう者がいた。この初代謀臣が鷹匠《たかじょう》あがりであることはすでに触れた。ひとつ触れわすれたことがある。家康のわかいころ、三河に一向一揆《いっこういっき》というものがおこった。松平家（当時の徳川家の家臣の半分は一向宗（いまの本願寺の宗旨・浄土真宗）で、この半分が主家を脱走して一揆方につき、家康と戦い、家康をあやうく滅亡寸前に追いこんだ内乱で、このときの一揆方の煽動家《せんどうか》が、当時鷹匠だった本多正信であった。家康によって一揆が鎮定されたあと、正信は三河を逃げだして諸国を流浪《るろう》したが、やがてもどってきて家康に詫《わ》びを入れ、帰り新参になり、家康に対しては仔犬《こいぬ》のように可愛《かわい》げにふるまい、従順でありつづけた。正信は生涯、保身にはきわめて用心ぶかかった。悪謀のプラン・メーカーというのは、本来こうであろう。性来狼《おおかみ》の性《さが》があるのにそれをおさえにおさえて一生君子のように擬装し、そのかわり主人の目的のために自分の狼の智恵を捧《ささ》げる。

家康は関ヶ原に勝ち、天下のぬしになり、ほどなく駿府《すんぷ》に隠居して嗣子《しし》秀忠を将軍にしてから、秀忠が人がよすぎるのを心配して、この老正信を江戸にやり、秀忠付にしたことはすでに触れた。

そのかわり自分の代るべき謀臣として、正信の子の正純をつかった。父子ともにそういう才能があった。

「ただ正純は父よりも苦労をしておらぬ」

というのが、家康の多少の不満であった。豊臣家をつぶすには、関ヶ原前夜以上の悪謀を大量につくりださねばならないのである。

それには、

「崇伝」

であらねばならない。

崇伝は、禅僧である。僧というのは、元来うその世界に生きている。念仏宗の僧たちはありもせぬ極楽を口一つで売って金にし、禅門の僧たちは数万人に一人の天才的体質者だけが悟れるということの道での、ほとんどがその落伍者《らくごしゃ》で、そのくせ悟ったという体裁だけはととのえねばならぬため、「悟り」のあとは狐《きつね》が化けるようにして自分を化けさせ、演技と演出だけでこの浮世を生きている。崇伝というのは、その典型的な人物であった。

元来、崇伝は京の五山《ござん》で僧になり、漢学の素養があった。家康が豊臣家の大名になったころ、つねに京か伏見、大坂という上方に住まわねばならなかった。豊臣期は治世期だから、家康としても文事にあかるい顧問役が必要で、そういう必要から崇伝がえらばれた。

「崇伝は、口のかたい男だ」

と、家康は感心するようになった。悪謀家の第一条件は、口がかたくなければならない。

崇伝は、その機微を知っていた。そういう自分を意識して家康に印象づけ、ますますその信用を得た。

僧侶《そうりょ》は、公卿《くぎょう》、大名その他権門の世界を裏側からみる機会が多い。豊臣治下のころの家康にとってそういう情報は貴重であったが、崇伝はそういう他家の情報ですら、家康が質問しないかぎり自分から唇をひらいて洩《も》らそうとはしなかった。家康はいよいよ信頼した。

「崇伝どのと、茶席で同席できぬ」

と、こぼした公卿がある。

ひどい脂性《あぶらしょう》なのである。崇伝が手にとった茶器は濡《ぬ》れたようになった。隣席の者は、それをさわらねばならない。

顔がつねにあぶらで光り、眉《まゆ》のあたりにも毛がほとんどなく、肩が頑丈で、みるから精気のあふれたような男である。

「あれで、女に無縁の僧房ぐらしというのはよほどつらいだろう」

と、家康もいったことがある。

崇伝は、むろん婦人を近づけずに、むしろ憎悪《ぞうお》しているようであった。京の町で崇伝が外出するときは、かならず乗物を用いた。乗物の前後に俗人の中間《ちゆうげん》五、六人に弟子十人ほどの供を常時つれていた。元来そういう勢威を張ることの好きな男であった。途中、婦人にすれちがうと、眉をひそめ、般若心経《はんにゃしんぎょう》の一句をとなえた。

――なまぐさを祓《はら》うのじゃ。

と、弟子どもにいうのだが、般若心経などで婦人のなまぐさを祓うというような思想は禅のどこにもなく、崇伝の考案した野狐禅《やこぜん》式のうそであった。崇伝が婦人を憎悪していたという例はいくつもあるが、あるいは婦人への関心が強すぎて、そういうぐあいになり果てていたのかもしれない。

しかし崇伝は生涯、婦人とのあやまちはまずなかったようであった。かれは胎内のそういう欲望を、すべて権力への欲望に変質させたのかもしれず、その僧門の世界での権力欲は異常であった。

家康が天下をとると、そのうしろだてで、長老たちを尻目《しりめ》に京都における臨済禅五山の頭株《かしらかぶ》のようになった。しかしかれはそれだけでは満足せず、できれば自分の宗旨だけでなく全国諸宗旨の総大将になりたいとおもった。そういう僧は、日本に古来ない。どういう宗教的英傑――たとえば最澄《さいちょう》、空海、法然《ほうねん》、日蓮、あるいは崇伝の臨済禅の宗祖である栄西《えいさい》――でも、みな自分の宗旨の大将で、ぜんぶの宗旨の総大将であった者はたれもない。崇伝はそれをもくろみ、ついに家康が死んでから、晩年その野望を実現し、

「僧録司」

というふしぎな職を創設し、幕府にみとめてもらい、その職についた。僧録司という職名は足利時代にもあったが、内容は大いにちがい、崇伝のこの機関は徳川幕府の安全のために全国の僧侶を政治的統制下におくというものであった。統制といえばかれはこのことが好きで、徳川幕府の統制主義の確立のために天皇を制約する公家《くげ》法度《はっと》や大名を統制する武家法度を書きあげたのもこの崇伝である。

家康は、豊臣家を始末しようとおもいはじめたころから、この崇伝がいよいよ必要になった。

「いっそ、京をひきはらって駿府に来ぬか。手近におらぬとなにかにつけて便利でない」

と、家康は言い、慶長十二年、駿府へよんだ。同十五年、家康は崇伝のために駿府城下に金地院《こんちいん》という寺をつくってやった。金地院についてはのち、崇伝が京の南禅寺のなかにつくり、おなじ名をつけた。これによって崇伝は世間から、

「金地院崇伝」

とよばれるようになった。

崇伝はしばらく駿府にいたが、やがて対豊臣工作のこともあって京にもどり、南禅寺に住《じゅう》した。そのあと、軽快に京と駿府とのあいだを往復した。

その崇伝が、駿府で本多正純と密議して練りあげたのが、豊臣家に対する方広寺「鐘銘《しょうめい》事件」という奇妙な一件であった。

現今《いま》でも京に方広寺（東山区大和大路正面）という寺があるが、旧観はまったくない。

ただし重さ六十四トンという大釣鐘だけはのこっているが、訪ねるひともまれらしい。

これは余談ながら、豊臣秀頼のこの時期、京でもっとも殿舎や堂塔の壮麗な一角といえば、現今の方広寺の東南にあった豊国廟《とよくにびょう》であった。徳川家というもののすさまじさは、秀吉のこの廟所を三代家光の寛永十四年、ことごとく打ち砕いてもとの野原にしてしまったことである。秀吉はその生存当時、徳川家に対しどういう悪害もあたえたこともなく、むしろ家康を過当なほどに優遇し、怨恨《えんこん》などはないはずであった。しかもそれだけでなく、この豊国廟の東の阿弥陀《あみだ》ヶ峰（東山三十六峰の一つ）にある秀吉の墓所へも人夫のべ三千をのぼらせて墓石をくだき、墓をあばき、骨をとりすてた。このため秀吉という人物は、墓すらうしない、明治維新成立の年まで二百数十年間祀《まつ》られざる鬼になるという、常軌はずれの運命になった。前時代の支配者の墓まであばいて捨てるという徳川氏のやりかたは、どうにも日本人ばなれがしている。

明治元年、その徳川幕府がたおれ、京で維新政府が成立すると、朝廷はかつて豊国廟のあった草野原に勅使を派遣して秀吉の霊をとむらい、さらに旧方広寺大仏殿あとに一社を建立《こんりゅう》したが、これが現今もある豊国神社である。往年の方広寺をしのぶ場所といえば、現今ではせいぜいこの神社であろう。

ところで。――

家康は、秀頼《ひでより》に対し、

「故太閤《たいこう》のご供養《くよう》のために、太閤の方広寺大仏と殿舎を再建されよ」

とすすめたために、秀頼がまず大仏鋳造から着工した。着工して三年目の慶長十七年春、できあがった。次いで殿舎の建築がはじまった。さらに大梵鐘《ぼんしょう》の鋳造にとりかかって、目下それが普請場《ふしんば》の一角で進行している。

秀頼はすでに、金銅の大仏とその殿舎のために秀吉の遺産のうち大判三万枚はつかいはたしていた。あと、大梵鐘の鋳造費やら、開眼《かいげん》供養式やらを考えると、どれだけの金が要るか、気の遠くなるような大予算であった。

――父君の供養のため。

などと家康がいったが、それが大うそであることは、このあと五十年後（寛文二年）に、

「この像、天下無用のものなり」

として、鋳《い》つぶしてそのあと銭を鋳てしまったことでもわかる。とにかく徳川氏は、こと豊臣家に関するかぎり、秀吉死後、一世紀をかけて悪のかぎりをつくしたといえる。余談がつづくが、徳川氏はこのとき、鋳つぶした大仏のかわりに安っぽい木製の仏像をつくって安置しておいた。ところが寛政年間に大仏殿もろとも火災で灰になり、

現今、京都博物館の北にある方広寺大仏殿（というほどの建物ではないが）の大仏というのは、幕末にちかい天保のころ、尾張の篤志家《とくしか》が寄進したハリボテのものである。

さて、鋳造しつつある大梵鐘というのは、とにかく大きい。重さが六十四トンであることはすでにのべた。高さが四・二メートル、口径が二・七八メートルで、現存の鐘としては、その大きさは奈良東大寺の鐘に次ぐ。

作者は京の三条釜座《かまんざ》の名護屋越前少掾《しょうじょう》、鋳物師はわざわざ下野《しもつけ》の佐野郷（栃木県佐野市）から三十九人をよびよせた。このころ佐野は天明《てんみょう》と言い、古くから茶釜《ちゃがま》の産地で、

「天明釜」

といわれ、茶の流行期の豊臣時代には大いにもてはやされた。ここに鋳物師が多く住んでいる。かれらのうちの親方ばかり三十九人がこの大梵鐘を鋳ることに従事した。子方をふくめると百人をこえるであろう。

この大梵鐘ができあがると、大仏殿についてのすべてが完工したことになり、その開眼供養がおこなわれるのである。

さて、この鐘に鐘銘を刻まねばならない。

銘とはこのばあい、金属に刻みこむ文章のことであり、中国伝来の習慣である。できるだけめでたい内容の字句を撰《えら》ぶが、これを起草する者は、当代第一流の名文家で、しかるべき地位の者でなければならない。この当時、漢文が読みかきできるグループは、京にある臨済禅の五山（南禅寺、大徳寺など五本山）であった。その五山の学問僧のなかから文章家をえらぶ。

ところで、五山の僧というのは京でもかくべつ嫉妬《しっと》ぶかい集団だが、かれらにとって不愉快だったのは、豊臣家が、従来の縁故により東福寺の清韓《せいかん》に委嘱したことであった。

「清韓長老の書いた文章を、かつて明人《みん》が読んで大笑いした」

という蔭口《かげぐち》が以前から五山の学僧仲間でたたかれていた。

ある程度は、あたっているかもしれない。

清韓が、ひとに嫉《そね》まれるひとつは、かれが秀吉在世のころ、豊臣家の外交顧問だったからである。この当時、漢文が、極東世界での外交上の公用語であった。外交といっても清韓はその漢文の腕を買われてのことだが、それでも清韓は、朝鮮ノ陣に文書官として従軍を命ぜられ、加藤清正に従って遠くオランカイ（満州地区）まで行った人物である。現地では、明国や朝鮮の使者と漢文で筆談した。

関ヶ原ののち、天下が一変した。本来なら清韓は他の多くの者がそうしたように徳川政権になびいてもよかったのだが、この老僧の眼中には豊臣家しかなく、しばしば大坂へくだって秀頼に拝謁《はいえつ》し、その後秀頼の学問上の顧問になり、いまもそれをつづけている。

豊臣家では、つい縁の深いこの清韓に鐘銘の起草をたのんだ。

「清韓の文章は、これは漢文でなく倭文《わぶん》じゃと唐人がいった」

と、蔭口をたたく者はそういうが、この時代の五山の学問僧の漢文の力は、大体その程度で、さきに日本語的発想で漢文を書き、いわゆる和臭《わしゆう》が濃い。清韓だけではなかった。

「清韓は、諸事嫉まれている」

と、みたのは、おなじ五山の学問僧出身の金地院崇伝である。その五山の空気を、どのように謀略に利用するかであった。

崇伝はまずこの清韓から穽《わな》におとそうとした。清韓の鐘銘にけちをつけ、それをたねに豊臣家を伐《う》つ口実をつくることであった。すでに崇伝は、鋳物師を通じて清韓の文章を手に入れていた。

このとき家康と崇伝がやった策謀というのは、ちょっと常人の信じかねるほどに芸がこまかく、ゆきとどいている。

たとえば崇伝はあとあと清韓の文章を穿にかけるため、それについての世論作りをしようとした。世論作りとは、五山の学問僧をぜんぶ抱き入れて、徳川方の思いのままにうごかすことである。

驚嘆すべきことに、このためトレーニングすら、家康と崇伝はやった。

清韓の起草文がすでにできあがったころの慶長十九年二月五日、駿府の家康は五山の僧たちに、

「その文章力を、目の前でみたいから、駿府に下向《げこう》するように」

と、京都所司代を通じて命じた。この命令の原文は、こうである。

五山衆ノ学文・作意ナド、御前ニ於《お》テ、即席ニ聞召《きこしめ》サルベク候条《そうろうじょう》、一山ニツキ四、五人ズツ、三月節句前後ニ下府スベキコト。

「駿府の大御所が、われらの文章力を即席にて見たいとおっしゃられる」

ということは、五山を湧《わ》かせた。むろん家康は、漢文などになんの素養も鑑賞眼も

ない。すべて一物《いちもつ》あってのことである。

僧侶たちが、がやがやと東海道をくだって駿府についたのは、三月の七日であった。代表株は、天竜寺の長老で、慈済院彭《じさいいんぼう》という老僧である。すぐ登城して家康に拝謁した。家康は上機嫌で、

「やあ、みなおそろいあるな」

と、めずらしく高々と声をかけ、手ずから作文の題をあたえた。

題というのは、論語の為政篇のなかの一句である。

「政《まつりごと》ヲ為《な》スニ、徳ヲ以《もつ》テスレバ、譬《たと》エバ、北辰《ほくしん》（北斗七星）ノ其《そ》ノ所ニ居テ、衆星ノコレニ共《むか》ウガゴトシ」

というものであった。これについておのおの感想文を草《そう》し候え、と家康はいう。むろんこの出題は家康が考えたのではなく、崇伝と、家康の漢学顧問の林道春《どうしゆん》が協議して出題したものである。

この答案は九日に提出せよ、と命じた。ほかにこの日の即席の題として、法華寿量《ほつけじゆりよう》品《ぼん》というお経のなかにある、

「宝樹多華果《ほうじゆたけか》、衆生所遊楽《しゆじようしよゆうらく》」

というものがある。

どの僧も、机一つをもらい、その席題の作文を書いた。さらに宿題についても、宿舎にかえって二日がかりで書き、それを天竜寺長老があつめて提出した。

家康にそういう文章など、わからない。

崇伝がそれらの答案を読み、いちいち意味をかみくだいて家康に説明した。どの答案も、才能のかぎりをつくして徳川家の治世をほめたたえたもので、権勢に対する阿諛《おべつか》の文章としては、類がないほどのものであった。

（なんと、僧というのは利口なものだ）

と、家康はおもったにちがいない。

金地院崇伝のねらいは、答案の優劣をつけるのではなく、かれら京の五山の学問僧に徳川家を讃美させる習慣をつけておくことと、この答案を言質《げんち》にすることと、さらに最大のめあては、五山の僧をいざという場合（徳川家が清韓の文章を攻撃する場合）、オーケストラのようにしてそれに雷同せしめるための統制策であった。

家康はそれぞれへ多額のほうびを出したあと、

「江戸へもゆかれよ。将軍が貴僧たちの到来を待っておられる」

と、いった。

かれらは、徳川家の侍たちの鄭重《ていちよう》な接待のもとに道中をし、江戸に入った。

江戸城で、将軍秀忠に拝謁した。秀忠が出した題は、やはり論語の顔淵篇《がんえん》のなかの、

「君子ノ徳ハ風ナリ。小人ノ徳ハ草ナリ。草之《これ》ニ風ヲ上《くわ》ウレバ必ズ偃《ふ》ス」

というものであった。

ここでも五山衆は、徳川家がよろこぶようなほめちぎりの文章をそれぞれ書いた。

崇伝はその答案をあつめて一読したあと、

「これで、出来た」

と、払子《ほっす》をあげてよろこんだという。

のちに家康は、方広寺梵鐘の鐘銘のなかにある「国家安康、君臣豊楽」という文章を豊臣家に対して指摘して、

——これは徳川家を呪《のろ》うものだ。

と言いがかりをつけたとき、五山の僧たちは証人団として両者のあいだに立ち、ことごとく家康に和し、家康の指摘を正しいとした。ただそれだけのことを細工するために、金地院崇伝はここまでこまかい筋書を書きあげ、家康がその台本どおりに演技している。

一万石

いかに京にても
かほどのご普請《ふしん》は
のちの世にあるまじ

といわれた方広寺の普請の完成のめどがついたのは、慶長十九年の四月である。その十六日に、例の巨鐘も鋳造がおわった。新鋳《あらがね》の銅があおあおと匂《にお》うようで、みごとなできばえであった。

「すべてよし」

現場に立ちあった片桐且元《かたぎりかつもと》は、手にもった弓の折れで地をたたき、満足の声を放った。且元のおもうところ、これで天下は万々歳であった。徳川氏がねらった豊臣家の財産減らしは、これで目的を達した。豊臣家としても、先代秀吉の供養《くよう》と、家の安泰をねがうためのこの巨大な宗教的投資がぶじおわった。なにもかもぶじそのもので、その宰領者（奉行）である且元も、これら東西勢力の要求と願望を同時に満足させえて、片桐家もこれで安泰であった。

「ではよろしいな、落慶大供養は八月三日であるぞ」

と、且元は工匠の中井正清やら誰やら、おもだつ者みなに言い、大坂へ帰った。

帰城して、秀頼《ひでより》と淀殿《よどどの》に報告した。

「大儀」

秀頼という青年は、家来にこれ以上ながいことばを言ったことがない。このときもそうであった。なみはずれた大男で容貌《ようぼう》も秀麗であり、内々《うちうち》のうわさでは漢字《まな》の書物などもすらすら読むくせに、表お座所に出るとこれだけしか言えないのである。

――おそらく不覚人《ふかくびと》（あほう）たるべし。

というのは、城内や城下のしもじものうわさで、この点、損をしていた。この時代、まだ戦国の余風をひきついでいて、ひとびとの大将への器量批評《さだめ》がさかんであり、器量人とあれば無邪気なほどに尊敬するかわりに、器量がさがるとあれば、

――屑《くず》よ。

と、容赦なく見すててしまう。

淀殿は、秀頼を公卿風《くぎようふう》にそだてようとしたのが、失敗であった。公卿は人物器量な

どどうでもよく、容姿がよく、行儀がすずやかで、和漢の学や諸芸に通じておればそれでよかったのだが、武家の大将ならば、

——頼もしげな。

と、ひとびとに思わせるようでなければ、ひとびとはついて来ない。ひとびとは大将の人物器量に自分たちの運命を托するものであるため、頼み甲斐《がい》のある人物でなければ、忠誠心をおこさないのが戦国の風であり、家康にはそれがあった。

秀頼は、そのように教育されていない。

「市正《いちのかみ》どの」

と、淀殿がいった。いつも必要なことはこの母親が口を出す。

「諸事ご苦労でありました。その労にむくいるため、上様からかくべつのおぼしめしをもちまして、一万石を加増するとのことです。ありがたくお受けしますように」

といったから、且元は白昼、鬼にでも出あったようにおどろいた。

（こいつは、もらえぬ）

と、おもった。

（断乎として貰《もら》ってはならぬ。もらっては、身の破滅になる）

とおもい、あわてて、

——結構でございます。

という意味のことを、平伏しながら、あれこれ喋《しゃべ》った。これしきの労は、労のなかにも入りませぬ、封禄《ほうろく》はただいまのままでよろしゅうございます、上様のご身上《しんしょう》が小そうございますのに、それを且元のために一万石もお割《さ》きくださいますこと、もったいなくも心ぐるしゅうございます、かさねがさねご辞退つかまつりまする、といった。

「まあ、よいではないか」

淀殿は、且元がことわっている底意やら機微やらがわからず、人に恵みを垂れてやるときの、満足そうな微笑をうかべていった。淀殿は、且元の意外な辞退について、それを且元の謙虚さとしてうけとり、

(存外、好もしい老爺《ろうや》)

とすら、おもった。

が、且元の心底、それどころではない。かれは自分の家禄に加えるに秀頼から新恩を受けてしまえば、豊臣家へそのぶんだけ深入りしたことになり、家康とその側近衆からどうおもわれるかわからないとおもった。それが、恐怖であった。妙な恐怖であった。且元の主人は秀頼である。その秀頼から家来として加増をうけるのは当然なのだが、且元はほしくないとおもった。

（できれば、豊臣家から離脱したいとさえおもっているのに）

且元は、おもった。且元の処世感覚からすれば、早晩戦争というものがはじまる。そのとき且元はその寸前でこの政治情勢から逃げだすつもりであった。が、ここで秀頼からの新恩を着てしまっておればまずい。

——市正どのは、どうするか。

というのが、城内の評判であった。小幡勘兵衛《おばたかんべえ》も、注目した。

かれは大野修理《しゅり》に、

「大変なご家老もあったものですな」

と、皮肉をこめていった。主人から恩をうけたくないという家老が、古今どの国にいたであろう。勘兵衛は、

（且元の本心、じつはとっくに豊臣家を見限ってしまっているのだ。豊臣家も、えらい家老をもったものだ）

と、おもった。

なにしろ且元の保身術は、一方で家康の謀略もあってのことだが、かれの惣領《そうりょう》息子の孝利に、徳川家の権臣伊奈《いな》忠政の娘をめとっているのである。さらに且元の弟の貞《さだ》隆《たか》の娘を、且元は自分の養女にして家康の謀臣本多正純《まさずみ》の弟の忠郷《たださと》にとつがせている

のである。その姻戚《いんせき》関係からいえば且元は体の半分以上、徳川方の人物といっていい。

ところで。――

これについての淀殿の善意も、なかなかしつこい。善意というより、且元のことわりようがあまりにしぶといため、淀殿も意地にならざるをえなかった。且元をよんでは、もらえもらえとすすめた。自然、城内の消息通は、なりゆきに注目した。

且元も窮したが、そこは表裏ただならぬ世渡り上手のことである。貰うについては家康に声をかけ、相談の体裁をととのえようとおもい、徳川家の京都所司代板倉勝重にまでこの一件をもちこんだ。

「それはご鄭重《ていちょう》なこと」

板倉勝重はものしずかで行儀のいい良吏だったが、ときどき刺すような皮肉をいう。このときのこれは、皮肉だったかどうか。

勝重は、駿府《すんぷ》の本多正純まで急飛脚で報《しら》せた。正純は、すぐ家康に上申した。聞きおわったが、家康はなにもいわず、侍女の焼くかきもちを受けとっては、口に入れている。正純はたまりかね、

「いかが、申し遣《や》りましょう」

と、問うた。家康はうるさげに、そのことわしが考えねばならぬほど天下の大事か、

といつになく不機嫌であった。

「市正は猫のように媚《こ》びて顔をこすりつけてきているだけだ。それに対し、わしになにをせよというのだ。あの老いぼれ猫と一緒にじゃれまわれというのか」

さすがに戦国期をきりぬけてきた老人だけに、このような、女もせぬような媚に出会うと、自分に関したことながら、不愉快になってしまうらしい。

正純は、おどろいて退出した。

そのあと城下（駿府城）の金地院に崇伝をたずね、相談した。

崇伝は、一桁《けた》、正純よりも謀事《はかりごと》がふかい。すぐ衣を着かえて登城すると、家康はまだかきもちを食っている。

「なるほど」

「片桐市正の加増の一件でございますが、上様は市正あて、許す、受けよ、とお声をおかけあそばすほうがよろしゅうございましょう。お声さえおかけ遊ばされれば、一万石の加増は秀頼から出たものにあらず、上様がさしくだされたものになります」

そのあたりが、智恵深《ちえぶか》の崇伝らしい。一声ゆるすというだけで、家康は自分の腹を痛めることなく片桐且元に一万石を加増するというかたちになるのである。

「ご坊、もっともなことを申される。しかしそれは人を介しての書状差立《さした》てでなく、市正自身が駿府まで身を運んで参らねば、そういう体裁はととのうまい。市正がそれに気づくまですてておけ」

と、いった。さすがに家康のほうが、悪謀は上であった。

崇伝は下城し、正純にそれをいった。正純はすぐ急飛脚を上方の且元へさしたてた。

――加増のうわさにつき、大御所さまはなにやらご機嫌がおよろしくない。

という文面であった。こういう物の言い方をすれば、且元は肝をつぶして駿府まで下向してくるにちがいない。

この書状を摂津茨木《いばらき》城でうけとった且元は、のけぞるほどにおどろいた。大坂にも知らせず、すぐ出発した。

（大坂にも知らせずに出発したか）

あとで家康はそれを知り、満足した。これによって世間に対し、且元の実際の主人は秀頼にあらずこの自分であるということを見せしめることになる。しかも一文も自腹を痛めずしてである。

駿府の正純や崇伝がおかしかったのは、且元が、人間業《わざ》ともおもえぬほどのはやさで下向してきたことであった。さっそく両人が介添えして家康に拝謁《はいえつ》した。

秀頼からの加増のこと、正純からあらためて言上した。家康はにこにこして、

「それは市正どの、受けておきやれ」

と、いった。

且元は威に打たれた、という体《てい》をつくって額を畳にこすりつけ、

「ご加恩のこと、身にあまるうれしさでござりまする」

と、御礼申しあげた。こう御礼申しあげることによって、この一万石は家康から頂《ちょう》戴《だい》したということになる。

家康も、その言葉に満足した。

且元は駿府に一日滞在しただけですぐ上方へもどった。大坂の天満《てんま》で舟からあがると、すぐ登城し、本丸で秀頼と淀殿に拝謁し、御加恩のことありがたくお受けつかまつりまする、と申しあげた。

淀殿は、且元が関東へうかがいを立てに行ったということは、ほぼ推察がついている。不快げに、

「……市正どの、そなたは、いずかたがあるじでありますや。大坂か関東か」

と言ったが、且元は平伏しているだけでなにも答えない。こういう場合、この種の皮肉には無言でいるにかぎるということを、この老人はよく知っている。

駿府では。——

且元が駿府を去ったあと、家康はふと気づいたように本多正純をよび、

「豊臣家に申してやれ。市正だけを加増するのは片手落ちであると」

と、いった。正純は意味を解《げ》しかねていると、家康が言いそえた。

「大野修理に対しても五千石を」

(修理に?)

正純がいぶかしくおもったのはむりもない。大野修理は第一に片桐且元のような家老ではなかった。さらには大野修理は関東の政敵である。修理は城内での対関東強硬派の巨魁《きょかい》で、公然と、

——すでに秀頼公がご成人あそばした以上、徳川どのは天下を返さるべきである。

ととなえており、且元とことごとに対立しているということは、駿府にもごうごうときこえている。その男に五千石も加増してやるとはどういうことであろう。正純がだまっていると、家康はゆらゆらと上体を左右に揺れさせながら、

「上野《こうずけ》は、城を攻めたことがあるか」

と、いった。

ない。正純がうつむいていると、家康はますます上機嫌に、

「城というものは、固いものだ。正面からゆけばたたこうと突こうと崩れない。それよりも城の中身を腐らせ、水が出るばかりに饐《す》えさせてから、ゆるりと攻めにとりかかるものだ」

と、いった。まず買収してかかるのだ、というのである。しかし大野修理ともあろう者が買収されるであろうか。

「修理は、禄に餓えている」

家康はそう観察していた。修理ほどの権威家がやっとちかごろ一万石の身代で、城ひとつもっていない。家来の数も足軽をふくめてせいぜい三百人どまりであろう。一方、片桐且元は一万石の茨木城主で、こんど二万石になる。修理は城内で且元と張りあわねばならぬ以上、それがことごとに苦になっているにちがいない。家康の人間理解では、男が無用に正義だてするその底の底には、自分の処遇されかたについての不満やら飢餓感やらがあるからだ、ということであった。

家康のこの意向は、京都所司代の板倉勝重を通じて大坂城にもたらされた。

この日、大野修理は堺《さかい》へ行っていた。

堺という、この日本最大の貿易港からあがる莫大《ばくだい》な利益は、かつては豊臣家をうる

おした。このため豊臣家はここを直轄領《ちよっかつ》にしていたが、家康が天下をとると、家康はこれをわが手におさめ、富商今井宗薫《そうくん》を堺の豪商たちのお目付役にした。自然、堺商人は徳川氏をはばかって、三里むこうの大坂城とのあいだの関係を冷やかにし、公的な往来を断ったが、それでも内々には豊臣家の有力者を茶会によんだり、あるいはよばれたりの旧誼《きゆうぎ》はつづいている。修理は、できればこの旧誼をもっと熱っぽいものにしたいとおもい、このところ堺商人との往来がしきりであった。

「夕暮にはもどられるが」

と、留守をしている小幡勘兵衛が、本丸からの使いに応対した。使いというのは、秀頼の祐筆《ゆうひつ》（文書官）をつとめる畠山《はたけやま》政信という男である。畠山は先祖は室町大名だった家で、途中落魄《らくはく》していたのを家康がひろい、これを片桐且元にあずけた。且元は、政信が室町の儀典にあかるいということで、秀頼の祐筆にしたのである。民部《みんぶ》大輔《だゆう》を称し、いわば大名級の祐筆であった。のち、家康が江戸へひきとって水戸徳川家につかえさせたから、政信は且元の手を経た関東の間諜《かんちょう》であることはまぎれもない。秀頼のそばには、この政信と同様、且元の推挙による祐筆がもう二人いる。大橋重保《しげやす》と毛利重次という者で、いずれも大坂ノ乱がおわってから江戸へゆき、徳川家の旗本になっている。かれらが、この大坂城内でなにをしていたかは、この後年の経歴でわかるであろう。

が、勘兵衛ですら、それは知らない。畠山政信はむろん勘兵衛がどういう経路で大坂城にいるかは知らなかった。城を中身から腐らすという家康の謀略の網が、いかにすみずみまで周到に張りめぐらされていたかは、この一事でもわかるのである。

勘兵衛は、この畠山政信からあらましをきいて、五千石のことを知った。

(はて、大野修理がどう出るか)

と、勘兵衛はひそかにたのしみにして夕暮を待っていると、修理がもどってきた。

勘兵衛からこの一件をきいた。

「なるほど、評判にたがわぬ吝嗇《けち》だ」

と、修理が無頓着《むとんちゃく》に大笑いしたのには、勘兵衛も意外な気がした。修理は、勘兵衛がみているよりも大きな人物であるようだった。いわでものことだったが、けちとは家康のことである。豊臣家の食禄のなかから五千石をけずって恩きせがましく大野修理にあたえるなど、けちでなければできる芸当ではない。

「で、どうなされる」

勘兵衛は、きいた。

修理は無造作に、貰うさ、といった。

「しかしお受けするとなれば、駿府へお礼に参らねばなりませんぞ」

そういう奇妙な先例を、片桐且元がつくってしまっているのである。諸事先例主義がたてまえの時代だから、修理だけが行かないと無用のかどが立つ。

「むろん、望むところだ」

「望む？」

「とは、駿府の様子、家康の様子、すべてをこの目で見ることができるまたとない機会ということだ」

修理は、はじめて鉄砲猟にゆく少年のように両眼をいきいきさせた。勘兵衛はそういう修理がきらいではなかった。

「が、駿府へゆけば、お命がいかがでしょうかな」

と、勘兵衛はさらに修理の人物をためすためにかまをかけてみた。

それをきいて修理ははじけるように笑った。そこまで自分は大物ではあるまい、というのである。

「それよりも家康と対面のとき、できれば駈《か》けよって仕物《しもの》にして討って果してしまえば豊臣家のため、これほどよいことはない」

「なさるか」

勘兵衛も、さすがに頰のあたりの微笑を消した。修理はあとは笑うだけで答えない。

「大仏の落慶供養が八月三日ということになっている。それまでに往復せねば」

その落慶供養をひかえているため、大坂城のひとびとのうごきもこのところいそがしくなっている。修理もあれこれと多用だったが、この日から三日後、京からのたよりで御室《おむろ》の花が散ったという日、大坂を発《た》ち、駿府へむかった。

鐘銘

この時期、家康の隠居所の駿府《すんぷ》城には、三人の坊主《ぼうず》頭がいそがしげに出入りしている。毎日のように寄りあつまっては悪智恵《わるぢえ》をつくりだしているのだが、三人のうちでは、

「金地院崇伝」

がその方面の達人であったであろう。この禅僧が、

――いや、ちょっとお待ちあれ。

と、他の二つの坊主頭の発言を制して、目を半眼に閉じてものを考えるときは、剃《す》

りあがった頭から黒煙りが湧《わ》きたつおもむきがあった。

（この僧を指して悪国師とは、世間もうまく言いあてたものよ）

と、ときどきその席にすわる本多正純《まさずみ》などは、その伝《でん》長老（崇伝への敬称）の様子をみながら、その才気に感心するより、へんにおかしくなってしまうのである。

もう一つの坊主頭は、衣を着ていない。俗服を着ている。

「林道春《どうしゅん》」

であった。道春は僧侶《そうりょ》ではなく、家康おかかえの儒者である。前時代の秀吉は学問や学者に関心がまるでなかったが、家康は豊臣期の末期ごろから、

――学問とは、なかなか世を治めるに都合のよいものだ。

と、気づき、林道春の師匠の藤原惺窩《せいか》をよんでは、論語、中庸、孟子の講釈をさせた。

「権現《ごんげん》（家康）さまの御学問好き」

と、後世、史筆をとるひとびとがさかんに言ったが、大うそである。

家康は漢文を読んだわけではない。藤原惺窩やその弟子の道春が、論語などいわゆる四書のなかに書いてある処世訓的なくだりを俗話にかみくだいておもしろおかしく講釈してきかせるのが、この時代の家康やその他大名たちの「学問」というものであ

った。

家康は前時代の信長や秀吉とはちがい、体質的に、人生訓や処世訓がすきであった。ひまなとき近臣に話してきかせる自分の実歴談なども、みな「説教」でしめくくっている。家康が学問や学者を大事にしたというのは、学問を説教や処世訓の宝庫とみていたからであり、学者はその種のもののおろし問屋であるとみているからであった。

――こういう有益な処世訓を下々にきかせれば、戦国を経て荒れすさんだ武士の心や百姓どもの心をやわらげることができる。

と、家康はみた。治世の道具としてこれほどいいものはないとおもった。ひとびとの心を説教という服従の道理をもって小さくしてゆき、おのおのその分際、境涯に甘んじさせなければ、せっかくかち獲《え》た徳川家の天下がくつがえるのである。家康は、学問をもって、それ以前倭寇《わこう》ばたらきまでした日本人どもの心を変造しようとした。ついでながらこの家康の祖法は代々うけつがれ、二百数十年をかけて、ほぼ成功した。

その最初の「学者」が、林道春であった。

家康ははじめ、藤原惺窩をその座につかせたく、わしに仕えぬか、とすすめたが、惺窩は理由をいろいろのべて、

――私よりも弟子の道春のほうが。

と、道春を推挙した。藤原惺窩という人物は戦国期に京の公卿《くぎょう》が播州《ばんしゅう》の領地に食糧疎開したまま土着した没落貴族の子で、その点きわめて気位が高いうえに、学問に対する心組がつねに昂揚《こうよう》していて、豊臣期には秀吉をひそかに軽蔑《けいべつ》し、さらには他の成りあがり大名をもばかにしていた。大名たちはあらそってかれを召しかかえようとしたが、生涯仕官というものをせず、この点、家康に対しても例外ではなかった。さらにいえば家康の学問に対する次元のひくい期待や要求についても内心批判があり、へたに利用されまいとおもったにちがいない。

この点、林道春は家康にとって都合がよかった。京の市中の匹夫《ひっぷ》の子としてうまれ、出世欲がつよく、権門のためなら物事をどう歪曲《わいきょく》してもいいという、学問技師としての融通性をもっている。

道春、またの名は羅山《らざん》。

この人物がやがて江戸学問の祖となり、幕府最高の儒官として天下の文事を創設するのだが、はじめは京の町の儒者であり、のち家康が駿府に隠居してからまねかれ、家康の侍講《じこう》となった。この時期のかれのおもな仕事は、朝鮮や中国からくる外交文書の解読と返事書きであった。のちかれは、幕府の意向をうけて、人間というものの諸活動を制限したり、その身分を固定するための法律を考えだすといういわば悪魔的な仕事に従事し、後世の日本人にはかり知れぬ影響をあたえてしまったが、その学者としての学問的な深さは、後世からみれば大したことはない。かれはあるとき、明国から人がきたとき、

「ちょっと物をたずねてよろしゅうござるか」

と、いったことがある。

「我們、我們とよく物の本に出て参るが、あれはどういう意味でござろう」

どういう意味でもない、我們《ウオメン》とはわれわれというだけの意味であり、們は複数をあらわす。なにしろ林道春という日本最高の外交文書官が、この程度のことをきいたので明国人は啞然《あぜん》としたという。もっとも道春にすればやや無理もない。道春の才能の特徴は抜群の記憶力にあり、中国の孔子や孟子の時期のいわゆる漢文には通じていたが、明時代の言語には暗い。しかし漢学者であり、外交文書官である以上、当然通じているべきであった。

道春のことを、述べすぎた。

もうひとりの坊主頭は、のちに、

「黒衣の宰相」

といわれた僧天海である。かれはむかし武田信玄の天台学の教師をつとめ、晩年は

三代家光につかえたという長大な生命のもちぬしで、寛永二十年百七歳で死んだ。家康のこの時期、天海は七十八歳であるが、壮齢同様顔にあぶらが浮き、うまれて風邪をひいたこともなく、鼻孔が巨大で、吸う息や吐く息のつよさはそのあたりに火鉢も置けないといわれた。灰が散るからであろう。

若いころから天台教学にあかるく、そのうえ無類の雄弁家で、世上万般、天海の知らぬ事柄はあるまいといわれ、家康なども、

――わしは天海を知るのが遅すぎた。

と悔むくらいにこの男を寵用《ちようよう》している。

ついでながら、天海というこの異常な体力と気根のぬしには通力がそなわっているといわれ、かれが祈禱《きとう》をたのまれ、ひとたび天台密教の修法《ずほう》の座につけば、不妊女《うまずめ》も児《こ》を生み、青天も曇って雨がふると信じられていた。

おなじ僧でも、崇伝とは宗旨ちがいだから仲がよくない。一方、林道春は儒徒であるため仏徒がきらいで、かれは晩年、三代将軍家光に上書して、

――仏徒（天海）を政治に介入せしめては害があります。

といったため天海は怒り、道春をひきずるようにして家光の前に据え、御前問答をして論破し、勝ってからもなお道春をおどして、

――以後、誣告《ぶこく》をくりかえすならば、天台の秘法をもって祈り殺すぞ。

と、脅迫したことがある。

家康はこの時期、こういう男を駿府にあつめていた。いわば選《よ》りぬきの怪人たちであり、江戸の古い旗本衆のなかには、

――大御所さまもあのようなばけものどもをおあつめなされて、
と、非難がましくいう者もある。

家康という人物は、その少壮、初老のころ、戦国争乱のなかでいそがしく自分の運命を切りひらいていた時期には、怪人をまわりにひきつける趣味などなく、涼やかな合理主義のもとに侍どもの質朴さを愛し、たえず、

武士の智慮才能あるはもとよりよけれども、なくてもことは欠かぬなり。ただひたぶるに実直なれば、智能を待つに及ばず。武士として義理に欠きたるは、打《うち》物《もの》の刃が欠けたるが如《ごと》し。(中泉古老物語)

などというようなことを言い、それでこそ頑陋《がんろう》質朴な三河武士たちが家康を二なき主人とおもってついてきたのだが、

――駿府へ御隠居なされてあと、お変りなされた。

と、江戸の者たちは恨みがましくいう。しかし家康の本質が変ったわけではなかった。家康は、すでに数カ国のぬしではなく、天下のぬしであり、政治というこの奇怪なものを総括している以上、この種の人物をかつての戦士たち以上に必要としてきているのである。しかしそれにしても、これだけの奇怪な者どもをよくあつめたものであった。

七月になってこの連中が、駿府城の一室にあつまったときこそ、異様であった。

この日、つねは二人の僧に遠慮気味の儒者の林道春が、なにやら眉《まゆ》をあげ、気を昂《たかぶ》らせて、

「御両所、おききあれ」

と、懐中から一枚の文書をとりだした。崇伝がのぞいてみると、鐘銘の写しである。豊臣家が、京の東福寺長老清韓にたのんで起草してもらった方広寺の大梵鐘《ぼんしょう》の銘の文章である。確かにそうだとみると、崇伝はみるみる不快げな顔をし、

「道春どの。これをどうなされた」

と、いった。

崇伝の不快がったのも、むりもない。この鐘銘の起草文は、かれが数カ月前、京の東福寺の僧侶を内々でおどし、やっと手に入れたものなのである。それを家康まで差し出しておいたが、家康はなにもいわない。家康にすればこういう漢字の羅列は読めもしなかったし、ましてこんな文章が政略上の手品につかえるとはおもわなかったのである。崇伝は、この間、

（大御所さまは、あの清韓の起草文についてどうお思いなのか）

と、気にしているうちに京の方広寺の普請場《ふしんば》では大梵鐘が鋳《い》あがり、落慶供養《くよう》を待つばかりの状態になってしまった。もはや清韓の起草文は鐘にきざみこまれ、崇伝がせっかく苦心して入手したその起草文も、諜報的新鮮さをうしなった――とおもっていたところが、すでに旧聞のいまごろになって林道春がさも得意げに懐中からとりだしてみせたではないか。

――大御所さまが拙者を御座所までさしまねかれ、この文書をおくだしになった。

と、道春がいう。崇伝はその道春の小ざかしげな得意面《づら》がかたはらいたく、

「これは拙僧が手に入れたものよ」

と、すこしおとなげなかったが、片小鼻をゆがめて言ってやった。

そのとき、天海は隅にいる。褐色《かちん》の衣をきて、衣のなかで両膝《ひざ》をたかだかと立て、背をまるくし、そのひざ小僧の上に岩のようにいかついあごをのせ、ちょうど病み犬のように目ばかり光らせている。が、その目は道春のほうを見ていない。見ずに、天海は阿呆《あほ》くさくなったのか、ふんと鼻を鳴らした。気のよわい道春はさすがに気味がわるくなり、

「天海どの、いまのそれがしの話、聞いてくだされたか」

と、機嫌をとるように言い、その文書を天海のひざもとへそっと押しやった。が、天海は無視し、無視したばかりか、

「それは存じておる」

と、いったから、道春のほうが、むっとした。崇伝も、自分が苦心して入手した起草文だから天海のこの態度には心外で、

「天海どの。貴殿はなにを存じていると申されるのだ、これは清韓の例の」

「鐘銘だろう」

と、天海はひざ小僧の上で言った。目はあいかわらず崇伝のほうにもむけない。しかもそのままの姿勢でひと声あげ、やがて朗々と誦《しょう》しはじめたのは、鐘銘の全文であった。

これには道春も崇伝もおどろいてしまった。

本文すべてを諳《そら》んじおわり、それだけでなく、文章の末尾までも宙でとなえた。

「……大檀那《おおだんな》、正二位右丞《うじょう》相《しょう》　豊臣朝臣《あそみ》秀頼《ひでより》公。奉行、片桐東市正《かたぎりいちのかみ》豊臣且元《かつもと》」

と言いおわって、天海は餅《もち》色の顔を道春らの方にむけ、どうだ、という表情をした。

「いや、おそれ入る、おぼえて御座ったのじゃな」

と、道春はしかたなく笑ったが、ここで家康から命ぜられた用件を両人に伝えねばならない。

——この文章でなにか詐略《さりやく》はできぬか。

という家康の諮問《しもん》をつたえたのである。もっとも道春も人がわるい。かれ自身が家康にこの文章でなにか一工夫できましょう、と意見を申しあげると、家康がうなずき、採択しただけのことであった。

「道春どのに申されずとも」

と、天海はいった。

「わしはこのように全文をそらんずるばかりにして日夜心を砕いておった」

「妙案がうかばれたか」

崇伝もつい下手《したで》に出たのは、天海に気をのまれてしまっていたからであろう。

「妙案とまではゆかぬが、すこしは心に浮んでおる。御両所その韻文をとくとご覧《ろう》ぜよ……こうあるであろう」

そのあと、じらすようにしてだまっている。

崇伝がいらだって、

「こうとは？」

「洛陽《らくよう》の東麓《とうろく》、舎那《しゃな》道場。空に聳《そび》ゆる瓊殿《けいでん》、虹《にじ》を貫く画梁《がりょう》、参差《しんし》たる万瓦《ばんが》、崔嵬《さいかい》たる長廊、玲瓏《れいろう》たる八面……」

と、天海はまたはじめからそらんじはじめた。文章はうつくしい韻をふみつつ、都なる大仏殿の壮麗さをたたえている。やがて文章は一転して、この大仏殿が天下国家の鎮《しず》めになることをたたえるくだりになる。

「国家安康、四海施化、万歳伝芳、君臣豊楽、子孫殷昌《いんしょう》……」

そこまで諳んじてから、

「なるほど名文であり、間然《かんぜん》するところがない、しかし」

と、天海は道春と崇伝を小せがれでも見るようにして見た。

「どうだえ？」

天海は、はじめて笑った。両人にヒントをあたえているつもりだった。道春は食い入るようにして文面を見つづけていたが、あっと顔をあげた。

「国家安康」

のくだりである。家康という文字が一字をはさんで使ってある。なるほど清韓にすれば世のめでたさを謳《うた》いあげたつもりであったろうが、ここをこじつけねばならない。中国では今上《きんじよう》皇帝の名の文字は使うを避けるという習慣があり、それを適用すればよいではないか。さらには「家康」の文字を鐘に刻《ほ》って朝夕撞木《しゆもく》でついてたたくというのは呪詛《じゆそ》の証拠である、といってもよい。

「あっははは、道春どのは智者だな」

と、天海は鷹揚《おうよう》にほめた。

崇伝も、だまっていなかった。

「君臣豊楽というのもおかしい」

「左様、拙者も」

と、道春は脇《わき》からいった。

「そのくだりに気づいていた。臣豊《とよとみ》ヲ君トシテ楽シムとも訓《よ》める」

「道春どの」

天海はいった。

「あなたは学者だ」

からかったのであろう。いかに漢文の初歩の者がよんでも、そうは訓めないし、第一臣豊をトヨトミとよむのはむりではないか。が、道春も、天海、崇伝も、無理は百も承知で、ここは家康のために悪智のかぎりをつくすだけでよい。

「右僕射源朝臣《うぼくやみなもとのあそみ》。これも問題です」

道春は、調子づいていた。

この六字は、清韓が家康を尊び、家康の官名をシナ風に翻訳して書いたのである。家康は、右大臣である。大臣という官名はシナにはない。僕射《ぼくや》というのは秦《しん》のときにできた官名で、最初は文字どおり弓術のじょうずな者をこの職に任じたから僕射といったが、宋朝《そうちょう》のころからは宰相の意味につかうようになった。宰相とは、日本でいう大臣である。それに「右」をつけ、右僕射と清韓は書いたのである。

これについての道春のこじつけは、ひどかった。かれは僕射の意味は知ってはいたが、

「これは源朝臣《みなもとのあそみ》(家康のこと)ヲ射ル、と訓める」

といったから、さすがに崇伝もあきれ、

「それはむりではないか」

と、眉をひそめた。

天海はなにもかもわかっていて、崇伝に反対し、道春の肩を持った。

「否《いな》とよ」

「林道春どのは、大公儀（幕府）につかえて日本国の文字の大博士ということになっており、このことは使臣を通じて大明国の朝廷にも知られ、朝鮮の朝廷にも知られている。その林道春どのが、日本国の権威をもってそう断じ、そう訓んだのだ。林道春どのがそれをそう訓んだ以上、大明国の解釈はどうであれ、日本国では源朝臣ヲ射ルということになるのだ」

天海は言い、そのあとこの男の存外なぬけめなさは、すぐ席を立って長い廊下をゆき、家康に拝謁《はいえつ》していっさいこのことを報告し、まるで自分が宰領してこの悪謀を生みだしたような様子をつくったことであった。

どの男もいい齢《とし》をしてこの光景は信じがたいようなものだが、あとで道春と崇伝がこれを知り、

——天海めは手柄をひとり占めするか。

と、憤《いきどお》り、両人競いすすんで家康の御前に出、ありのままを申しあげた。

家康が目を小さくして笑ったのは、かれらのあるじとしてこの競いあいは不快な風

景ではないからであった。かつて戦場で武士たちが槍《やり》さきの功を競いあったように、この悪謀の技師たちは悪謀の功をきそっている。家康にすれば、ただ調整をしてやらねばならない。

「天海上人に悪意はあるまい。さて戦場で申せば崇伝長老の功は一番駈《が》けであろう。道春の功は、一番槍である」

そこで、京・大坂へこれを打ちだすのは、本多正純と崇伝にさせることにした。本多正純は家康の制度上の使者であり、崇伝は京の五山ににらみが利《き》くという理由である。

――大坂は、大地が震うほどのさわぎになろう。

と、本多正純は気負いこんだが、この時期に大坂から大野修理《しゆり》が、家康に加増の礼を申しのべるために駿府にきているのである。

家康はこころよく謁をゆるし、あとで本多正純も修理を応接したが、かれらの底意地の悪さはこのことを修理にいっていないことであった。

修理が大坂へ帰ったころ、それを追うようにしてこの外交上の征矢《そや》が大坂城へ射こまれた。

弾劾《だんがい》

この年の夏は晴雨順当で、暑気もさほどでない。

「こういう年は、いいことがあるものだ」

と、ある公卿《くぎょう》が日記に書いている。

が、事がおこった。

事がおころうとしているこの時期、片桐且元《かたぎりかつもと》は京にいた。毎日、多忙であった。すでに方広寺の大仏と大仏殿が完成し、大梵鐘《ぼんしょう》も鋳《い》あがり、あとは落慶大供養《くよう》を待つばかりという時期になっている。且元は、この盛儀の企画から進行のいっさいを指揮しなければならない。

「都に、時ならぬ花が咲くぞや」

と、この大供養は京の大評判であった。叡山《えいざん》と高野《こうや》の僧という僧はこの日を期してざわめき立っていたし、そのための法衣を縫う京の工人たちはあげてよなべをしていたし、堺《さかい》では法会《ほうえ》につかう錦《にしき》や荘厳金具《しょうごんかなぐ》の調製で、店《たな》も下職《したしょく》もいそがしく、それらの物品を都へはこぶ列やら車馬やらが、京街道に輻輳《ふくそう》している。

御所では、それ以上のさわぎであった。この大供養には、天子以外のすべての貴族が参列することになっており、席次はどうか、式次第はこうあるべきである、三位《さんみ》以上はどう、四位、五位はどの場所に、六位以下の官人は門に入るべきか、などといった評定に毎日あけくれている。

「おそらく天正十六年の聚楽第《じゆらくだい》行幸以上の盛儀になるであろう」

と、うれしげに予想したのは、前権大納言《さきのごんだいなごん》日野輝資《てるすけ》であったが、実際はそれどころではあるまい。京の庶民までもが、町々や辻々《つじつじ》で踊りを興行したりして、この大供養のために湧《わ》きたつはずであったから、京の歴史はじまって以来のにぎわいになるにちがいない。

「その吉日には、天から黄金《こがね》の蓮弁《れんべん》が降ってくるということぞ」

と、言いまわっている男もいる。蓮《はす》の花びらのかわりに黄金の花びらが降ってくるというのである。

——いやいや、まことかもしれぬわい。

と、信じる者も、市民の半ばはいた。佐渡をはじめ諸国の金山銀山を盛んならしめた秀吉は、その在世中、鉱山事業を官営で独占していたから、大坂城には天守閣もかたむくほどの金銀が蔵されている。その富は秀頼《ひでより》にひきつがれ、亡父秀吉の供養を兼ねたこの日にその金銀の小粒大粒を市中に撒《ま》くというが、そのくらいのことは、諸事天下を湧かすことのすきな豊臣家ならばやりそうであった。

——京の繁華は、この法会をさかいにまた立ちもどるのではないか。

という期待も、京のあきんどたちのあいだでささやかれていた。秀吉が死に、政権が江戸へ去っていらい京は日に日にさびれるが、この空前の盛儀のおかげでまたもどってくるのではあるまいか。

「わしの一代が、この盛儀をやりとげて終ってもいい」

と、処世上手の片桐且元ですら、その家老の山本豊久にしきりにいうようになった。

且元は、

「天下泰平をもたらす大仏」

ということを、歌の枕《まくら》のようにしてたえず言っていた。この大仏再建《さいこん》の示唆《しさ》は、家康がおこなったものである。秀頼がそれをうけて財力をかたむけて実現した。いわば徳川家と豊臣家の共営事業であり、これによって両家が平和に共存しうるという証《あか》しでもあった。且元がそれを宰領した。大仏をつくることは予想される大戦を回避する唯一《ゆいいつ》の道であり、言いだした家康の肚《はら》もおそらくそうにちがいない、と且元はこの一点だけはかれの社会的生存にかけても信じていたし、信じざるをえなかった。両家が平和ならば且元も安泰であり、世間万霊も安穏で、それからいえばこの大仏再建ほどすばらしい「政治」は、古今東西になかったかもしれない。その工事が、とどこおりなく成ったのである。

繰りかえしていうが、且元は京にいた。この時期——慶長十九年七月——の二十三日の朝がまだあけきらない刻限、この且元の宿館の門の前で呼ばわる者があり、門番が出てみると、

「所司代からの使いである」

と、下馬せず鞍《くら》の上でたかだかと口上をのべ、言いおわると、そのまま馬蹄《ばてい》をとどろかせて去ってしまった。口上というのは、且元に対し、

——すぐ所司代まで出頭せよ。

ということである。

(ばかな。——)

と、片桐家の家老の山本豊久は、おもった。呼びつけるとはなにごとであろう。片桐市正《いちのかみ》且元は豊臣家の家老であり、世が世ならば徳川家の京都所司代板倉伊賀守勝重などは且元の馬の口輪でもとらねばならぬ分際である。

「よほど火急なことらしい」

と、山本豊久の申次ぎをきいた且元は、もう着がえをはじめようとしていた。児小《こご》姓《しょう》たちが走りまわって、装束がととのえられた。

「待てまて、平《ひら》のなりではまずかろう」

と、且元は肩衣《かたぎぬ》をとりださせた。山本豊久はちょっとおどろき、

「殿は、あの甚平《じんべえ》どの（板倉勝重のむかしの通称）に会われるのに肩衣をおつけあそばすのでござるか」

と、やや非難めかしくいったが、且元には通じないのか、

「当然、肩衣でゆく」

と、いった。且元にいわせれば、相手は上方における最高の幕府代表であり、豊臣家家老としてはそれに対しどれほど厚い敬意をはらってもはらいすぎることはないということであった。

「しかし、この早朝、なんの用だろう」

と、且元はつぶやいた。

いままで用があれば京都所司代は、片桐家の家老山本豊久に対して言ってきたのである。こんど且元じかに言ってきた。しかも容赦のない出頭命令というかたちをとっ

ている。

「はて」

山本豊久にもわからない。

「落慶供養の期日のことでございましょうか」

山本のいうとおり、この期日については目下紛糾しきっていた。豊臣家ではこの日を八月三日ときめている。ところが徳川方はこれに横槍《よこやり》を入れ、大仏開眼《かいげん》供養と堂供養をべつべつにおこなえ、といってきているのである。日まで大坂案とはべつの日を指定してきた。徳川方が指定した日は八月三日に開眼供養、同十八日に堂供養というもので、このねらいのひとつは、豊臣家の経費《かかり》を大きくするところにあるにちがいなかった。

ところが豊臣家としては、八月十八日は秀吉の十七回忌にあたっており、この日に盛大な豊国《ほうこく》臨時祭を営もうとしている。豊国祭といえば慶長九年以来十年ぶりのことで、洛中《らくちゅう》洛外は以前より増して大いに湧きに湧くであろうとおもわれていた。徳川方は、それをおそれている。そのためもあって、

「開眼は八月三日に、堂供養は同十八日に」

と、わざと堂供養の日を豊国祭の日に重複させようとたくらんでいるのである。重

複させれば豊国祭の印象は大いに薄まる。

――それはこまる。

と、淀殿《よどどの》はこれにつき一議もなく反対し、且元に命じ、徳川案を一蹴《いっしゅう》させた。豊臣家としては秀吉の年忌こそ大切であり、この日に天下の諸大名を招いて盛大に大祭をとりおこないたい。徳川案のように「堂供養といっしょに」ということになれば、世間に対する秀吉忌の印象が大いにあいまいになってしまう。

――市正は、関東に対し、なぜそのように腰がよわいのか。

と、淀殿はしかりつけたため、且元も、

（せめて関東に対し、日どりぐらいは固執せねば、豊臣家における自分の位置があぶなくなる）

とおもい、いつになく強硬で、僧天海や僧崇伝のたびかさなる要求に対し、あれこれと辞をかまえてこんにちまですごしてきた。

――期日のことでございましょう。

と、山本豊久がいったのは、右のようなことであった。

「私もそうおもう。期日については、もう一踏張り踏ンばれば、なんとか押しきれるだろう」

たかが期日だ、と且元はおもっている。関東の横車をいなし、なだめ、言いくるめてなだめることができぬでもないような気が、且元にはしている。

「要は、化かしあいだ」

と、且元はいった。この化かしあいということについて、のちに片桐家家老山本豊久はこのような筆記を残している。

「家康公ハ、大坂御事ノミ御心ニカケラレ、御思慮間断ナシ」

家康はすきまもなく策謀をし、さまざまにわなをかけてくる、という意味である。

山本の文章は、つづく。

「片桐市正、モッテノホカノ御懇志ニテ」

家康と且元とはねんごろの仲で、という意。

「サマザマノ事アリシト也《なり》」

両者のあいだにいろんな密議密談があった、ということ。

「市正ハ智謀《ちぼう》ウスキモノニアラズ」

と、山本豊久は自分の殿さまも権謀《からくり》上手だと誇っている。

「御意（家康の）ニサカラワズ、随《したが》ウ御《ご》挨拶《あいさつ》、タガイニバケバケダマシ合イト申ス」

家康のいうことにはただハイハイと随順する様子をみせて、そのじつ互いにバケバケダマシ合イをしている、という。家康はのちに狸親爺《たぬきおやじ》などといわれたが、この間の消息をバケバケダマシ合イと言いきったのは、記録の面では山本豊久のこの筆記が最初であろう。

且元は、駕籠《かご》で出かけた。駕籠のなかでふとこの男は、

（期日のことぐらいでこの早朝、自分を所司代へよびだすだろうか）

とおもったが、且元はそれ以上のことへ想《おも》いをめぐらす想像力をもっていなかった。

二条の所司代屋敷についたころ、陽がやっと東山を離れた。斜光をうけて樹々《きぎ》の翳《かげ》が濃い。且元の駕籠がちかづくと、それを待っていたように門が大きくひらかれた。門内に入ると、すでに地面に水が打たれている。且元は大玄関に立った。

板倉勝重が奥から出てきて、式台の上で且元とむかいあった。

小男である。あいさつをし、すぐ、

「どうぞ」

といって、みずから先導して且元を書院ノ間へ請《しょう》じ入れた。いつもとちがい、よそよそしい。

「きょうは、余の儀ではござらぬ」

と、勝重は言葉をあらためた。まぶたをすこし垂れ、半眼の瞳《ひとみ》から且元を刺すように見つめている。そんなことよりも且元は、のどがかわいた。

「その前に湯を一椀《わん》」

と、甘えて所望したが、勝重は湯でござるか、といったまま応じない。黙然と且元を見つめ、やがて口をひらき、

「ほかならぬ市正どののゆえ、茶であれ酒であれ、存分に御振舞申しあげたいのはやまやまながら」

と、いった。

「しかしながらいまから申次ぎつかまつる一事、御返答のお次第ではたがいに弓矢をとって戦場で見《まみ》えるという間柄になるかもしれず、それがために、まず最初に申し次ぐべきことを申し次がねばなりませぬ」

——え?

と、且元ははじめて勝重の態度に気づいた。心ノ臓がふくらんでは血を弾《はじ》いているのが、胸の薄皮でわかった。且元はおちつきを示すために扇子をパチリとひらき、

「さあ、お申しくだされよ」

といったが、また閉じた。

「駿府《すんぷ》の大御所さまは、たいそうご不興におわす」

板倉勝重は、それだけをいった。且元はおどろき、家康不興のわけをきこうとしたが、勝重は利口にもそれだけしか言わず、あとは且元の想像にまかせた。且元は当然ながらいらだち、

「ハテ、期日。期日のことでござるな？　さてさて期日のことならば大坂の頑執《がんしつ》、まことにお怒りはごもっともであり、すぐ関東のおさしずどおりに致してもよろしゅうござるが」

というと、勝重ははじめて顔色をやわらげ、気の毒そうに、

「それが、期日どころではない。大仏供養も堂供養もなにもかも一切合財《いっさいがっさい》」

「はて、一切合財」

「とりやめよ、と申されてきている」

「えっ」

且元は、息をとめた。

「い、いったい、なにが理由で」

「ということは、わかりませぬ」

わかっているのだが、勝重はわざと濁している。そのほうが、打撃が大きい。第一撃は正体不明のままで与えようということを、家康の謀臣本多正純《まさずみ》や天海や崇伝などが寄りあって計算し、その役を板倉勝重にやらせたのである。

且元は、勝重に懇願した。理由をきかねば詫《わ》びも入れられず、対策もたてられないではないか。が、勝重は手前は存じませぬとかぶりをふりつづけるばかりであったが、やがてふと、

「伝《でん》長老か、天海どのにきかれればあるいはわかるかもしれませぬ」

と、洩《も》らした。勝重にとっては筋書どおりの演技である。

且元はいそぎ帰館し、駿府にいる天海へむけて早馬を仕立てた。三日で着いた。折りかえし天海の返事が京にとどいたのは、七月二十九日朝である。往便復便とも、記録的なはやさであった。

「京洛ノ上下、震駭《しんがい》ス」

と、記録にある。それほど、天海の発したこの書状の内容はすさまじかった。

「大御所さまはこのところ常以上にご機嫌がよろしかったが、このたび鐘銘の文章を一覧されるにおよび、お気色《けしき》かわり、激怒あそばされ」

と、手紙はながながとつづくが、要するに家康の命令として、上棟《じょうとう》、開眼、堂供養

のいっさいについての無期延期を命ずる、というものであり、しかもこの手紙の末尾に、

「無期延期ときまった以上は、これに関し急ぎ会う必要もありません」

と、暗に断交にちかい口吻《こうふん》を洩らしているのは、異常であった。

且元は、大坂びいきの醍醐《だいご》三宝院の義演《ぎえん》などにこの異変到来の急を報ずるとともに、いそぎ大坂にくだった。

日とともに京のさわぎが大きくなった。供養の準備のために京へのぼっていた高野山の僧たちは風に吹かれた塵《ちり》のように京から退散してしまったし、町々にはもっと深刻なうわさささえ流れた。

——いくさか。

と、いうのである。家康が大坂城を襲うだろうというもので、このころ上方にきていた南蛮の宣教師の耳にさえそれが入り、不安にみちた文章で記録されている。

大坂城にもどった且元は、すぐ淀殿と秀頼に拝謁《はいえつ》してこのことを申しあげた。

このとき、秀頼はかれにとってきわめて稀有《けう》なことに、かれみずからが口をひらいて且元に質問した。

「駿府どのが激怒々々というが、いったい棟札《むねふだ》やら鐘銘のどこがどうわるいと申しているのか」

もっともなことであった。

且元にも、じつはそれがわからないのである。しかしそのなぞが解けるまで日をすごしていては、事態をいっそう悪化させる。とりあえず、「延期せよ」という家康の指図を謹んでうけねばならない。そのための書信を早く発せねばならない、というのが、且元の焦慮であった。

「修理《しゅり》どの、どうおもわれる」

と、且元はかたわらの大野修理にきいた。修理は小さく一笑してから、

「駿府の老人は戦《いく》さがしたいのでござろう」

と、いった。且元ははげしくかぶりをふり、これは挑戦状ではない、素直に詫びを入れればゆるされるのだ、というと、修理は、

「なぜ詫びねばならぬ。理由もわからずに詫びられますか。さらには御当家は家康の主人である。主人が家来に頭をたたかれ、それに対してわけもきかずに詫びて許しを乞《こ》うという話が、どの世界にありましょう」

といったが、且元はそれを何度も扇子でおさえつつ淀殿と秀頼のほうへむきなおり、

この件はこの市正にまかせてほしいという旨《むね》のことをいった。淀殿としては、まかせるしか仕方がなかった。大坂と関東との伝声管を且元ひとりがにぎっているからである。

「バケバケだまし合い」

というつもりで片桐且元はいたのであろう。かれはすぐ駿府へ急飛脚をたて、延引の旨承知つかまつりました、という返事をした。ここは化けて下手に出るほうがいい。修理のように売り言葉買い言葉で立ちあがってしまえば、あとは戦争しかないのである。

ところがそれとは入れちがいに、金地院崇伝と本多正純の二人から、且元あて詰問《きつもん》状がきた。

「大坂のしわざ、ゆるせぬ」

というのである。ここでも棟札の文章と鐘銘の文章を非難しているが、しかし具体的にどうとは書いてない。ただ起草者の清韓については、当代かくれもない学僧であり、文章家であるのに、

「コノタビノ銘、無案内ノ田舎衆ニ申シツケラレ」

と、清韓を物知らずの田舎者のようにねじまげて表現しているのは、関東のこれに

ついての魂胆の尋常なさがうかがわれてすさまじい。

文中、一行、

「御諱《おんいみな》ナド書キ入レ」

というくだりがある。御諱とは、徳川家康の「家康」というのがそれである。（なにかのまちがいではないか、家康という諱など、鐘銘に書き入れてはいないが）と、且元はこの期《ご》になってもなお「国家安康」の四文字に関東方が絡《から》んできているとは気づかなかった。「市正ハ智謀ウスキモノニアラズ」と山本豊久がいうように、且元はべつにあほうではなかったが、関東のほうが芸がこまかすぎたのである。

関東の芸のこまかさは、この崇伝・正純連名の書信の末尾にもよくあらわれている。

「鐘ノ銘ノ善悪ハ、五山衆ヘモ見セニ遣《つか》ワサレ候《そうろう》」

と、ある。京都五山（南禅、相国、天竜、東福、大徳の五ヵ寺）の学問僧たちにそのコピーをくばってあり、かれらによってその善悪を審判させる、というのである。それによって「諱を犯された」という家康のごく個人的な不快を、五山衆という日本の代表的知識人グループに確認させ、かれらの手で世間に発表させ、論告させるという手を用いようとしている。

五山衆は、家康の都合のいいように非難論告するであろう。そのためにおこなった入念な事前工作については、すでに触れた。

が、且元はそういう事情もいきさつも知らず、供養《くよう》を無期延期してひたすらに詫《わ》びれば事が済むとおもっていた。この時期の片桐且元は、天使のようにあどけない。

問責使

いわゆる鐘銘事件は、大坂の城も町もひとしくふるえあがらせた。

——天下之《てんかの》サワギ。

と、いちはやく奈良の東大寺の雑記事にも、この騒然たる世情が記録された。

小幡勘兵衛《おばたかんべえ》が二ノ丸の大樟《おおくす》の下をあるいていたとき、むこう糒蔵《ほしいぐら》のあたりから齢《とし》のころ四十ばかりの女が黒髪をなびかせて駈《か》けてきたのを見た。いくさのうわさで、気がおかしくなったらしい。勘兵衛と衝突しそうになって立ちどまったが、勘兵衛が敵の武者とおもったのか、のけぞって叫び、もと来たほうへ駈け去った。

——本丸御殿の台所女《みずしめ》が二人、狂うたらしい。

とあとできいたから、あるいはそのうちの一人かもしれない。そこは女の多い城であり、女どもは、いくさという言葉をきくだけでも、血の滝が轟々とながれだすような戦慄《せんりつ》を感ずるようであった。

「おそろしや」

と、淀殿《よどどの》までもつぶやかれたということを、お夏が大野屋敷にもどってきて、勘兵衛につたえた。

「淀殿までも?」

と、勘兵衛はちょっとおどろいた。淀殿は関東に対するぬきがたい優越感のもちぬしであるうえに、つねに強気で押しとおしてきた。強気とは、いざ決戦ともなればかならず勝つという自信から出るのが本来のものだが、淀殿のばあいはちがっていたらしい。勘兵衛は笑い、

「この期《ご》におよんでうろたえるなど、お袋さまもたよりにならぬお人だ」

というと、お夏は淀殿の家来だけにむっとして、

「お口が過ぎます」

と、歯で糸を切るような表情をした。

お夏にいわせると、お袋さまの強気は正義から出たものだという。秀頼《ひでより》は家康の主人である、主人が家来におべっかをしてよいものかどうか。また家来たる家康が、ま

るで秀頼をないがしろにするのを、豊臣家として黙視してよいものかどうか。淀殿のもつこの正義の思いが、つねに関東に対して高い姿勢を彼女にとらせてきたのだ、とお夏はいった。

「お袋さまは、まちがっておられる。正義というのは、武装があってはじめてまもれるものだ」

「いいえ、ちがうのです」

と、お夏がいった。お夏のいうには、お袋さまは秀頼様を、公卿《くぎょう》として育てられた。武家としての作法は学ばせられなかった。秀頼様は馬も弓も学ばれず、歌学の師匠は京からよぶが、軍略の師匠といった類《たぐ》いの者は、この大坂城の御殿にのぼったためしがない。秀頼様は武家にあらず公卿なのだ、とお夏はいう。

父の秀吉は、朝廷に乞《こ》い、朝臣の姓である源平藤橘《げんぺいとうきつ》のほかに豊臣という姓を創設させてもらった。豊臣とは公卿の姓なのである。げんに父の秀吉は公卿最高の関白の位にまでのぼり、子の秀頼もおさないころから官位をもち、累進《るいしん》して右大臣にのぼり、いまは前《さきの》右大臣である、とお夏はいった。

――要するに。

というふうに、お夏は言葉を呑《の》み、やがていった。天子や公卿は武力を持たれない、武力を持たれなかったが千年の平安をつづけられた、むしろその平安は武力がなかったればこそであったろう、といった。さらにお夏は、だから豊臣家も藤原家（近衛《このえ》、鷹司《たかつかさ》、三条など）のように公卿として生きるためにお袋さまは秀頼様をそのように育てられたのです、と繰りかえしいった。

（なるほど、そうもあったか）

と、これは小幡勘兵衛にとってあたらしい発見であった。世間のたれもが、秀吉没後の豊臣家が火の消えたように武威を弱めたことについて不思議がっているが、それが意外にも淀殿の方針で、公卿の弱さをもつことこそ豊臣家を永続させる道だと淀殿は信じているという。そのようにお夏はいうのである。

「では、淀殿もまんざらあほうでもないのだな」

「ま、あほうなどと」

お夏は、顔色を変えた。怒ったのだろう。勘兵衛はそれにはかまわず、

「が、やはりあほうかもしれぬ」

と、おっかぶせた。

「公卿になるならなるで、なりきらねばかえって害が及ぶことを知らぬらしい。京の公卿は近衛家や鷹司家でも、せいぜい千石、二千石だ。城ももたず、家来も数人で、

鉄砲の一挺《ちょう》ももっていない。秀頼公が公卿に徹せられるというなら、この城を空け、家来を召し放ち、六十余万石をすてて京へのぼり、御所の塀のそとに小屋敷をつくって住まわれるしかない。なまじい城を持ち、櫓《やぐら》をあげ、濠《ほり》をめぐらし、太閤《たいこう》以来の七手組の組衆をひきいて大坂に蟠踞《ばんきょ》しているから、関東もおどしをかけてくる。中途半《はん》端《ぱ》が結局は家をほろぼす道だ」

この時期、勘兵衛はそんなことをいっていたが、そういうかれにもこんどの鐘銘事件は、それが今後どう発展するのか、ちょっと予測がつかなかった。

片桐且元《かたぎりかつもと》は、楽観していた。

「世間は騒ぎすぎまするようで」

と、且元は事件の直後、淀殿の御前へ出て、何度もご安心あれと繰りかえした。自分が駿府《すんぷ》へ参上して申しひらきつかまつれば家康の疑念はたちどころに氷解いたしまする、と、いうのである。

「はて。——」

と、御前に対《むか》いあっている大野修理《しゅり》は、露骨にくびをひねってみせた。市正《いちのかみ》どのが駿府へ行っただけで家康が機嫌をなおすかどうか。

「駿府のあの老人は、ただひたすら戦《いく》さの口実をもとめている。鐘銘のことは単に言いがかりで、要するに戦さをはじめたいのだ」

という意味のことを、大野修理は丁寧なことばでいった。だから陳謝も必要だがいそいで武力を充実させておかねば、家康はどこまでつけ入ってくるかわからない、というのが、修理の持論であった。

「武力？　牢人《ろうにん》を召しかかえることか」

且元は、修理を見すえ、不機嫌そうにいった。且元には憤懣《ふんまん》がある。ちかごろ修理が且元にもはからず、名ある牢人にわたりをつけ、事あるときは豊臣家のために働いてくれるようあれこれと手をうっているらしい、ということを聞いている。

「申しておくが」

と、且元はいった。

「牢人を召しかかえていることがもし関東にきこえれば、お家のためにどのように不《ふ》為《ため》なことが出来《しゅったい》するか、はかり知れぬ。無用の火遊びは即刻やめられよ」

「これはしたり、無用の火遊びとは。——」

と、修理が抗弁しようとしたが、且元は視線をはずして無視し、淀殿にむかい、一礼してから、時間《とき》が惜しゅうございまする、それがし、いまこの御前から駿府へ発《た》ちます、と言い、さっさと退出した。

それをみて淀殿が腰をうかし、

「大蔵卿、大蔵卿」

と、かたわらの老尼《ろうに》にむかい、且元をお城の京橋御門まで見送ってあげるように、さあ早う追え、といった。淀殿にすれば戦さが回避できるものならどのようなことでもしたい、この場合、且元の弁明をひとすじに頼っており、且元の機嫌を損ずることをおそれた。


且元は、道中をいそいだ。

かれが出発したのは、八月十三日であり、十七日には宇都谷越《うつのやごえ》をこえて駿河《するが》の丸子《まりこ》（鞠子）に入った。家康のいる駿府までざっと六キロである。

礼儀としてそこから家康の側近の本多正純《まさずみ》まで使いを発し、駿府入りのゆるしを受けなければならない。且元は、そのようにした。やがて、

――どうぞ。

という旨《むね》の返事が正純からとどいたため、且元はこの交渉、幸先《さいさき》はいいとおもった。

二十日に駿府に入った。駿府の城下には、小さいながらも且元は自分の屋敷をもっている。この点、且元は豊臣家の家老でありながら同時に家康の大名でもあるかのような両属の形態をとっていた。

――すぐ登城して大御所さまに謁《えつ》をたまわりたい。

という旨を本多正純まで申し入れた。ところが正純から使いがやってきて、

「それはならぬとの仰《おお》せ」

と、意外な返答をしてきた。

「ならぬとは？」

且元は、おどろいた。

「拝謁まかりならぬということでござる」

「これはしたり。丸子から御意をうかがったときは、すぐにも駿府へ参れという仰せではござらなんだか」

且元は泣くようにして訴えたが、使者の態度は冷やかで、それだけの口上をのべると、辞去してしまった。

一方、家康は、城下での且元の様子を本多正純から逐一きいて知っている。

「焦《じ》らせておけ」

家康は、それだけをいった。自分がいかに鐘銘の一件について激怒しているかということを大坂だけでなく満天下に知らせるだけの演技をこの場合演ずることが必要であった。

ただ、これについての問責使を家康は且元のもとに派遣した。例によってこの役は、金地院崇伝と本多正純のふたりである。

「市正には気の毒であるが、このさい犠牲《にえ》になってもらわねばならない」

と崇伝と正純はこもごも語り、連れだって且元の屋敷をおとずれたのは、二十一日の朝である。

——邸中驚走す。

と、片桐側の記録にある。このふたりの要人の不意の訪問が、いかに片桐屋敷をさわがせたかがわかる。

両人はするすると書院に通り、上座にすわって且元を見おろし、しばらく沈黙していたが、やがて崇伝が口をひらいた。

「大御所さま、ご立腹ただならず」

と言い、わざと次の言葉はいわず、舌をなめずるようにして且元の反応を待った。

待つまでもなく、且元は正直に反応してしまった。顔から血の気がひき、両手を畳

につい た。大御所という神聖な敬称が出たからであった。

その様子をみて崇伝は薄笑いをうかべていたというが、弱者をいじめるときの快感というのは、崇伝だけでなく近代以前の人間の共通のものであった。

「よろしいか」

と、崇伝が念を押してから言ったのは二カ条のことである。まずひとつは大仏の棟札の形式を先例に違《たが》えた件、さらにひとつは梵鐘《ぼんしょう》の鐘銘の一件であった。

この二件については且元はすでに知っている。その申しひらきの内容も用意してきていた。かれは大いに弁疏《べんそ》した。

崇伝はそれに対し聞いているのかどうか、目をつぶり、あごをあげ、うなずきもせずじっとしている。本多正純にいたっては、そっぽをむいて庭のほうに視線をただよわせていた。人をいじめる場合のこの露骨さも、この時代の人間の感情の習俗のひとつであった。

「もうし。――」

と、且元が、たまりかね、つい声を荒らげて両人の注意を喚起しようとしたくらいであった。崇伝はまぶたを上げ、

――きいております。

と、小さな、落ちついた声でいった。

旦元がやっと申しひらくべき言葉のすべてを喋《しゃべ》りおわったとき、

「それだけでござるか」

と、崇伝は念を押した。旦元が「いかにも以上のとおりにて」と言うと、崇伝はうなずき、ひざをなおして、

「いま一件。――」

と、声を高くした。

「聞かれよ、いま駿府にあっては大坂ご謀叛《むほん》のうわさが高い。待った、ご弁明はご無用なり、その証拠には昨今しきりに牢人を招募しておられるということ、このことについては如何《いか》な市正どのでもご弁解はなりますまい」

――そ、それは。

と、旦元はわれになくしどろもどろになったのは、この件につき弁明の言葉を用意して来なかったのである。旦元は、虚を衝《つ》かれた。

もともと旦元にあっては牢人召しかかえの一件を多少気にはしていた。げんにかれは淀殿に一応の諷諫《ふうかん》をした。しかしかれ自身これについては一面たいしたことでもないとおもっている。どの大名でも自家の武勇の水準を上げ、あるいはおとさぬために

よき牢人とみれば手をつくして招致しようとするのは当然のことで、ましてかつては天下の武権の卸し元であった豊臣家が、有能の士をまねいて武威をおとろえさせまいとするのは当然なことであった。且元はそう言おうとした。しかし不意であったためにうまく言葉が出てこない。

徳川方にすれば、これがわなであった。昨夜、家康の寝所で崇伝と正純が謀議したとき、右の二箇条だけを問責すれば且元は答弁をすでに用意しているにちがいない、二箇条に加えるにあらたな一問を設け、且元の不意を衝き、弁解の余地なからしめようと工夫した。

「よかろう」

家康は、いかにも福々しげに微笑《わら》い、その案を採択した。

且元は、苦しげな表情でうつむいている。なにか言おうとしていた。が、崇伝は言わせずおっかぶせるように、

「大坂は合戦の用意をなされている、とみてよろしゅうござるな」

と、いった。

冗談ではなかった。且元は、関東こそ合戦の用意をなされておる、と叫びあげたい思いを、かろうじてこらえている。その証拠を且元はいくつも挙げることができた。

まず、英国商人ウィリアム・コックスが、徳川家と豊臣家の両方に鉛を売ろうとしたことがある。鉛はこのころ最も重要な軍需品で、銃弾の弾体になる。この商談をもちかけてきたのは、この五月のはじめであった。且元はおどろき、即座にことわった。ところが家康はそれを言い値で大量に買いあげてしまったということを、且元はコックスからきいて知っていた。家康のほうこそ戦争を準備しているのではないか、と且元はできればわめきあげたかったが、しかしそれを言うことは、且元自身の自滅になる。且元は、この世のなかでたれよりも家康からきらわれてはならない男だった。且元は、無言でいた。

（それにしても大御所の真意はどこにあるのか。まさかこの且元を責めておられるのではないであろう。となれば牢人の一件、へたな弁明はできない。弁明すれば、この且元もその一味かとうたがわれる）

そういう配慮が、且元を無言にしている。

「いかに。――」

と、本多正純が返答をせまった。

且元はついに言わざるをえない。牢人招致の件は事実でござる、しかし自分の関知せざるところにて、これは奸臣《かんしん》がその一存にて勝手に、とまで言うと、正純が、

「その奸臣なる者は？」

と反問したが、むろん想像はつく。且元に政敵がいることは駿府の者はたれでも知っている。大野修理亮治長《しゅりのすけはるなが》であった。

「名は申されませぬ」

「修理でござるな？」

と、正純はいった。且元は、無言でうなずいた。

「とすると、修理が戦さ支度をはじめているということに相成りますな」

正純は、誘導した。

且元はたまりかね、これ以上は大御所さまに謁を賜わり、その上にていろいろ申しあげとうござる、このこと頼み入り候《そうろう》、なにとぞご両所にあって、それがしに拝謁がかないますようおとりなししてくだされ、これこのように頼み入ります――と、且元は何度も頭を低くした。

「では、できるだけのことを」

と、さすがに崇伝も気の毒におもったのか、そう答えた。

翌日から且元は屋敷で報《しら》せを待った。待ちつづけて十日以上も待ったが、しかし駿府城からどういう返事ももどって来なかった。

大坂の使者

淀殿《よどどの》とその側近は、いらだった。

「市正《いちのかみ》から便りがあったか。駿府《すんぷ》でいったいなにをしていやる」

と、淀殿が毎日のようにつぶやいたのは、且元《かつもと》が駿府の家康のもとに行ったきり、なんの報告もしてこなかったためであった。淀殿がこのときほど片桐《かたぎり》且元という老人を頼りにおもいつづけたことはない。恐怖があった。喚《わめ》きだしたいほどの恐怖であった。淀殿は家康が本気で鐘銘の一件に立腹していると信じていた。家康が激怒のあまり、戦争をしかけてくるとおもっていた。家康の怒りを解かなければならない。それには且元であった。且元は家康の気に入りであった。且元だけがこの火を小さいうちに消しとめてくれると期待した。が、不安である。

——いくさがこわい。

というのは、淀殿のどうにもならない感情であった。淀殿は少女のころから城主の家族として二度も落城を経験した。それは地獄というようななまやさしいものではない。最初のときには城が燃え、実父が自殺をし、首になり、そのどくろはうるしで加工され、酒器になった。無数のひとびとが城の柱や床を血で染めあげて死に、まださなかった弟が敵の手にとらえられ、串刺《くしざ》しにされた。二度目の落城のときは義父と実母が、本丸にみずから火薬を仕掛け、城を焼いてその火のなかで死んだ。というような、それほどまでにおそろしい経験を思春期までにさせられた女性など、どの国にいるだろうか。少女のころからこの齢《とし》になるまで、淀殿が夢でうなされるのは、いつも城が落ちる夢であった。火のなかで逃げ場をうしない、敵の者がするどい鉾《ほこ》をかざして追ってくる。淀殿はいまでも月に一度は寝床で叫び声をあげ、隣室で寝ている乳母の大蔵卿局《おおくらきょうのつぼね》によっておこされ、介抱された。昼間でも、ときにそうであった。宿直《とのい》の侍女などがついうかつに戦《いく》さの話をしたりすると、隣室できいていても、癇《かん》が突きあげてきて、

「もう、やめや」

と、裂くような声で叫ぶのである。このため、側近の者は淀殿に聞えるような場所でいくさの話をする者はない。

恐怖が、淀殿の性格の一部をつくってしまっているといっていいであろう。同時に彼女のこの恐怖が、豊臣家の政治の大部分をつくりあげているといってもよかった。

淀殿が秀頼《ひでより》の名で巨財を散じ、津々浦々の神社仏閣の修理をし、ついには京の大仏殿まで再建《さいこん》したというのは、ひとえに戦さというこのおそるべき禍事《まがごと》が到来せぬよう、それを神仏の超自然力で封じこんでもらうためであった。この時代は、平安期ではない。戦国期を経て世間のひとびとに合理主義が自然とそだち、神仏など人の吉凶になんの役にも立たぬことを、この時代の大部分の人が知っている。それがこの時代の特徴の一つでもあった。淀殿も当世人である以上、そうであるべきであったが、彼女だけがこの点、ひとり中世人でいる。あるいは中世人でさえ神仏に対し豊臣家がやったほどの浪費をしなかったといえるほど、それほどの大浪費を彼女がやったのは、戦争への恐怖が、もはや彼女の精神体質の髄の芯《しん》にまで食い入っていたとしかおもえない。

家康の激怒――家康にとっては擬装だが――が、淀殿をふるえあがらせたのは、この体質化された彼女の精神の病的な反応であった。

「いかに申しあげても、おきき入れがない」

というのは、この時期、大野修理《しゅり》が淀殿について小幡勘兵衛《おばたかんべえ》にいったことばであった。修理は、家康の激怒は政治的激怒にすぎない、と淀殿にいった。

「あの駿府の老人のいうことは、豊臣家が自分を呪《のろ》い殺そうとしている、ということだそうでございますが、そもそもあの老人はかつて祈禱《きとう》をしたことがありましょうか」

と、修理はいった。家康は加持や祈禱、呪詛《じゆそ》といったたぐいの迷信をかつて信じたことのない男ではありませんか、というのである。修理のいうように、家康はそういうたぐいのものを信じなかった。秀吉でさえその晩年、その生母の大政所《おおまんどころ》が病気になったときなど、宮中にたのんで勅命を出してもらい、諸社諸寺に祈禱をたのんだりした。家康にはそれがなかった。そういう、いわば超自然力の否定論者が、「自分を呪詛した、と言いがかりをつけて本気で怒りましょうか。これはかならず、怒ったという見せかけの、いわば化けておるのでございます」と、修理は淀殿に説明した。

ただ、修理はわざと結論だけは淀殿にいわなかった。修理の結論というのは、

――家康はどうしても戦さを仕掛けようとしております。国家安康などはその口実で、たとえこの申しひらきが立ってもまた他の口実を作りましょう。大坂としては道は一つしかありませぬ。戦いをいそぎ準備せねばならぬということです。

ということであった。しかしこのことは淀殿の前では言うをはばかられた。言えば、淀殿はどう恐怖し、どう反応するかわかったものではない。戦さ支度をせねばならぬとすれば、修理みずからがひそかにそれをしておかねばならない。

ともあれ、淀殿は焦慮した。

——市正ひとりでは心もとない。

と言いだし、女どもを彼女自身の弁明使として出そうと思い立ったのである。

「うばや、そなたは老いている。旅は気の毒でありますけれども」

といって、大蔵卿局に正使を命じた。

次いで副使は、

「正栄尼《しょうえいに》」

とよばれている渡辺内蔵助《くらのすけ》の母。宮内《くない》卿局とともに秀頼の乳母である。

ほかに阿茶《あちゃ》（家康の側室の阿茶局とは別人）やお夏などの若い侍女が随員にえらばれ、

——老いた者をたすけよ。

と、秀頼自身の口から命ぜられた。お夏は秀頼の前で平伏してその命をうけたが、顔をあげたときは秀頼は消えていた。秀頼はつねにそうであった。この場合、この事態を案じているらしいが、人に対しては、縁者同然のお夏に対してさえ、そういう挙措をするところがあった。

彼女らが大坂を発《た》ったのは、夏の終りの嵐の吹く日であった。淀川を曳《ひ》き船でのぼったが、船のなかまで雨が吹きこみ、幔幕《まんまく》はとばされ、衣装もなにもあったものではなく、みな蓑《みの》一つばかりをかぶり、その下で虫のように小さくなり、息をころしていた。このぶんでは幸先がわるいのではあるまいか、と正栄尼などはぶつぶつ言ったが、お夏は船ばたに端座し、吹き降りをまともに顔に受けながら、

「おばさま、お気の弱いことを」

と、声をはげました。

「この嵐を大凶だとすればこれほど右大臣さまにとってご運よきはありませぬ。大凶は運の底なるものと申すではございませぬか。これ以上は昇る一方、千日も嵐のつづいたためしがございませぬ」

お夏は、蓑もつけていない。用意された蓑が足りず、蓑一つではひざが濡《ぬ》れるため、祖母の大蔵卿局に自分のぶんまで貸してやったのである。

「お夏どのはまあ、お元気な」

正栄尼は蓑の下から目だけを出し、感心したようなばかにしたようなことをいった。

お夏はもう、水にもぐったように髪から下着まで濡れてしまっている。しかし平気だった。祖母の大蔵卿局は、

「この娘はね」

と、これも蓑の下からいった。

「おだてればあの曳き子でもしかねませんよ」

曳き子たちが、一人ずつ綱を背負い、土手道をすすんでいる。曳き唄《うた》がとぎれとぎれにきこえるが、どの曳き子も体を前へのめらせ、足をそろえ、嵐を胸で押しわけるようにしてすすんでゆく姿が、お夏にはなんともいえず好もしい。

「ほんとうですか、お夏どの」

正栄尼はからかった。お夏は、

「お疑いになるなら見せたげましょうか」

といって帯を解くしぐさをしたから、正栄尼のほうがあわてた。

「よろしゅうございますよ」

正栄尼は蓑から手をだしてお夏のすそをつかんだ。

尾張の宮（熱田）からは、お夏の駕籠《かご》が先行した。一日早く駿府に入ろうとしていた。先行の目的はまず片桐且元に会い、駿府の様子を知り、それを大蔵卿局らに報告することによって対策をたてるつもりであった。

——市正どのに余計なことをいうんじゃありませんよ。

と、出発のとき、祖母の大蔵卿局は念を押した。大蔵卿局は、お夏の気性をあやぶんでいる。嵐のなかで帯を解こうとするような突っ拍子もない調子で且元にものをいわれると、ただささえ淀殿側近と且元とのあいだに政治的対立があるといわれている(現にそうだが)おりから、紛糾したこの事態をいっそうにややこしくするばかりだった。

「申しておきますけど、あなたにお家の運命を決めてもらおうとはおもいませんからね。尾張からむこう、先打ちさせるのは、ただお使いをさせるだけのことです。そのお使いにえらんだのは、あなたが若くてお元気だからで、べつにあなたがお利口だからではありませんからね」

——いいですか。

とまで、大蔵卿局は念を押した。

お夏は、駿府に入った。

且元の屋敷へゆくと、且元はいた。お夏の顔をみておどろいた。

「なぜ、来られたのだ」

且元にとって、愉快ではなかった。さらにお夏が大蔵卿局ら一行が淀殿の使いとしていずれ到着しますというと、且元の顔にみるみる怒気があらわれた。

「余計なことだ」

と、声を荒らげ、はっきりいった。六十ちかい大の男がこのようにして駿府へやってきて、しかも家康の怒りは解けず、会ってもらえもせずに長逗留《ながとうりゅう》している。そこへ女どもがきてなにを掻《か》きまわそうとするのか。家康は決して会いはせぬ、といいたかった。

「早々、大坂へ戻られよ」

且元は、若いお夏に対してならものが言いやすい。お夏も、物怖《ものお》じしなかった。ひ

ざの上で、パチリと扇子をひらき、

「だって市正さまは、この駿府でなにをなさいました。ただこう、このように、蚊に

食われていらっしゃるだけではございませぬか」

「けしからぬことを」

且元は咳《せ》きこむような調子でいったが、しかしこんな若い娘を相手に声を荒らげて

もしかたがないとおもったか、

「短慮では、いかぬのだ」

と、肩を落していった。ただ待つ。待つうちに大御所さまのご機嫌もなおるであろ

うとおもい、気をながくしてこのように待っている、と且元は言い、駿府にきてから

おこったさまざまのことを話した。

「では鐘銘の件は」

「鐘銘はとおりこしている。大御所さまが本多上野《こうずけ》（正純）と伝《でん》長老（崇伝）の口を通してお叱《しか》りになっているのは、大坂が牢人《ろうにん》をよびあつめているという一件だ」

「牢人。小幡勘兵衛どののことですか」

といってから、お夏はわれながらそそっかしいことをいったと思った。勘兵衛もなるほど牢人だが、天下の家康が、たかが勘兵衛の存在で激怒しているのではあるまい。

「小幡勘兵衛？　そりゃ何者か」

と且元ですら覚えがないらしい。

「いいえ、なんでもございませぬ」

「とにかく、そなたのおじ御の大野修理がよろしくない。淀殿にも申しあげず、拙者にもだまって、ひそかにもとの国持城持牢人に話を通じているらしい」

国持城持といえば、要するに大名級の牢人ということではないか。

「それは初耳でございます」

お夏は、あきれた。このことばにうそはなかった。しかしもし本当なら、おじの修理はなんと魅力的な行動をはじめたことであろう。

「本当でございますか」

「念におよばん。わしはうそをつかぬ」

「市正さまは、どなたからそれを聞かれましたか」

「上野どのだ」

「こうずけどのと申さば」

「い、い、い」

お夏は気色《けしき》ばんだ。

「大御所さまの御側衆《おそば》ではございませぬか。駿府にいて、なぜそのようなことがわかるのでございましょう」

「大坂には諜者《ちょうじゃ》がいる」

「諜者」

「あっはははは。お夏どののまわりにもおるかもしれぬぞ」

と、且元は、お夏のすそに目をやった。お夏はあわててすそをなおし、
と、いった。

「その諜者が」

「その諜者がそのことを駿府へ知らせて、それが市正様のお耳に入ったわけでございますね」

「まあ、左様だ」

「頼りないご家老でございますこと」

お夏は切るように言い、且元を見すえた。且元は豊臣家の家老ではないか、であるのに敵方の諜者がさぐったことを敵方からきいてその事実を信じている。且元はいったいどちらの人間であるのか？

「お夏どの、口が過ぎまいか」

且元は、わざとひざを崩した。もう帰れという意味であった。

「男なら、いまの言葉ひとつでお夏どのの命はなかった」

と、立とうとするお夏へ且元はいった。お夏は、くすっと笑った。

且元は玄関まで送って出たが、やがてひっかえし、手紙を書き、使いを本多正純のもとへ走らせた。手紙の内容は、お夏という右大臣家女中がきた、用件はこれこれであった、ということであった。

しらせておかないと、あとで且元は家康からどのように疑われるかわからない。

お夏は、丸子ノ宿《しゅく》までひっかえした。そこまで大蔵卿局らがきていた。

お夏は、復命した。

「市正どのの申されるには、とてものこと家康どのの御機嫌が悪しく、万々対面《あ》をゆるされることはない、ということでした」

というのが、報告の結論だった。


一行は、駿府城下に入った。

城下の七間《しちけん》町に、大野治純《はるずみ》という者が住んでいる。大蔵卿局の第二子で、家康への人質という意味もあって、駿府城下に屋敷をもち住んでいる。そこで旅装を解いた。

さて、家康に対し、たれを申次ぎ人にして意思を通ずるかであった。むろん、側近の本多正純は無視できない。これへは用意の音物《いんもつ》を贈った。

さらに家康に対して大きな申次ぎの力をもつ者は、側室筆頭の阿茶局であった。阿茶は、家康にとってはじめのうちは単に側室であったが、のちその才質を家康は賞《め》で、正室のいない家康のために内々《うちうち》の家政をとりしきるようになり、さらには秘書役といった存在になった。その権勢はある意味では本多正純をしのぐかもしれず、徳川家の譜代大名ですら、家康へとりなしをたのむときは、この阿茶を通ずることが多かった。

「女は女同士といいますから」

と、大蔵卿局は、この阿茶の存在を大きく評価し、これにおびただしい音物を贈った。

すべての手を打ったあと、一行は大野治純屋敷から出、城下の旅籠《はたご》に移った。そこで返事を待った。

意外にも——すくなくとも片桐且元にとっては——訝《こだま》するような早さで、家康の意思がつたえられた。それも、

「懐《なつ》かしや、早うお顔がみたい」

という、機嫌のわるいはずの家康が、なにやら浮きたっているようないい返事である。これには、お夏もおどろいた。

「且元どのの申されること、すこし奇怪ではあるまいか」

と、大蔵卿局が且元の心事について深刻な疑惑をもったのは、このときからであった。

妖《よう》怪《かい》

家康が一個の政治的妖怪であったことは、大蔵卿局《おおくらきょうのつぼね》らに対し、

——城へ参られよ。いかにも久しぶりのことであり、よろこんでお会いする。

という旨《むね》の意思を、彼女らの宿へつたえてきたことである。使者がもどってから、

「不審《おか》しゅうございますね」

と、若いお夏がまずいった。家康は機嫌がわるいというではないか。片桐且元がそのことを口をきわめて彼女らにいった。であるのに家康のこの浮きうきした調子はどうであろう。

「たしかにおかしい」

大蔵卿局も、正栄尼《しょうえいに》もいった。正栄尼が、まず且元をうたがった。

「市正《いちのかみ》どのは、大坂の家老ではなくまるで関東に随身しているような。たとえば家康どのの機嫌がわるいとなると、針の落ちたほどの音でも、洪鐘《おおがね》の音のように大きくして、大坂をおどそうとなさるようじゃ」

正栄尼も、且元ぎらいである。そのあと、あれこれと且元の悪口が出た。

「しかしわかりませぬぞえ」

と、大蔵卿局が最後にいった。

「いまここで家康どののご機嫌がよさそうだなどとは早合点かもしれませぬ。まずお城にのぼってお会いしたうえでなければ、どういうお肚《はら》であられるか、わかりませ

ぬ」

それも、もっともであった。家康の顔を見、声をきけばすぐわかることであった。なにはともあれ、且元のばあいは「大御所ご勘気」ということで会えなかったのに、大蔵卿局らがすらすらと拝謁《はいえつ》をゆるされたことだけは、雨雲のあいだから青天がのぞいたようなおもいが各々《めいめい》にした。

宿で、大蔵卿局は、すでに用意してきた鐘銘事件などについての申しひらきの口上を懸命に稽古《けいこ》した。この口上の出来不出来が大坂の運命にかかわってくるとおもえば、その稽古も懸命ならざるをえない。口上には、漢文が入っていた。問題の鐘銘が漢文であり、その解釈問題である以上、いわば外国語の字義の問題が入っている。漢文のできない大蔵卿局は、あたまから諳誦《あんしょう》してしまった。正栄尼も同様で、ちょうど寺の小僧がお経をおぼえるように、鵜《う》のみでおぼえこんだ。道中も、乗物のなかでとなえつづけた。

二女……未《いま》ダ知ラザル漢字ノ訓釈ヲニワカニ習イ、道スガラ諳《そら》ンジテ下向。

と、「三川記《さんせんき》」にある。

彼女らは、登城した。

本丸御殿の玄関へ入ると、お夏といまひとりの随員は、別の控えノ間に入った。家康に拝謁するのは、正使大蔵卿局と副使正栄尼だけであった。

大広間へ案内された。右手の杉戸のむこうの庭には、大きな関東槙《まき》が陽をあびている。松は存外貧弱で、まださほどの老木ではないらしい。石組の石は三河のものらしく、もしそれに意味があるとすれば、家康が三河のむかしをしのぶためのものであるのかもしれない。

人が入ってきた。本多上野介正純《こうずけのすけまさずみ》、僧天海、僧崇伝、儒者林道春という、例の四人である。あと十人ばかり、大蔵卿局にとって名も顔も知らぬ侍がひかえている。

上段ノ間の御簾《みす》が、かすかにゆれている。風がある。庭から吹いている。正栄尼のびんのあたりに、汗が光っていた。

「正栄尼どの、お汗が」

と、大蔵卿局が注意をした。いかに老いていても婦人が汗をみせてはならぬというのはこの時代のたしなみであった。

正栄尼が懐紙をとりだし、びんにあてようとしたとき、家康が上段にあらわれた。

正栄尼はあわてて懐紙をしまい、頭をさげた。

大蔵卿局があいさつを申しあげると、家康はにこにこ笑って、

「これはこれは。久しいことでござるな。いつもながらお若くみずみずしゅう、華やぎたるご様子、重畳しごくでござる」

といったから、大蔵卿局は年甲斐《としがい》もなくしわののびる思いがしたのは、奇妙なほどであった。家康は心得ていた。婦人には、いくつになってもその容色をほめるがいいという才覚をかれはどこで身につけたのであろう。

「そこは声がとどきにくい」

近う参られよ、近う参られて直々《じきじき》にお声をお聞かせくだされよ、さあ、と手をあげてさしまねいたから、よほどの厚遇であった。駿府《すんぷ》城にきた客で、これほどの待遇をうけた者はいないのではないか。

「右大臣家ならびにお袋さま」

と、家康はいった。ご息災におわすか、右大臣家はいちだんと頼もしげになられたであろう、お風邪などはひかれぬか、とひどく多弁なのである。

「はいはい」

と、大蔵卿局は、答えるのにいそがしかった。どうも、予想とは勝手がちがうようであった。

「媼《うば》どのは惜しいことをなされたぞ、数日前にくだって来たならば、よい能があったものを」

と、家康はいう。この二十六日に、駿府城内で家康は能を観《み》たのである。家康はその話をした。能は「呉服《くれは》」「経政《つねまさ》」「仏原《ほとけのはら》」「猩々《しょうじょう》」それに「大仏供養《くよう》」である。

(大仏供養。——)

と、大蔵卿局は心ノ臓の凍る思いがしたがよく考えてみると、なんでもない。源頼朝の大仏供養に取材した能で、こんどの秀頼《ひでより》の大仏供養となんのかかわりもない。

家康はあれこれの話をした。おもに思い出ばなしであった。

(——いつ、一件が出るか)

と、大蔵卿局は気が気でなくいるが、しかし家康の晴れやかな表情をみると、どうもあの天下を騒がした鐘銘事件というのは、家康がわすれてしまっているのか、それとももともと根も葉もなく、家康のまわりの連中だけが忠義だてにさわいでいるだけのことなのか、そのどちらかかもしれぬという思いがつよくなってくるのである。

(やはり、駿府へくだってよかった。世の中のことは、じかにきかねばわからぬものです)

と、大蔵卿局はつくづくおもった。

さらに家康は、意外なことをいった。

「お袋さまも、ご心痛であろう」

という。なにごとかと思い、大蔵卿局がきき耳を立てると、淀殿が秀頼の身の上を案じ、あれこれと気遣《きづこ》うておられることが痛ましく、

「それを思うと、お気の毒でならぬ」

とまで、家康はいった。巷説《こうせつ》では家康はおのれの子孫の安全をはかるために豊臣家を攻めほろぼすなどと取り沙汰《ざた》されているが、実際、このように家康に接し、その肉声をきくと、巷説とはまったくちがっていることに、大蔵卿局はおどろかざるをえない。

（たれが、このようなまちがいのもとをつくったのか）

と、腹が立ってくるほどであった。

話題が、片桐且元のことになった。むろん、家康からもちだした話題である。

このあたりが、家康が考えぬいた話題であった。

「市正をわたしは信頼している」

と、言いだしたのである。この言葉ほど、大きな政治的犯罪をうんだことばは古来ないであろう。同時に家康がいかにすぐれた謀略能力のもちぬしであったかは、この

ことばによっても知られることであった。家康は、この言葉を大蔵卿局らに吹きこんでおけば、さきざきどのように屈折してどのような効果をかせげるかを、十分計算しつくしていた。いわば時限地雷のようなものであった。

「山本日記」にも、

「家康公御智謀《ごちぼう》にて御雑談。日ごろ市正をもってのほか御懇志」

と、この間のことを書いている。

「市正は、豊臣家の内情をつねにくわしく話してくれる。心へだてなく話してくれるから、わしは市正のいうことなら、なんでも信ずるようにしている」

と、家康はいったのである。露骨にいえば、

——わしと且元は一ツ穴の貉《むじな》よ。

という意味であった。この一言で、豊臣家としては且元という男が信頼できぬということが、雷鳴のはためくような明快さであきらかになったわけである。大蔵卿局も正栄尼も、そうおもった。

（つねづね油断ならぬ男と思うていたら、案のじょう、関東に魂を売っていたか）

と、両女は同時におもった。家康の第一のねらいはそこにあった。大坂を攻めるには、あの巨城がある。軍事的攻撃が容易でない以上、まず城内に内紛をおこさせて真

っ二つに割る必要があった。家康は、碁のさきざきを読みとるようにして、まずこの一石を置いたのである。家康にとって、大坂城攻略が、この一言からはじまったといってよかった。

家康は、終始機嫌がよかった。

最後に、

「なにやら世間に取り沙汰するものがあるようだが、わしとしてはらちもないこととおもっている」

と、彼女らにとって雀躍《こおど》りしたいほどにうれしいことばで、この引見をしめくくった。正栄尼は、安堵《あんど》で顔じゅう汗だらけにした。鐘銘事件はもはや解決したのとおなじであった。

彼女らは、下城した。

宿にかえると、早々に報告書を書き、大坂で案じている淀殿に急報した。

「となった以上」

正栄尼はいった。

「市正どのがいままで申された一つ一つが、面妖でございまするな。牢人《ろうにん》をあつめていることなどに家康どのがご不興で、それを側近を通じて市正どのに問責なされたとのこと、あの市正のお言葉は、うそということに相成ります。うそとあらば、そのようなうそをつく市正どのの目的は、そもそも何でありましょう」

と、正栄尼はいう。

「いかがでございます」

「そうも申せるな」

大蔵卿局も口もとを苦くして、深刻な顔をした。且元が家康の走狗《そうく》であることは、きょう家康自身の口からきいてわかった。ついで且元がさもおそろしげにあることないこと、

「関東のご気色《けしきあ》悪しく」

と、豊臣家をおどしてくるのは、あれは家康の意向ではなく、どうやら姻戚《いんせき》の本多正純と結託し、勝手に事をつくり、豊臣家の内部での勢力をよりいっそうに大きくしようという心づもりであるらしい。

「あるいはそうかもしれぬ」

大蔵卿局は、つぶやいた。こういう疑惑をもつのは、彼女の婦人らしい心のせまさのせいではない。たとえ世間の事に経《ふ》りた智恵者がこの家康の謀略のなかで大蔵卿局の位置にいたとしても、そうおもうにちがいなかった。すでに家康は、政治のなかに

おける妖怪のしごとをはじめているのである。

家康は、親切であった。

彼女らに対し、

「せっかく駿府まで来られたのであるから、もうひと足江戸までくだり、将軍に拝謁なさってはどうか。わしのほうから使いも出しておこう」

とまでいってくれた。将軍といえば世界的常識からいえば皇帝のことである。現皇帝は、家康の子秀忠であった。その秀忠に対し、豊臣家の使いが行って機嫌をとっておくことも、豊臣家の安泰のためには必要なことであった。

大蔵卿局らは、よろこんだ。

そのようにし、江戸へゆき、秀忠に拝謁した。そこでも歓待をうけた。しかし淀殿が待ちわびていることでもあり、すぐ上方への帰路をいそいだ。

彼女らは、去った。

そのあと、家康は例の三人（本多正純、僧天海、僧崇伝。林道春は欠）をさしまねき、密々に謀議した。

謀略を一歩すすめた。

大蔵卿局らが去ったあと、例の二人が駿府城下の片桐屋敷にやってきて、且元に面会をもとめた。二人とは、崇伝と本多正純である。

（二人そろって、なにごとだろう）

と、廊下をわたりながら、且元はつい臆《おく》して足がすすまなくなる気持を、懸命にふりはらおうとした。つねにこの連中がきた。くるたびに豊臣家への難題をもちこんできて、そのつど大坂で騒動がもちあがっている。

（こんどは、なにをもち出そうとするのか）

書院では、すでにこの両人がすわっている。崇伝のごときは、口もとのしわを笑ませながら、無作法にもえりをくつろげて風を入れていた。

且元は、謹直な表情ですわり、深く頭をさげた。いっそ、おがみたいくらいであった。疫病《やくびょう》の神なら神主にたのんで祓《はら》いもできるが、なまの人間でその種のしごとをしている人間ほどやっかいなことはない。

あいさつがおわり、崇伝が切りだした。

「大御所さまのご意向よ」

と、この禅僧はときにくだけてみせて、妙に狎《な》れなれしくいう。

「鐘銘のこと、牢人招募のこと、いちいち指を折ればかぞえきれぬほどに大坂は事が多い。まるで悪謀の府だ、とそうおおせある」

「悪謀というのは、少々。……」

「言葉が過ぎるか。しかし悪謀よ。市正どのはご存じないようだが、大野修理《しゅり》がなかなかあれで、小まめにめぐらしておるよ」

「上野介どの」

と、且元はたまりかねて、本多正純のほうへむきなおった。こんな崇伝から、豊臣家の安危の問題を狎れ調子で話されてはかなわない。且元も年少のころ秀吉につかえ、豊臣家の興隆のもとをなしたあらゆる戦場を駈《か》け、槍《やり》一筋の功をもって小さいながらも大名にとりたてられた。かれには政治上の思惑はべつにせよ、感傷の上では豊臣家に自分の半生をささげてきたという思いがある。崇伝など、徳川でも豊臣でもない。どこか横あいから出てきて老後の家康につかえ、その悪謀の才だけでちかごろ時めいている男である。いまの豊臣家の大事が、その男の口で取り沙汰されるのは、どうにも薄汚なくなるようで、且元にはやりきれなかった。このため、おなじ事柄でも、主君こそちがえ、武士としては同類の本多正純の口からいってもらいたかった。

「雑談はあとにまわし、まず御口上のむきを、うけたまわりとうござる」

と、且元は正純にいった。

「いや、いまも伝長老が申されしごとく、このところ不都合なることが山積し、せっかく安泰なりし徳川、豊臣の御両家の間柄も、このぶんではあぶなくなっている」

「いかにも」

そのとおりである、と且元はおもった。

「大御所は、ご両家のご安泰のみを冀《こいねご》うておられる。しかし不都合がぞくぞくと出てくる。これを、このさい」

と、正純はいう。根本的にどうにかする方法はないか、とおおせあるのだ、といった。要するに徳川と豊臣の両家においてながく平和をたもつ根本の方法を考えよ、その案を豊臣家から差し出せ、というのが、家康が正純を通じて正式に且元に下達したきょうの用件なのである。

「根こそぎの？」

「左様、根こそぎにやりかえてしまう。謀叛《むほん》好きや戦《いく》さ好きの者に豊臣家が今後二度と利用されないようにする案を考えよとおおせあるのだ。いまのままでは第二の治部少（石田三成）が出ぬともかぎらない。それを市正どのに思案せよと大御所は申される」

（そういう妙案があるだろうか）

と、且元は呆然《ぼうぜん》とするおもいだった。

「あっははは、禅でいう公案だな」

と、崇伝がいった。且元は、黙殺した。

且元には、わからない。

対座しているあいだじゅう、このなぞが解けなかった。そんな妙案があれば、自分がこのようにして苦労する必要がないではないか。

「ありましょうか」

且元は不安げにいった。

「まあ、お考えになることだ」

と、崇伝は言い、すぐ庭のほうへ顔をむけ、どうだきょうの蒸し暑さ、すでに秋というのにこれではたまらぬ、と雑談にしてしまった。

かれらは、立ちあがった。

崇伝が、さきである。本多正純はやや遅れた。且元は、正純に追いすがった。正純に、なにか解くかぎを洩《も》らしてもらいたかった。願いまつる願いまつると且元は見ぐるしいほどの態度でたのんだ。

正純は、足をとめた。

「大御所さまのご意向はな」

と、崇伝にきこえぬよう、声をひそめていった。親切であった。しかしあとから思いあわせると、正純がこのように小声で洩らすということも、すでに昨夜家康の前で謀議したさいにとりきめられた穽《わな》のひとつであった。

「よろしゅうござるな？　まず第一は大坂城を明けること、第二は秀頼さまを江戸へおうつしするということ、第三はいそぎお袋さまを江戸詰めにするということ」

且元は仰天した、という。

正純は、さらにいった。

「大坂城があるかぎり、不心得者が秀頼様をかつごうとして寄ってくる。これを当方へお明け渡しなされて禍《わざわい》を未然にふせぐのが、まず安泰の第一の道。城をお明けなされば、いずれの国にてもお望みの国をこちらにて用意いたす。その点、ご心配あるな」

――さらに、と正純はいう。

「秀頼さまを大坂にぶらりと置いておけば天下の騒乱のもとというのは、仙台どの（伊達《だて》政宗）もかつて申されたそうな。まことにもっともなことにて、秀頼どのはぜひ江戸にお詰めなさらねばならぬ」

徳川に臣属せよ、というのである。

「さらにそのこと、もし御承知なされば、このご実行の抵当《かた》としてお袋さまをいそぎ江戸にくだされよ。江戸住いになされよ」

――市正どの。

と、正純はさらにいうのである。

「この三カ条については、あれこれご詮議《せんぎ》の余地はござらぬ。もし一カ条にても欠ければ、それにてもはや弓矢の沙汰とおもわれよ」

これが、東西外交の最後の案件である、これを蹴《け》ればあとは武力あるのみ、という意味であった。

「で、いそぎ西へ帰られよ」

と、本多正純はいうのである。

且元は、むろん今日いまからでも発つつもりであった。しかし、大蔵卿局らが、すでに大坂へむかっている。彼女らが家康の淀殿に対する伝言として携えている春の日ざしのようにうららかなその内容と、且元がその懐中にねじこまれてしまったこの一件とのちがいはおそろしいばかりである。且元は、それでも大坂へ帰らねばならぬ。

しかし帰ったところで、ひとあしさきに大蔵卿局の報告をきいてしまっている淀殿は、且元がもたらすこの内容を信ずるかどうか。

（とても、お信じになるまい）

という見通しが、且元の心を、鉛のように重くした。

土山ノ宿《しゅく》

片桐且元《かたぎりかつもと》が駿府《すんぷ》を発《た》って大坂にむかったのは、九月十二日である。月が夜ごとにふとりつつあり、且元は、

「途中、海道のどこかで明月をみることになりましょう」

と、去るにあたって、金地院崇伝にいった。

——みやびたことを申す男だ。

と、あとで崇伝は、なかまの林道春にいった。且元はわかいころは戦場をかけまわったが、老来、時勢のはやりで茶をまなび、茶をやる以上歌学のこともすこしは習い、花鳥風月のことをときに話題にする。

「なあに、イチどのはらちもない無学者で」

と、林道春はいった。道春はこの国に学問をはやらせてその家元にならねばならぬ立場にあり、その意欲に燃えている。旦元のような元亀天正型《げんきてんしよう》の無学老人をあたまから軽蔑《けいべつ》するところがあった。

が、旦元にすれば、

「途中で海道の明月をみる」

といったのは、自分の政治的生命もどうやら大坂へ帰る東海道の道中のあいだで尽きそうだ、という寓意《ぐうい》をほのめかしたつもりなのである。道中、月は満ちてゆく。しかし満つれば欠けるという言葉どおり、月はこの道中のどこかから欠けてゆくのである。大坂へつくころには闇《やみ》になるかもしれない。

そういう自分の窮境をほのめかせたつもりであったが、崇伝も道春も、察しなかった。察するだけのやさしさをもっていなかった。

——強者とは、そういうものだ。

と、道中をかさねながら、旦元はこのことをときどきおもった。強い側に属している者はふつう弱者への神経が粗大で、弱者の心情のひだに分け入ってゆく心くばりなどはとてもしない。旦元は弱者の側の外交官であった。そのデリカシーはとても崇伝や道春には汲《く》みとれなかったであろう。

強弱でいえば、本来、外交などということも、これは強者のためにあるもので、弱者の外交というものは本来成立しがたいものなのかもしれない。且元は、駿府で外交をした。したつもりであった。が、かんじんの家康にはついに対面してもらえず、泣きっ面《つら》で蟄居《ちつきょ》し、あとは崇伝などの家康側近の手で、

「これは御意（家康の意向）でござるぞ」

などと、まるで神のご託宣をきかされるようにして聞かされただけで、終始ふりまわされていた。且元がたとえ偉大な外交達者であっても、弱者の側に立っている以上は、どう仕様もあるまい。且元は、みずからをそう慰めた。

伊勢の庄野《しょうの》ノ宿《しゅく》で、満月をみた。上古には能褒野《のぼの》といったあたりで、野はひろく、夜空はよく霽《は》れ、わずかにうかぶ雲のあいだを黄金《こがね》の月がうごいている。

宿の軒ごしに、且元はその月をみた。庄野は椎《しい》の木の多いところで、それがややかれの型どおりの風雅には適《あ》わなかった。

「月は、椎の枝ごしではあわぬな、やはり松が枝がここになければ」

と、月並なことを、家老の山本豊久にいった。

翌日は強行軍であった。亀山《かめやま》から関《せき》へ出、鈴鹿《すずか》山を越えた。坂ノ下へおりてしばら

くゆくと、すでに近江《おうみ》の国である。この夜、土山にとまった。月齢は一つ欠け、この夜は十六夜《いざよい》月になるはずであったが、あいにく雨であった。

且元は宿館の奥で遅い夕食をとった。やや酔ったころ、表でひとびとのさわぐ声がした。

「なにごとか」

と、且元は杯を宙にとめ、児小姓《こごしよう》のほうに目をむけた。廊下を走る家来たちの足音がただごとではない。ほどなく取次ぎがふすまごしに、

「大蔵卿《おおくらきよう》のお局《つぼね》さまが、お玄関に参っておられまする」

と、告げた。

(あの一行、まだこのあたりにうろうろしていたのか)

駿府を先発したはずであるのに、どういうことか。且元は気持が暗くなるおもいであった。淀殿《よどどの》母子だけをお大事に生きているあの連中は、なるほど純粋かもしれないが、且元にいわせれば政治は淀殿母子を中心にはうごいていないのである。

「ここを片づけよ」

と、且元は着更《きが》えるべく立ちあがった。客を通せる部屋は、他にない。且元はいらいらして膳部《ぜんぶ》を自分で片づけた。元亀天正型の老人はたいていこうで、小身から成り

あがっただけに自分で手をくだしてする習慣があった。且元は隣室へ入ると、見ぐるしくない程度の平服に着かえた。

ふたたび部屋に入ると、大蔵卿局と正栄尼《しょうえいに》がすわっている。次室にはお夏といまひとり、目尻《めじり》のあがった若い婦人がいた。

「これは、意外なところで」

と、且元がいうと、正栄尼は事情を説明した。彼女ら一行はすでに草津まで出ていた。しかしふと且元は自分たちの去ったあと、なにか別なことをきいたり見たりしたのではないかとおもい、ひっかえしてきたのだといった。なるほどそれならばもっともなことである。

「で、市正《いちのかみ》どのは、ほかに」

「ほかにとは？」

「なにか、聞かれましたか」

と、大蔵卿局はいった。

（いっそ、ここで言ってしまえ）

且元はおもった。大坂城にかえってから淀殿の前でいうより、ここで大蔵卿局らにいってしまうほうがいっそよい。彼女らが不審におもうなら、もうあとはどうなってもよい、と且元はこのころにはひらきなおる思いでいた。

「上野《こうずけ》どのと伝長老どのにお会いしたが、両所とも苦虫を嚙《か》んだるがごとくにて、とてもとても、とりつく島もござらなんだ」

というと、多弁な正栄尼はもう口を出し、それは意外な、そのようなはずはございませぬ、と一通の手紙を出した。

且元がひらいてみると、崇伝が大蔵卿局に出した手紙である。日付をみると且元と会ったその日に発信している。内容は、大蔵卿局が駿府を立つとき崇伝にあいさつ状を送ったことの返事で、どうというものではない。しかしその文章はとびきりあかるく、社交辞令にみちている。直訳すると、

「御文《おふみ》かたじけなく拝見いたしました。もう上方へおのぼりなさるとのこと、めでたく存じます。自身お宿をお訪ねしておいとまごいを申しあげるべきところ、おそらく御出発のためのお取込みの最中であると察し、かえってお邪魔と存じ、わざと参らなかったのであります。またつぎの機会に下向（駿府へ）なさるとき、そのときお目にかかっていろいろお物語したいと存じます。めでたくかしこ」

（あの崇伝が、大蔵卿局にだけはこんな手紙を書いていたのか）

と、且元はかれらの策謀の手の込みようにおどろかざるをえない。かれら家康とそ

の側近は肚《はら》を一ツにし、女どもには蜜《みつ》をたっぷりふくんだ返事をあたえ、男の且元には熊《くま》ノ胆《い》のように苦いものをあたえたのである。かれらにすれば、男女フタ通りの使者が大坂城についたとき、両者の「駿府の返事」が黒白まったくちがうためにたがいに疑い、たがいに罵《のの》り《し》、ついには両者が割れ、大坂城に内紛がおこる。それをねらっていることは、且元の胸にはっきりした。

「この手紙、べつに何を書いているという中身はなさそうでござるが」

「はい、あいさつでございますもの。しかし伝長老が不機嫌どころか、春の日ざしのようにうららではございませぬか。伝長老たちは、豊臣の御家に対して、もはやご猜《さい》疑《ぎ》を晴らされたものと存じまする」

（崇伝にだまされているのだ）

と、且元がもし、豊臣家に対してただ一筋の忠誠心があるとすれば、肚を割って駿府の魂胆を語り、家康の悪謀を解剖し、崇伝や正純がいかに二枚舌の役者であるかを露《ば》らしにばらして大蔵卿局らにこの事態を説明したであろう。

が、且元はわが身が可愛《かわい》かった。

且元の後世のかれの評価をすら迷わせるにいたるその政治的不透明さは、このあたりからはじまるのである。且元は、自分自身の安全という、その一点からすべてのことを発想したがために、かれはつねに霧につつまれた山のように山容がさだかでなかった。それがかれの行き方であった。もしここで駿府の悪口をいえば、たとえば、まわりまわって駿府へきこえるであろう。

「これは崇伝の手です」

といえば、かならず駿府にきこえるであろう。

そうなれば、且元もその片桐家も、将来徳川体制のなかに組み入れてもらえなくなる。且元は、その心をあらいざらいにいえば家康の大名になりたく、それ以外に自分の安全はないとおもっている。が、むずかしい。その企図をかくすことがであった。企図を露骨に出してしまえば、いままさに豊臣家の家老をつとめている以上、大坂城での立場がまずくなる。殺されるかもしれなかった。このためいままで鵺《ぬえ》かなんぞのように、頭は猿、体は狸《たぬき》、尾は蛇で手足は虎《とら》といった、どこに正体があるのかわからないような自分を演出してきた。

（しかし、もうそろそろ。……）

と、且元は大蔵卿局を前にしながら、おもいはじめていた。

——関東は、戦《いく》さをするつもりだ。

と、且元はこんどの駿府ゆきで、家康には会わなかったとはいえ、その肚の中をすっかり読みとったつもりであった。戦さでもする気がなければ、あのような無理難題を吹っかけてくるはずがなかったし、それにいまひとつ、駿府滞在中に重大な情報をえていた。

江戸に置いてある家来から、急報がきたのである。江戸の幕府は、九月七日、江戸在府中の西国大名に対し、三カ条の誓書を差し出させたということであった。三カ条とは、
一、両御所さま（家康と秀忠）に対し奉《たてまつ》り別心表裏はいたしませぬ。
一、上意にそむくような輩《やから》とは、いっさい談合致しませぬ。
一、両御所からおおせ出された御法度《ごはっと》以下については毛頭そむきませぬ。
という忠誠宣誓であった。あらためてそのような誓書をあつめているということは、豊臣討伐という肚づもりがあってのことであろう。なににしても、家康は豊臣家を討伐するつもりであり、且元のみるところ、この観察にくるいはない。

（となれば、これを機会《しお》に豊臣家から離脱せねば、とんでもないことになる）

というのが、且元の肚である。離脱するには大蔵卿局とひと喧嘩《けんか》すればよい。が、喧嘩はいつでもできる。とりあえず、本多正純がささやいた、

「大御所さまのご意向」

というものを、大蔵卿局にはっきりと言っておかねばならない。

大蔵卿局たちは且元のはなしをきいて驚倒した、というようななまやさしいものではなかった。一座はざわめき、正栄尼などは途中何度も叫び、

——ちがいます、そんなばかな。

と言っては且元から、

「まず、きかれよ」

と、制せられた。

ともかく、且元のいう大御所の御意向というのは、

「まず豊臣家を大坂城から移す。どの国がよいかは秀頼の希望にまかせる」

「第二に、秀頼の身柄は江戸におく」

「第三に、いそぎお袋さまを人質として江戸に移す」

というもので、むろんこの形式は家康命令というものでなく、あくまでも豊臣家からそう嘆願するというかたちをとり、徳川家がそれを許可する、というものであったが、しかし実質は命令以上に命令であった。その証拠に、「もし大坂がこの三カ条を

実行せねば、それで東西は手切れと心得られよ」という事実上の戦いの予告といったものがついているのである。

「まずまず、しずまられよ」

と、且元は手をあげた。且元のびんのあたりから汗が流れている。かれはいつになく能弁であった。言うべきことはすべて言いつくそうとしていた。ついでながらかれが豊臣家のこの課題について弁論したのは、結果からみればこの土山会談が最後であった。このときもかれ自身、

(もはや機会はあるまい)

とおもい、言うべきことを言った。

「それが、豊臣永遠の道なのです」

と、終始そのことを繰りかえした。いまさら徳川を倒して天下をとれるか、と且元はいう。

「天下をとるだけの武力は、ざんねんながら豊臣家にはない」

ともいった。武力とは、諸大名に対する指揮権のことである。豊臣家がむかしの音《ね》色《いろ》の笛を吹いても、諸大名はおどらぬであろう。豊太閤《ほうたいこう》のご威権はすでにむかしの夢なのだ、と且元はいった。

「となれば、いま大坂にある豊臣家のありかたは、きわめてあいまいである。天下人でもないのにそのような虚飾につつまれている。これは危険である」

「たれのために危険なのですか」

と、次室からお夏がいった。

「天下のためにです」

且元は答えた。が、正栄尼がすかさず、

「市正どののご本心は、家康どののために危険だとおっしゃりたいのでございましょう。わかっています。市正どのは関東の御為《おため》のみをお考えなのです」

(そうではない)

とおもったのは、次室にいるお夏である。且元は関東や大坂の御為を思っているのではなく、自分のためのみを思っているにちがいない。そのためつい強者である関東に肩入れした言い方になる。且元のいうことは、あるいはそのとおりかもしれなかった。豊臣家の永続をねがうならばここで思いきって一大名の位置に降り、江戸に参覲《さんきん》交代するほかないかもしれない。しかしそういう重大なことを言いだすには、言うに足る人物が必要であった。且元はすでに関東のために汚されきっているという定評があり、かれが言えば大坂城のひとびとはいたずらに激昂《げっこう》し、冷静を欠き、成るものも

ならない。おそらく、家康はそこまでねらったに相違なかった。家康は且元をそういう役者に仕立てた。だからこそ駿府城で、

――且元をわしは信頼している。

と、大蔵卿局らにぬけぬけと言ってのけたのである。このことばは、「且元はわしとは一ツ穴のむじなである」ということを言明したにひとしい。そこまで家康は且元をよごした。汚しておいて且元にこれをいわせるのは、無残であった。強者の外交とは、そういうものであろう。

「ともかく、大坂にてお会い致します」

と、大蔵卿局はあいさつもせずに立ちあがった。正栄尼がそれにつづいた。お夏も立ちあがったが、順序で、最後になった。且元も玄関まで見送るべく廊下へ出た。自然、お夏と前後した。お夏は、

「わざとでございますね？」

と、且元に問いかけた。且元はこの娘がいつも突っ拍子もない質問をしかけてくることを知っている。だまっていると、

「わざとでございましょう？」

と、問いかさねた。

「なにが、わざとです」

「いまのことです」

「三つの条件のことなら、私がわざと勝手に申していることではない。大御所のご意向そのままを伝えたまでだ」

「いいえそういうことではなく」

「なんのことかね」

且元は、お夏を見あげるようにして立ちどまった。

「いまの座で、このようないわば喧嘩別れのようなかたちで互いに別れるということを、市正さまはわざとなされたのでございましょう」

それがお夏のかんであった。彼女は、且元はこの喧嘩を口実にもはや大坂城にもどってこないのではないかと思ったのである。

「なにをいう」

且元はにがい一声を出し、あとはなにもいわなかった。やがて玄関へ出た。ところが、大蔵卿局はすでに乗物のなかに入っており、見送ってきた且元を無視した。あいさつはついになかった。

このあと大蔵卿局の一行は、いそぎ大坂へ帰り、報告した。城内はむろん騒然となった。

が、かんじんの且元は容易に帰坂しない。かれはゆうゆうと旅をつづけ、十七日の昼、京都に入った。しかもこの日、それ以上の行旅はやめ、京都でとまった。

幕府は、京都に京都探題ともいうべき所司代を置いている。その長官は家康の腹心である板倉勝重であった。且元は、二条城のそばにある所司代屋敷に板倉勝重をたずねた。このあたりが、且元の演じた一世一代の政治的活動であったろう。ただし保身のための、である。且元は、すでに秀頼を見かぎっていた。本来なら主君のもとにいそぐべきであった。しかしこの時期の且元はもはや大坂城内のひとびとがもつであろう疑惑などを怖《おそ》れなくなっている。

「お願いのことがあって、参った」

と、且元はまず言った。かれは駿府でのことをすべて語った。勝重は知っていた。この時期の駿府と勝重とのあいだの通信の頻繁《ひんぱん》さは、前後にもない。且元は、さらに土山での一件をくわしく語った。

「で、お願いの筋とは？」

と、勝重がきいた。

「拙者の骨を拾うてくださるか」

且元は、それを念押しにきたのである。且元の推測するところ、大坂は上下こぞって自分を排斥するであろう。むろん豊臣家家老であるというその職もうしなう。ばかりでなく城内屋敷にも危険で住んでおられまい。自然、居城である摂津茨木城《いばらきじょう》に退かねばならなくなるが、あるいは豊臣家の兵が城をかこむかもしれない。

「そのときは。——」

と、且元は、関東をあげての応援をたのんだのである。

勝重は、細面の物静かな文吏肌の男であったが、その思慮ぶかさのほかに、武人らしい決断力をもって知られていた。かれは、その脳裏で諸情勢を総合し、これは関東のために請け合っておくべきだとおもった。

一諾した。

「ご心配なきように」

という意味であった。家康は戦さをしたがっている。その戦さのきっかけが、且元の摂津茨木籠城《ろうじょう》をもってはじまるかもしれないと勝重はおもった。

且元も、これでいい。家康の京における代理人である板倉勝重にこの日この用件で会ったというだけで、情勢がいかに変転しようとも、後日、徳川家への自分の忠誠心の証拠《あかし》になることはまちがいなかった。

常真入道

──市正《いちのかみ》の挙動があやしい。

という暗い疑惑と非難の声が、大坂城の本丸御殿のなかでうずまきはじめている。

「女こどもになにがわかろう」

と、そんな鬱懐《うっかい》を、伏見の宿までむかえにきて城内の様子をつたえた弟の片桐貞隆《かたぎりさだたか》にむかい、且元《かつもと》はもらした。

「どうやら、おわりましたな」

と、貞隆は、兄の心事を察し、悲痛な表情でいった。貞隆がおわった、というのは兄且元の大坂城内における政治生命というものがであった。たしかにおわったかもしれない。いったん大疑団が且元の身について生じてしまった以上、もはや大坂城をとりしきってその内政と外政をやってゆくことはできないかもしれない。貞隆は、

「いっそ、思いきられよ」

というのである。

この且元の弟貞隆というのは、むかし加兵衛《かへえ》という通称で知られ、兄をたすけて戦場ではよく働き、それを秀吉がみとめて、

——加兵衛には、べつに知行をやろう。

ということで直参にし、且元とならんでともに取りたて、秀吉の盛時である天正十三年、且元とならんで従《じゅ》五位下の官位をもらい、大名になった。のち、

——大和《やまと》小泉の片桐家。

というのは、この貞隆が家祖である。大和小泉での石高は一万五千石で、のち一万一千石になり、明治の廃藩置県までつづいている。ついでながらこの貞隆の子が、大名茶道で有名な片桐石州《せきしゅう》（片桐貞昌《さだまさ》）である。

貞隆は、且元よりも豊臣家というものに対して乾いた心をもっていた。

「事態はすでにかくのとおり。故太閤《たいこう》殿下のご恩はさることながら、もはやこのあたりが奉公のおさめかとおもいます。早う見かぎり、早うお城から身を退《ひ》いてしまわねば、おもわぬ災禍がふりかかります」

「災禍とは？」

且元は、ぎくりとした表情をしてみせた。おどろくあたり、且元は人の好《よ》いところ

があった。

「殺されるということでござる」

貞隆がいったのは、根拠のないことではない。城内では大野修理《しゅり》の一派が、且元が帰城ししだい殿中でかれを取りこんで誅殺《ちゅうさつ》してしまおうといきまいているというのである。

「やつらが。で、お袋さまは？」

「むろん、ご同腹でござる」

「あほらし」

且元の腹が、このとき煮えかえってしまったのはむりもない。かれにすれば豊臣家の長久の策を講じてきたつもりであり、できるだけのことをしてきた。これ以上は合戦であると関東がおどしているのをなんとか自分ひとりの手で食いとめつつあるのに、その苦心をみとめないばかりか、そういう自分を殺そうというのは、何ということか。

――もはや奉公のみちも尽きた。

という絶望の思いが、且元の胸に満ちた。且元にすれば、殿中で殺されるというぶざまさはどのようにしても避けなければならないとおもった。この当時、合戦でのはなばなしい死は名誉とされたが、政治的対立のためや喧嘩《けんか》などで殺されるのは、不名誉とされた。そのぶざまさと、それに死後どういう罵詈《ばり》讒謗《ざんぼう》をあびせられ大悪人にされてしまっても死人に口がなく、言いひらきの方法がないということも、そういう死を厭《いと》う理由であるらしい。

まあいい。

このあと、且元はできるだけゆるゆると西下した。やがて大坂についたがいろいろ理由をかまえて容易に大坂城本丸に登ろうとしなかったのは、本丸の雲ゆきをうかがっていたからであった。自分を殺そうとしているかどうか、ということである。

「いくじのない老人だ」

と、大野修理が本丸の詰ノ間で大声でいったということまで、且元の耳に入った。

且元は過不足なく情報源をもっていた。

且元が大坂に帰ったのは、九月十八日の夜である。かれが意を決して本丸にのぼったのは、二十日朝であった。

(もし殿中にて刺客《しかく》に遭わば、斬《き》り死すべし)

と、かれはこの朝、脇差《わきざし》をぬいて何度か振り、その使いぐあいやら目釘《めくぎ》やらを十分たしかめて登城したというから、且元も老人ながら泰平の世にそだった男ではない。

御前に出た。

上段には、秀頼《ひでより》がいる。しかし淀殿《よどどの》がそれに添うようにしている。秀頼の妻の千姫はいない。わきに居ながれているのは、淀殿の女官たちである。別の側には、この城の要人たちがいる。要人といっても、大野修理、木村長門守《ながとのかみ》重成、渡辺内蔵助《くらのすけ》糺《ただす》など、淀殿の女官たちの息子で、且元にとってはもはや政敵であった。

別に、織田姓をもった老人たちがいる。むかし織田信雄《のぶかつ》といった常真入道などがそれである。淀殿は、織田信長のめいであるところから、織田家のひとびとをつねにその身辺に寄せていた。このグループの政治的動向は、大野派にとっても片桐派にとっても、よくわからない。ただ織田常真入道が、きょうの登城の前夜、

――あすは、私がつきそってとらせよう。

と、使者を送りつけてきて、意外な好意をみせてくれた。常真入道が殿中でつき添ってくれれば、まず異変はおこるまい。ただし常真に異心がなければのことである。異心はないであろう。

（まさか、あの老人に）

という安心が、且元にあった。且元はこのさい、この老人の好意にあまえることにした。

「ただいま駿府《すんぷ》より相もどりましてござりまする」

と、且元が秀頼にむかっていったとき、居ならんでいる女官のあいだでくすくす笑う者がいた。ただいまというのがおかしかったのであろう。且元がぎょろりと視線をむけると、お夏であった。お夏は、首をすくめた。

「御前《ごぜん》でござるぞ」

と、且元は腹立ちまぎれに声をあげてしまった。お夏はうつむいて、細いうなじを見せている。もう笑わない。

且元は顔をあげ、肚《はら》に力を入れた。用件をのべねばならない。しかし、この話しにくさはどうであろう。この百畳敷の座敷にいる一同は、淀殿も秀頼もふくめ、どの男女も且元の話す内容を知っているのである。知って、批判までできあがっており、それでありながらいまからあらためて且元自身の口からそれを聞こうと待ちかまえている。且元にすればちょうど査問の座にひきすえられたようなものであった。

かれは、家康が、本多正純《まさずみ》に言いふくめた三カ条を申しあげた。

一座が、ざわついた。

「おしずかに」

と、且元は制し、

「この三カ条については、もはや否応《いやおう》もござらぬ、御当家から修正を出すというような悠長な性質のものでもござらぬ。駿府殿の申されるはこれをそのまま呑《の》むべし、呑めば折りかえし返答せよ、返答すればすみやかに実行せよと申されるのでござる」

と、一気にいった。

正栄尼《しょうえいに》が、悲鳴のような声をあげた。

「よ、よくまあそのように無礼なことを。右大臣家さまは家康どのにとってはご主君、さらにはお袋さまはお主筋、その御両方を江戸へお移し申すなどという不忠、理不尽、無道きわまることを、よくぞまあ、市正さまはおとなしくきいて参られましたな」

「落ちつかれよ。しずかにいまは利害得失を考えるべきときでござる」

「市正さま」

正栄尼は、さえぎった。が、且元はいうべきことをすべていわねばならない。待った、待たれよ、と扇子を正栄尼のほうへあげ、あげてからいそがしくそれをひざ前に置き、ふたたび秀頼のほうへ平伏し、次いで顔をあげ、その顔は淀殿のほうへむけて、

「関東ではすでに西国大名のことごとくから誓紙をとられましたるよし」

と、いった。これは大坂攻めの動員準備令であることはたれにでもわかる。

「もしこの三カ条を御当家がお蹴《け》りなさるとあればすなわち合戦」

「おどすのか」

と、淀殿はさけんだ。なるほど恫喝《どうかつ》であったかもしれない。淀殿には合戦ということばは禁句であった。且元の口からそれが洩《も》れたとたん、癇《かん》を発し、上体がはげしくゆれた。が、且元は言わねばならない。

「いかにも合戦。それも、当方から仕掛けたというかたちに相成ります」

「市正、またおどしやるのかや」

と、淀殿は上段で身をよじったのを、且元はもはや冷やかに見ている。——めっそうもござらぬ、といった。

「おおどし申しあげるような心のゆとりもござりませぬ。御家の存亡のときでございます」

そこのところをよくお考えくだされ、といったが同時に無駄かもしれないとおもった。一座には感情だけが支配している。淀殿の感情であった。一座のたれもが、この女主人の感情をいたわるべく翼々と心をうごかしているばかりで、理性によってこの事態を見きわめようとする空気はまったくない、と且元はおもった。且元はふと木村重成の顔に視線を送ったが、

（いや、あの若僧もそうであろう）

と思いかえし、

（もはや、これまで）

とおもったとき、その且元の気持を察したように織田常真入道が横から、

「市正も疲れているであろう。評定は後日にまわし、きょうはこれにて退《さが》られよ」

と、口を出してくれた。且元にとって長居は無用で、このまま座ですごしていればどうなるかわからない。

且元は、常真入道にたすけられるようにして、退出した。御殿の大玄関を出るとき、さすがに汗が一時に出るおもいで、ふりかえって常真入道に謝意をのべた。

「いいや、お気持はわかっている」

と、この織田信長の次男坊は、ちょっと媚《こ》びるようなしわを目もとに作った。

この織田常真入道という人物に、すこし触れておかねばならない。

かれが、

「織田信雄《のぶかつ》」

という名で、世間に知られていることはすでにのべた。天正年間、乱世の話題をにぎわした名前だが、いまはすっかり世間からわすれられ、もしひとがきけば、

——織田信雄どのはまだ生きておられるのか。

と、おどろくむきが多いであろう。それほどかれの存在はすでに忘れられていた。

この入道は永禄《えいろく》元年（一五五八年）のうまれで、それから指折るとまだ五十六歳で、べつに老いぼれているというほどの齢《とし》ではない。ただ世間的には老癈《ろうはい》の人であるといえるであろう。

信長は、その側室たちに多くの子を産ませたが、みな出来がわるく、あの乱世で一人として自立して生きてゆけるほどの者がなかった。そのなかでもとくにこの信雄が庸人《ようじん》で、もはや愚人というにちかい。もっとも愚人は愚人としての価値があった。かれは愚人であったがために、かれのいのち一つが生きのびえたのかもしれない。

信長が盛大なころ、かれは織田家の家中から、三介さまとよばれていた。それがかれの通称であった。

信長が伊勢ノ国を政略でとりこもうとしたとき、その国司の家である北畠《きたばたけ》家にこの信雄を養子にやった。このため北畠信雄といわれていた時期がある。十七歳ですでにかれは従《じゅ》四位下右《う》近衛権中将《こんえごんのちゅうじょう》というたいそうな身分であった。天正十年、かれが二十四のとき、父の信長はいわゆる本能寺ノ変で急死し、重大な政変がおこった。

信雄は、このとき伊勢田辺城にいた。すでに五十万石ちかい大身であり、父の仇《あだ》を討ってこの政変につけ入り、織田政権の跡目を相続することは十分可能であり、中程度の能力の者ならそうしたであろう。が、信雄は、

「うそじゃ、うそうそ。そのようなことをわしが信じると思うか」

と、信雄はこの変を急報した鬼頭内蔵助《きとうくらのすけ》という侍にそういってうごかなかった。鬼頭はおんおん仇を討ち参らせるのはわが君をおいてなし、疾《と》う疾う軍勢をそろえ候《そうら》え、とやかましくいったが、信雄は臆《おく》してついにうごかなかった。天性、物におびえるたちであった。

そのときに、秀吉が信長の仇を山城の山崎で討った。秀吉は一挙に風雲にのしあがり、織田政権の跡目を相続しようとした。が、名目が必要なため、信長の嫡孫《ちゃくそん》の三法師を擁立し、自分が後見人になるという形式をとった。それに対し織田家宿将の柴田《しばた》勝家が反対し、秀吉と対立した。

秀吉はこのとき、

——三介さまをたぶらかせば。

とおもい、信雄を味方に抱き入れた。じつに単純なだましかたをした。「三法師さまの後見人は三介さまになってもらい、天下の面倒をみていただきましょう」というような意味のことを、ひとを介して信雄の耳に入れた。信雄はこの程度のことでだま

される人物であった。

「太閤記」などで清洲《きよす》評定といわれている相続についての会議で、秀吉はこのために柴田勝家に勝った。

そのあと、柴田勝家は北陸でほろび、秀吉は大坂城をきずき、事実上の天下人になったとき、信雄ははじめてだまされたことに気づいた。かれは、当時まだ第三勢力であった家康とむすんだ。家康は、本能寺ノ変のときに上方を見物していて風雲に乗りおくれ、その後領国にかえり、秀吉らのうごきを黙殺し、東海地方と甲州、信州の地盤をひたすらにかためつつ、地方政権としての版図をひろげつつあった。信雄は、それと同盟した。

この点、信雄は愚人ながら、欲だけは十分にあった。かれは秀吉からいわばなだめ料として尾張清洲の城と、尾張やら伊勢やらあわせて百万石の大領をもらっていたのである。かれは、これに満足しなかった。

やがて、戦いになった。信雄・家康の連合軍は、家康の作戦能力のおかげで秀吉の大軍を大いになやましたが、信雄は途中でなにやら心細くなり、家康にもだまって敵の秀吉と単独講和してしまった。

秀吉は、信雄の領地を保障した。保障しただけでなく、秀吉が関白になったとき、朝廷に奏請してかれを内大臣に任じた。豊臣政権の初期では、信雄は秀吉に次ぐ高位のひとであった。

秀吉はその政権が安定するにつれ、信雄を優遇していることがおそらくばかばかしくなったにちがいない。第一、尾張という上方に近いところに居すわっていられることが政略上不都合であり、遠国《おんごく》にうつそうとした。その国替えを信雄に相談すると、

――いいや、わしは尾張から腰をあげるつもりはない。

といってきかなかったため、秀吉は機嫌を損じ、信雄を関東の下野《しもつけ》国那須《なす》郡にうつしてしまい、わずか二万石の大名にした。信雄の没落のはじめである。このとき信雄もわが身の運をさすがにはかなく思い、髪をおろして入道し、常真と名乗った。

秀吉はその後、やはり気の毒になったのであろう、よびかえして大坂や伏見に住まわしめ、自分の相伴衆《しょうばんしゅう》にし、信雄の息子たちにはほうぼうに土地をあたえて大名にした。相伴衆はお伽衆《とぎしゅう》とも言い、いわば「お話相手」というべき職である。

ところがこの愚人が、いま一度賭《か》けをしたことがある。

関ヶ原前夜においてであった。このころ、家康もさかんに政治工作をして味方をふやしていたが、石田三成も同様、その裏面工作をした。三成は、この常真入道に目をつけた。いかに閑人《ひまじん》になっているとはいえ、織田信長の子であり、その名前だけでも

三成はかつぐに足るとおもい、

「勝てば尾張国の国主にしましょう。とりあえず黄金一千枚をさしあげます」

といって、誘った。常真入道は、その褒賞《ほうしょう》に心がくらみ、乗ってしまった。すぐ常真はその黄金一千枚を要求した。ところが三成はそれを吝《お》しみ、銀一千枚を送ってきたため常真は失望し、

――このぶんでは尾張国をくれるというのもうそかもしれない。

とつぶやいた話が伝わっている。この常真が三成に加担して家康を討つということをきいたのは、子の秀雄《ひでかつ》であった。秀雄は豊臣政権の一貴族として優遇され、このころ越前大野で四万五千石をもらい、その官は宰相で、「大野宰相」とよばれていた。この秀雄がおどろいて大坂にやって来、父の常真をいさめた。「むかし徳川どのと同盟したころをお考えあれ、あのときの徳川どのの恩義をおもえば、いまその人を討つようなこと、人として許されましょうか」といさめたため、常真はそれもそうかとおもい、いわば三成から銀一千枚をとっただけで、出陣はしなかった。

関ヶ原は家康が勝ち、かれの天下になった。このため、常真は、妙な立場になった。戦場にこそ出なかったが三成から金をもらっていて、いわばその味方であった。

「ただ何となく所領を失い給う」

と、当時のひとびとはいった。家康にしても、常真が信長の子であるため、殺すわけにもいかず、その所領だけを削ったのである。

常真は、無収入になった。

いわば牢人《ろうにん》であった。その日の糧《かて》にもこまるようになり、従妹《いとこ》にあたる淀殿の庇護《ひご》を受くべく大坂へ行った。淀殿はいわば、常真を食客として大坂城に住まわせた。

歳月が、経《た》った。

常真にとって、

――おや、これは。

とおもうような事態になってきたのは、きょうこのごろである。江戸の徳川家が、大坂の豊臣家をほろぼすつもりらしい。これは大戦さがおこるであろう。

(うまく游《およ》げば、またもとの大名にもどれるかもしれない)

という期待が、常真の心をふくらませはじめた。天正十年以来、天下の変り目ごとにかれはそういう期待をいだき、妙な策動をしてきたが、ことごとく結果が裏目に出た。

(こんどこそ、賭けの目を狂わすまいぞ)

と、常真入道はおもった。勝つほうにつくということであった。

——勝つほうといえば、家康か。

とこの男はみた。そうとなれば早く裏切りをして、家康に対して功を売りつけねばならない。この男が、この男ですら家康の走狗《そうく》と見た片桐且元に対し、この日の前後から急に接近し、恩を売りはじめたのである。かれにすれば、家康に接近するには、まず且元に接近することであった。

風雨

さて一方、本丸の御殿にあっては、淀殿《よどの》・秀頼《ひでより》をかこんでの密議がおこなわれた。すべて、身内である。

淀殿は、そこは婦人なのであろう、身内以外の人間というものを信じなかった。乳母の大蔵卿局《おおくらきょうのつぼね》が、いる。そしてその子の大野修理《しゅり》。さらに秀頼の乳母の宮内《くない》卿局とその子木村重成、おなじく正栄尼《しょうえいに》とその子渡辺糺《ただす》などが、居ならんでいる。

「腹蔵無う、申しや」

と、淀殿はいった。

末座に、大野修理の弟で、主馬《しゅめ》という者がいる。諱《いみな》は治房《はるふさ》と言い、うまれながらの軍人というべき男だった。

「兄者《あにじゃ》はなにをためらわれるか。家康が市正《いちのかみ》の口を通じて申し来たったこの条々、すでにこれは開戦の矢文ではないか。ここで否《いな》や応やを議するまでもなし。一刻もはやく天下の諸侯に御教書《みぎょうしょ》をくだす一方、鉄砲薬を買いあつめ、兵糧蔵《ひょうろうぐら》を満たし、すきまもなく戦備をととのえ、関東の大軍を待つべきではないか」

とまくしたてたが、修理はさすがに決断がつきかねた。

（天下の諸侯が、秀頼公の御教書一枚でうごくかどうか）

ということである。修理はこのところ、諸大名の心底というものに疑問をもちはじめていた。世間は、大坂の思いどおりにはうごかぬのではあるまいか。

が、この点、淀殿も大蔵卿局も、しごく楽天的であった。動く、と信じている。豊臣家の権威は淀殿にとってはゆるがぬものであり、さらには諸侯も人である以上、故太閤《たいこう》の恩顧というものを感じているはずであった。

「みながみな、加賀大納言《だいなごん》（前田利長）のようではあるまい」

と、淀殿はいう。加賀大納言うんぬんというのは、かつて前田利長あて、「いざというときには秀頼公の御味方に参じられよ」という密書を出してにべもなくはねつけられたことをいっている。淀殿は、莫然《ばくぜん》と世間の善意を信じていた。天下数多《あまた》の大名のなかで、何割かは豊臣方に味方するであろう。

大野修理は、そういう淀殿に対して、

「いやさ」

と、反対し、

——左様なものではござりませぬ。

というようなことは、とても言い逆らえない気持がある。修理はこの点、存外気が弱かったし、さらにはこまったことに修理自身、

(ひょっとすると、お袋さまの申されるように天下の大名の何割かは大坂に馳《は》せ参ずるかもしれぬ)

という、かすかな期待が胸中にあることであった。この期待が不安に入りまじって、かれをこの場になってひどく迷いの多い男にさせてしまっている。この点、弟の主馬は単純であった。

「故太閤殿下の御馬標《おんうまじるし》がこの城頭にあがれば、たとえ関東の陣中にある大名でも心を動揺させずにはすみますまい」

というのである。さらに主馬以上につよい発言をしたのは、木村重成であった。

重成は、秀頼と同年の二十一歳である。秀頼の傅人子《めのとご》としてともに育てられ、ともに学問をうけ、この一座のなかではたれよりも和漢の学問についての教養がある。重成は心映えがすなおで、しかも御殿で秀頼とともに文字のなかだけで育ったために、世間育ちの者の多くがそうであるように――物事を利害で判断する――といったふうの習慣がまったくなかった。重成にとっての判断規準は、つねに正か邪かということしかない。

――家康の奸悪《かんあく》はゆるせない。

というのが、重成の発言のすべてであった。

物事を利害で考えてゆこうという頭のはたらきは、じつに複雑な思慮や分析力を必要とするが、正邪のほうは判断も簡単で済み、しかもそれがことばであらわされると、短剣のようなするどさで相手に訴える。婦人たちの耳には、このほうが理解されやすかった。

結局、評定がすすむにつれ、この一座の思考方法は、重成ふうの倫理観念が基準になりはじめ、大野修理までがそれにひきずられた。

評定の結果、大野修理がまとめた戦略方針は、以下のようである。

一、牢人《ろうにん》を五万ないし十万人ほど入城させる。

二、出戦してくる関東勢に対し、籠城《ろうじょう》方針をとる。
三、三度五度と関東勢を撃退するうち、関東勢に動揺がおこるのを待って、調略を入れ、諸大名を大坂方にひき入れる。
というものであった。

さて、

「大将は」

ということである。総大将は豊臣秀頼であるにしても、秀頼に直接の指揮をとらせようとはたれもおもっていない。秀頼から采配《さいはい》をあずかり、直接の総指揮をとらせる者としてはたれがよいかというのであった。

「いかがつかまつりましょう」

と、大野修理は、秀頼と淀殿のほうにむかって、きいた。当然、

「修理、そなたが軍配をとれ」

ということを、淀殿はいうべきであったが、ところが淀殿のあたまには、目の前にいる修理という者のその名前が、大将の候補としておもいうかばなかった。滑稽《こっけい》なことに、淀殿にとっては修理はあくまでも乳母の子で、それだけのことであった。まさか淀殿は、この修理が、大坂勢をひきいて家康と雌雄を決すべき戦いをしようとは、

どうにもおもえない。

「はて、大将にはたれがよいかの」

と、淀殿は何度もつぶやいた。淀殿の想像のなかにある大将とは、まず門地が高くなければならない。敵の家康は前内大臣であり、秀忠は征夷《せいい》大将軍であった。

「修理、よい案はないか」

と、淀殿はきいた。

（あほうなことをおききなさる）

と、修理は内心おもったが、しかしそうきかれた以上、自分が軍配をとりましょう、などと買って出るわけにはいかなかった。

淀殿はふと、

「織田常真入道はどうであろう」

と、いった。

なるほど、これは名門である。いまは無禄《むろく》の厄介者とはいえ、織田信長の第二子であり淀殿にとっては従兄《いとこ》にあたり、かつかつての身分のきらびやかさは、ある時期までの家康をしのぎ、秀吉盛時の天正十五年においてすでに正二位内大臣であり、その身上は百万石を越えていた。

（いまは流寓《りゅうぐう》の一老人にすぎないではないか）

と、修理は内心おもった。しかも織田信雄《のぶかつ》といっていたむかしから不覚人の評判が高く、古い大名ならばこの老人がいかに無能で臆病《おくびょう》で卑劣であるかを知っている。そういう老人を大坂方の大将に仕立てて、はたして諸大名はなびくであろうか。せっかく味方にはせ参じようとおもっている大名も、旗頭が常真入道であることを知ると、二の足を踏むにちがいない。

が、淀殿は固執した。

「常真入道も前内大臣、駿府《すんぷ》の家康も前内大臣、これは妙案ではないか。家康に対抗できるのは、このお人以外にあるまい」

と、淀殿がいったため、大蔵卿局も正栄尼も大いに賛意を表した。

（ああ、こういうことか）

と、修理は、淀殿らの思案の図式がすこしわかった。秀頼はあくまでも天下のぬしで、これは飛びはなれて超然としている。家康は家来筋であり、秀頼としては家来と対抗することはできない。家康と対抗せしめるのは、かつてはほぼおなじ身分だった織田常真入道がいい。家康と常真をたたかわせて、秀頼はそれを高処《たかみ》からみている。常真が勝てばそれに乗っかって天下を回復する。万一家康が勝ったとしても、秀頼は直接手をくださなかったということで、おそらくその身分と生命は家康が保障するにちがいない。なぜならば家康にとって秀頼は主筋であるうえに、自分の孫娘のむこなのである。

——そのご思案はおかしゅうござる。

と、修理は言おうとし、また言わねばならなかったが、もはやすでに独りぎめしてしまっている淀殿に対し、水をかけるようなことは言いづらかった。自然、だまった。

さっそく、常真入道がよばれた。片桐且元が駿府でのことを報告した九月二十日から、二日目のことである。

織田常真入道をよびに行ったのは、お夏であった。

常真は、二ノ丸の空き屋敷の一隅《いちぐう》に住んでいる。まわりに茶の木を植えて、自分で世話をし、摘みとって蒸したり焙《ほう》じたりするのも、すべて自分でやっているらしい。かといって常真は茶人ではなく、要するに土いじりが好きというだけのことであるらしい。ほかに趣味はない。

「狐《きつね》」

と、蔭《かげ》でよばれている女と住んでいた。狐は京で物売りをしていたともいわれ、尾張の猟師の娘ともいわれているが、ほんとうの素姓はたれにもわからない。ただ常真が、この女の意のままになっていることだけはたしかであった。

お夏は玄関からあがると、玄関わきの小部屋に入り、狐が出てくるのを待った。狐はどういうつもりか、盛装して出てきた。

「うけたまわりましょう」

と、狐が表情をうごかさずにいった。お夏は、お袋さまのおよびでございます、常真入道さまにありましては、すぐ御本丸までのぼられますように、というと、狐は意外、という顔をしてみせ、一理屈をこねた。

「お袋さまが、前内大臣さまへ申されるのにあなたをお使いにえらばれましたか」

と、不満の意をのべた。もっとえらい女官が来てしかるべきだ、というのである。

「御本丸では、入道さまを軽んじていらっしゃいます。いまこれがよい証拠でございます」

という。お夏は、狐のこういう権柄癖《けんぺいへき》にはなれているから、腹も立たない。はい、火急のことでございますからわたくしが足達者を買われて飛脚を申しつけられただけでございます、それに——と言葉を継いで、

「御本丸では決して入道さまを軽んじてはいらっしゃいませぬ。それが証拠に、御本丸での御評定の結果、入道さまにたいそうなお役目に就いていただこうということに相成っているようでございます」

というと、狐はそれに食いついてきた。

「たいそうなお役とは？」

「わたくしの口からは申せませぬ。御本丸へおのぼりくだされば、自然とわかることでございます」

お夏は、辞去した。

そのあと、織田常真入道は、そのたいそうなお役目というものをいろいろ推量してみたが思いあたらない。

「まず、行ってみる」

と、草履とり一人をつれて本丸へのぼる石段をのぼった。途中、月見櫓《やぐら》のそばで、碧《あお》い空を背景に銀杏《いちょう》の葉が梢《こずえ》から色づきはじめているのを見た。

「ことしは、冬が早いかもしれぬのう」

と、常真は供の者にいった。

本丸の玄関前の白洲《しらす》には、大野家の若党やら渡辺家の雑人やらが、陽にさらされた場所でかがんでいる。それらが常真入道をみて、いっせいに頭を低くした。御殿に入ると、すでに長時間の評定があったあとらしく、どの男女の顔にも疲労の色がみえていた。常真がきたというので、秀頼とその母公が、ふたたび上段にあらわれた。

常真は、平伏した。かれは秀頼・淀殿に拝謁《はいえつ》するとき、頭を下げながらいつも、

(なぜわしはこのように平伏せねばならぬのか)

とおもうのだが、このときも思った。本来なら、織田信雄とは何者か、父信長や兄信忠が本能寺で横死したあと、織田政権を継ぐべき者は当然次男であるこの信雄——常真入道——であるべきだった。それをいかに実力の世とはいえ父の家来の秀吉に簒《さん》奪《だつ》され、その傘下《さんか》の大名にされてしまった。最初は百万石をくれた。しだいに減って、二万石にされ、ついには関ヶ原ののちそれさえうしない、いまは流亡《るぼう》の身におちはてている。いずれにせよ、もとはといえば秀吉も家来筋、その子の秀頼にいたってはなにほどのこともない。なぜその秀頼に対して平伏せねばならぬのであろう。それをおもうと常真入道は奇妙な心境になるのだが、しかしながら零落してしまったいまとなっては、そのような愚痴も訴える相手がなく、せいぜい寝物語に狐にむかってこぼしているだけである。

顔をあげると、常真はにこにこと笑顔をつくり、大野修理のような者にまで愛想ことばをふりまいて、

「ほう、修理どのがおられるか。おや、主馬どのもそこに。いやさこれは長門守《ながとのかみ》どのもおわすか、ほう内蔵助《くらのすけ》どのも。はっははは、これはおそろいじゃな」

と、そこは秀頼の伯父にあたるだけに御前ながらもくだけた態度をとってみせた。

淀殿も、この肉親の従兄には気がおけなくて、つい彼女みずからが用件を話した。

「ふむ」

「ふむ」

と、常真入道は区切りごとにうなずいていたが、次第に顔が真顔になってきた。容易ならぬことであった。自分を大将にするという。それでもって家康と雌雄を決せよ、という。

（冗談ではない）

と、常真は内心おそれ入ってしまった。家康と決戦できるだけの器量が自分にあれば、いまごろ大坂城で秀頼にむかって平《へい》つくばっているはずがない。とうの昔に秀吉と決戦し織田政権を保持しているはずであった。第一そうなれば秀頼というような者もこの世に存在しなかったかもしれない。いずれにせよ、常真入道が思うに、むかし

若年のころは多少のうぬぼれはあったが、この齢《とし》にもなってみれば自分の才も器量もそれがどの程度のものかが、わかるようになっている。とてものこと、家康を相手に一戦も半戦も交えられるような男ではない。それよりも常真入道は、安逸がほしかった。いまのように無禄の流寓者としてこの大坂城に身をよせているのではなく、せめて三万なり五万石なりの身上をもらって、余生を安らかに暮したい。

（決めた。——）

と、常真がおもったのは、この殿中での密議を徳川方に売ることであった。売れば、家康はいくらかの報酬をくれるのではあるまいか。

「あっははは」

と、常真は何度も笑った。いかにも得意気にわらったのは、かれの生涯を通じての大演技であった。ここはひきうけた体を作らねばならない、とおもったのである。

このくだりの常真入道のことばを、新井白石は「藩翰譜《はんかんぷ》」にこう書いている。

「いま天下の大名を数うるに、たれか故太閤の御恩蒙《こうむ》らぬ者や候《そうろう》。御勢《おんぜい》を催されんには、などか従い参らざる者なからざらん」

いま、天下の諸大名をみわたすに、みな故太閤のご恩をうけた者ばかりでござる、ひとたび大坂から軍令が発せられれば一人として参らぬ者がありましょうか、とまるでめでたいことずくめであるような口上を大声でのべたてた。

「この常真入道」

と、往年の織田信雄はいう。

「若きころは一万や二万の軍勢を掌《てのひら》でころがすがごとく進退させたものでござる。さてこのめでたき御戦《おんいくさ》をさいわい、老後の思い出にぜひとも大将の軍配をとり、ゆゆしきいくさぶりをみせて右大臣家の見参《げんざん》に入れたてまつりましょう」

といったから、

――淀殿ヲハジメ参ラセ、悦《よろこ》ビタモウコトカギリナシ。

と、淀殿も咲《わら》い、大蔵卿局らも顔をあかるくしてさざめき、やがて秀頼がはじめて口をひらいて、

「すべて戦さ立ては入道におまかせします」

ということになった。

「ところで」

と、大野主馬が末座から申しのべた。

「御軍配がきまってめでとうございます。で、あすからは戦さの支度ということに相成りますが、その前に片桐市正《かたぎりいちのかみ》をすてておいては、今後の禍根」

斬《き》ろうという。軍門の血祭りというものであり、同時にそれが家康の挑戦に対する血まつりにもなる、と主馬はわかわかしく言いきった。

主馬はさらにいう。斬るならば殿中がよい、あす、これへよびよせ、それがしが刃《やいば》をもって刺しましょう、といった。一座はすでに昂奮《こうふん》している。このことに異存を申し立てる者もなく、

——すべて主馬どのに。

一任することになった。

大野主馬は、さっそく秀頼のおおせとして城内の片桐屋敷に使者をたてた。その使者の口上というのは、且元の家来で和久《わく》半左衛門という者が「和久半左衛門口上書」として書きのこしている。

「家康の内意がいかようであろうとも、すべてその方のさしず次第にまかせるゆえ、早々登城いたすべきこと」

というものであった。

この夜、風雨がはげしかった。

織田常真入道が御本丸をさがったのは、すでに暁方《あけがた》にちかい。笠《かさ》をかぶり、蓑《みの》を肩にかけて石段をおり、途中、櫓の軒で風を避けたりした。その避けているあいだに手

紙を一通書き、供の草履とりに、
「これを片桐市正に」
と、雨中を走らせた。
——あすは登城するな。
というだけの文面であり、くわしく知りたくば人を使いによこせ、物語るであろう
と書きそえた。
折りかえし且元のもとから、小島庄兵衛なる家来がそのわけを問いにきた。このと
き常真はすでに旅支度をしていた。
「わけは、こうだ」
と、殿中での密議いっさいを伝え、おどろいている小島庄兵衛に、
「わしのほうから、一つ頼みがある」
と、いった。城内の諸門は、片桐家の家士が警衛している、そのほうわしを門まで
つれだせ、通すように番士に命ぜよ、早う、事はいそぐ、とせきたてた。
小島は、そのとおりにした。
織田常真入道は、この夜明け前、風雨にまぎれて大坂城を逐電《ちくてん》してしまった。
そのあとすぐ京へのぼり、京都所司代板倉勝重にすべてをうちあけ、その庇護《ひご》のも

とに市中に隠れ住んだ。

常真入道はのち大和国宇陀《うだ》郡松山で五万石をもらい、寛永七年七十三歳（かぞえ年）で没。かれの織田家はその子孫所領をぶじ伝えて明治にいたっている。

旗　頭

傍目《はため》からみれば、こんなこっけいな光景はない。

「織田常真入道さまが、風雨にまぎれてお城からにげてしまわれた」

ということがである。

なんといっても入道は豊臣方の大将にえらばれた人物であった。そのことを彼自身もよろこび、

「むかしとった軍配のほこりを払い、いざ徳川殿に目にものをみせてくれましょう」

と、淀殿《よどどの》以下の前で大見得を切ったその夜、吹きぶりの雨の暗さにひらひらと身をくらまして城を落ちてしまったというのは、日本戦史上前代未聞《みもん》の珍事であった。

「まだ戦いもせぬのに」

と、この評判を大野修理《しゅり》の屋敷できいた小幡勘兵衛《おばたかんべえ》は、ひとりおかしがった。が、同時に常真入道のしざまに腹も立った。その翌夜、勘兵衛は大野修理が本丸からさがってくるのを待ちかまえて、

「なぜああいう札つきの不覚人を大将に推戴《すいたい》しようとなされたのです」

と、色をなして責めたのは、よく考えてみれば、関東の間諜《かんちょう》という立場からいえば、奇妙でこっけいな心情であったかもしれない。が、勘兵衛は、のちに日本最初の軍事学をひらくという男だけに、間諜《かんちょう》という立場よりも、軍事学者として豊臣家の軍事上のミスを純粋に論難したいおもいで、血が逆まくばかりに激怒している。人間というのは、どうも妙なものだ。

「いや、あの一件、目筋がちがった」

と、大野修理は黒い唇をゆがめた。勘兵衛はその唇をみながら、この男も存外ばかだ、とおもった。

「目筋々々と申されますが、常真入道をわざわざ大将にいただくというお目筋とはどういうことです。あの入道、幸い逃げてくれたからよかったものの、もし逃げずに大将として采配《さいはい》を振られたら、とてものこと、駿府《すんぷ》殿には勝てませぬぞ」

「いや、そのときは私が直接采配をふるつもりであった。常真入道はいわば飾りもの

の大将ということで」

「飾りものの大将」

（なにをいっている）

と、勘兵衛はおもった。

（もともと飾り物の大将としては豊臣秀頼がいるではないか。その下にもう一人飾り物を作って、それを大野修理が輔佐《ほさ》するという、いわば三階建てのお堂のようなものは合戦には無用も無用、有害の無用だ）

その意味のことを大野修理にいうと、

「もっともなことだ」

と、どうやら修理にも三階建ての愚はわかっているらしい。が、修理がいうのに、

「私の名では、天下の諸侯はあつまらない」

というのである。なるほど大野修理などという名前は、秀吉の時代ではたかだか三千石程度の旗本で、大名でもなんでもなく、また修理が過去においてどれほどみごとな作戦をやってのけ、または合戦をしたかというような実歴のはなやかさはなにもない。天下の人心が風《ふう》をのぞんで豊臣の旗になびいてくるがためには、旗頭の声望が要るのである。それには織田常真入道であった。入道はなるほど有名な不覚人であるに

はちがいないが、織田信長の第二子として武家貴族のなかでは筋目筆頭のお人である、その筋目に魅《ひ》かれて諸侯もあつまるであろう、そのために常真入道をえらんだ、というのが、大野修理の理由であった。

「なるほど」

勘兵衛は、せせら笑いたくなった。

「諸侯をはじめ天下の人心を吸引するがために織田常真入道を旗頭にえらんだとおおせあるが、それは右大臣家お一人でけっこうではござらぬか。故太閤《たいこう》のおん遺子たる秀頼さまが、豊臣家のお馬標たる金瓢《きんぴょう》をおんみずからのお手で大坂の城頭にたかだかとかかげられれば、故太閤恩顧の大名どもは、たとえ関東勢のなかで馬をならべていようと、秀頼さまにむかって矢を射かけることをためらうのは必定。ゆえに御大将は秀頼さまお一人でなければならぬはず」

「それも、もっともだ」

と、大野修理はうなずいた。

「もっともであるが」

修理はしばらくだまっている。

「そうはならぬ事情があるのだ」

「事情」

勘兵衛は自分の軍事学に照らしておもうのに、敗者にはかならず事情がある。勝つためのいくさであるのに、勝つための戦さ立《いく》てをするについて、勝つという目的とは無縁な「事情」で膳立《ぜんだ》てをつくってゆく。

（なんの事情かは知らないが、これではとても百戦の雄たる大御所には勝てまい）

とおもいつつ、あごを上げた。修理のはなしをきくためであった。

修理のいう事情とは、淀殿の意向である。淀殿は、いくさがこわい。淀殿は少女のころから娘になるまでのあいだ、敗戦のみを経験した。もし負けたばあいのことを考えると、さらにその敗戦のじかの責任者が秀頼である場合を考えると、秀頼は当然殺されざるをえない。それを思うと、思うだけで地獄が目の前に押しよせてくるような恐怖を全身で感ぜざるを得ない。秀頼は、大将になるべきではない。彼女にいわせれば、秀頼は天下人である。その権能を家康に一時うばわれてはいるもののその尊貴さは京の天子に次ぐ存在で、みずから手を砕いて戦さなどをすべきではない。戦さは、覇人《はじん》がするもので、秀頼は超然たる存在であり、たとえば関ヶ原のときにも秀頼は大将ではない。謀主は石田三成で、これはこんにちの段階では大野修理にあたるであろう。

あの当時、三成は自分が旗頭としての勢望に欠けるところがあるため、たまたま山陽道から大軍をひきいて大坂城へやってきた毛利宰相輝元にたのみ、むりやりに頼みこんで西軍の旗頭たらしめ、そのまま大坂城にすわっていてもらった。この毛利宰相輝元の位置が、昨夜落去した織田常真入道であるというわけである。不幸にして関ヶ原ノ戦いは、西軍が負けた。しかし不幸中のさいわいは、秀頼は、

——いっさい無関係の位置にいた。

ということで、天下の権をうばわれただけで命はたすけられた。淀殿は、こんどもそのでんでゆこうとしていた。

(こんども、知らぬ存ぜぬでゆくのか)

と、勘兵衛は、じつはこの淀殿の戦略にだけは内心驚嘆した。彼女がこんな思案でいようとは、いかに軍事通の勘兵衛でも思いもよらなかったし、家康も想像すらしていないのではあるまいか。

「なんと虫のよい」

とは、勘兵衛はいわなかった。ただそれがいかにおろかしい案であるかを、勘兵衛はそれを説くことさえ愚だとおもいつつ説いた。

「関ヶ原のときも、一奉行にすぎぬ治部少(石田三成)におまかせなされた。治部少

は戦場でほろびた。なぜかといえば、味方の諸大名が、治部少程度の者の下知《げち》をきくことがばかばかしく、みな馬を出す気にもなれず、怠けに怠けてあのような次第になったのである。なるほど治部少は器量の狭い男ではござった。しかしその器量のせまさで治部少は負けたのではない。たかが十九万余石の小大名たる治部少が事実上の大将であるということに諸将がばかばかしさをおぼえたためでござる。このとき家康の身代はいかほどか、関東で二百五十万石ではなかったか、たれがみても、家康という大福者に味方するが得で、三成という貧乏人に味方すると損ということがわかる。大福者に味方した以上は大いに励む。東軍の諸将が大いに励んだがために関ヶ原は家康の勝ちになったわけで、もしあのとき、秀頼さまが戦場に出ておられればどうであろう。いかにご幼少であれ、金の瓢簞《ひょうたん》の馬標が松尾山あたりに揚がれば、東軍参加の諸将は弓を伏せて降伏したにちがいないのはまぎれもないこと。惜しや、それがために西軍はやぶれ、三成は敗走し、豊臣家はこの城一つと摂河《せっか》泉《せん》三州六十余万石の位置に転落した。その愚を、またもくりかえそうとなさるのか」

と、勘兵衛は説くうちに自分のことばに感動し、それが涙になってほおをぬらし、自分が秀頼にとって大忠臣であるかのような錯覚におそわれ、その錯覚がまた涙になって、ほおをとめどなく伝った。

当然、大野修理は感動した。

(この小幡勘兵衛については、城内にとかくの風評があるようだが、しかしいまのこの男をみよ、悪人や諜者にこれほどの涙が流せるものかどうか。風評というものがあてにならぬことは、この一事でもわかる)

と、息を詰めるようにしておもった。

大野修理は、声を小さくした。

「お袋さまのお心は変らない」

と、いうのである。

織田常真入道が退転してしまった以上、それにかわるべき旗頭をさがせ、と今日、淀殿は大野修理に命じたのである。

——有楽《うらく》どのはどうか。

と、淀殿は案を出したが、すぐせきこむように、

「左様、有楽どのにせよ」

修理に命じた。

有楽とは、茶人の織田有楽のことである。

(茶の宗匠ではないか)

勘兵衛は、あきれる思いがした。

織田有楽、名は長益《ながます》。織田信長の末弟で、いまは六十七になっている。織田家は信長以外にろくな者がいないが、有楽も一国一天下を切りもりできるような材幹ではとてもない。ただ信長がもっていた芸術的才分の血をこの末弟は分けているらしく、若いころから茶の世界ではなかなかの人物で、千利休の高弟七人のうちにかぞえられた。天正十年兄信長が本能寺で急死して織田政権が瓦解《がかい》したとき、たまたま有楽は他の場所にいたために、かろうじて命をとりとめた。のち秀吉につかえ、一万石あまりをもらい、お伽衆《とぎしゆう》になった。有楽はおもに茶道を通じて、秀吉の話相手になった。関ヶ原ノ役では家康に加担し、主力決戦でみずから槍《やり》をとって働き、

——さすが、総見院（信長の諡《おくりな》）さまの弟君よ。

と、ひとびとに意外の印象をあたえたが、戦後は、家康から加増してもらって得た三万石の知行地をまもりつつ、もっぱら京に住んで茶道を楽しんでいる。ちなみに京でのかれの住いはかれの設計に成る庭園が評判で、そのあたりはのちのちまで有楽《うらく》町といわれる。江戸でのかれの住いのあとも町名として残った。有楽《ゆうらく》町である。

淀殿は、そういう茶人を豊臣家の旗頭にむかえようというのだが、軍事的見地からはおろかというより滑稽《こっけい》であった。しかし母親として秀頼一人の安全のみを考えてい

る彼女にすれば、これはなかなか狡智《こうち》に富んだ工夫といえる。彼女にとっての旗頭とは負けたばあいに秀頼の身がわりになって殺される役目で、それが有能である必要はない。形代《かたしろ》として死んでくれるだけでいいのである。

（ばかなはなしだ）

と、勘兵衛はおもった。こんど家康がおこそうとしている対大坂戦というのは、豊臣家そのものをつぶしてのちのち乱のたねを絶やすのがめあてであり、具体的にいえば秀頼一人を殺せばよい、できれば毒を盛って殺せばよく、それがもっとも経済的であったが、それがための妙手がみつからないために大軍を催して大坂城攻めからはじめようというのである。家康の真意はそこにある。どういう貴人を形代に連れて来ようと、家康は秀頼一人の心臓をとめる以外に考えていないことを、淀殿はどうして理解できないのであろう。

（関東の様子をみれば、わかるはずではないか）

と、勘兵衛はおもうのである。家康は自分の老いにあせっている。子孫のために太閤の子孫を根絶やしにしておくということを当然ながら考えている。その程度の家康の意中は、大坂城の楼上に住んでいても、すこし頭を冷やし、子への盲愛という囚《とら》われ心を去って考えてみればわかるはずのことではないか。

（それがわからない）

という事は、勘兵衛にとって、新鮮なおどろきであった。自分自身の運命について、この程度にごく明白な、理解しやすい、ごくあたりまえの思考の条件が、とても理解できないほどの愚人が世の中に存在しているということにおどろいたのである。それが、この城にいる。しかも権力の頂点にいる。

（淀殿は、お頭《つむり》がたしかか）

とおもうのだが、べつにあほうであるといううわさはきいたことがない。要するに愚かというのは智能《ちのう》の鋭鈍ではなく、囚われているかどうかだということを勘兵衛はおもった。淀殿は一個の恐怖体質である。

彼女にあっては、あらゆる事象はすべて自分のなかに固定してしまっている恐怖を通してしか見ることができない。秀頼のためのみを考えすぎ、それにとらわれ、それを通してしか事象を見たり判断したり物事を決めたりすることができない。

さらには、これもとらわれのひとつだが、淀殿は秀頼という者を、よほど尊貴な存在と思い、揺ぎもなくそうおもっているらしい。ところが世間はそれほどには思わぬようになっている。関ヶ原から十四年、天下の権は江戸にうつり、諸大名は徳川将軍をもって盟主とあおぎ、いまでは大坂の葦《あし》のあいだに豊臣家というものが残存してい

ることを忘れ去ろうとしている。が、淀殿とその侍女たちの意識群だけは孤立してい
た——世間から、である。右大臣秀頼さまはあくまでも天下のぬしで、その天下を一時、家来の家康に貸してあるにすぎないという解釈が、すでに宗教的にまでなってい
た。そういう超政治的な感覚世界に淀殿は住み、そこから人事万般と世情を見ている。淀殿は本来良質な頭脳をもっているのであろう。しかし人間、賢明さというものをうみだすのは頭脳であるよりもむしろ意識であった。淀殿の意識では、世の中のどういうものも正確にとらえることができない。

(どうやら、そうらしい)

勘兵衛は、わかってきた。

(せめて秀頼さえしっかりしておれば)

とおもうのだが、ふしぎなことに勘兵衛はこの城内屋敷に住んでいながら、この城の城主の豊臣秀頼という青年が、かしこいのかおろかなのか、またはどういう性格の、どのような趣味をもった人物なのかが、さっぱりわからない。城主は、いわば謎《なぞ》の人物というにちかかった。

「で、秀頼公は」

と、大野修理にその核心を指す質問をしたかったのだが、秀頼の司祭たち——

大蔵卿局《おおくらきようのつぼね》以下の女官たちや大野修理らの側近衆——がこの点だけは口をつぐんでいることを、さすがの勘兵衛もききだす勇気はなかった。

ところで、大野修理は、勘兵衛をたよりにしている。

「勘兵衛、よい工夫はないか」

と、いうのである。

勘兵衛は当然、この城の防衛についての専門的な事がらであろうとおもい、勢いこんでその意見を語りはじめた。

大野修理はおだやかな表情でいちいちうなずいていたが、やがて、

「そのことは、いずれきこう」

と、話の腰を折った。大野修理がいま勘兵衛に謀《はか》りたいことは、

——織田有楽どのの招《よ》び方をどうすればよいか。

という、意外にも先刻、修理がわかったはずの事柄をまたも持ちだしたのである。

これには勘兵衛は、内心失望した。

(修理だけはすこしはましな男だとおもっていたが、やはりそうでもなかったか)

修理にも、勘兵衛の顔色でその心が読めたらしい、すこし苦笑して、

「私の主人は御母公と秀頼さまだ。主人のお気の休まるようにここは致さねばなら

ぬ」

と、いった。

――修理はそういう男か。

と、勘兵衛はこの大野修理という男の一面がわかったような気がした。修理は、淀殿を言いくるめてしまって大戦略をたてるような男ではなく、淀殿の気持を安らがせるということを思考の重要な因子にしつつ、事を処理してゆく男らしい。その処理の仕方については、かれはなかなか有能であった。

かれにいわせれば織田有楽に対し、事を明かして頼みこめば、おそらくおいの常真入道のように逃げるかもしれない。このため、

――右大臣家が、城内山里郭《やまざとぐるわ》にて茶会をなさる。つきましては御指南をねがいたいが、いかが。

という名目で大坂城へよびよせ、そのまま力ずくで城内にひきとめておくのがいちばんの良策とおもうがどうか、ということであった。

（そこまでして、武事に暗い茶人を大将としてまねきたいか）

と、勘兵衛は言いたかったが、もはやこれ以上いうことはむだであると思い、ただ無言でうなずいた。有楽をよびよせるにはその手しかあるまい。

（これでは開戦どころのさわぎではない）

と勘兵衛がおもううち、これとは別にこの城内でとほうもない事変がもちあがった。

家老片桐且元の反乱である。

断罪書

あの織田常真入道が退転してしまった風雨の夜、片桐且元《かたぎりかつもと》は入道への使者から、

「御殿のおそば衆は、そこもとを亡《な》きものにしようとしている」

という密告をきいた。且元という男は卑賤《ひせん》から大名になった男だけに、どこか自信過剰なところがあり、そこが人の好《よ》さにもなっていて、

「まさか、そこまでは」

と、半信半疑でいた。げんに駿府《すんぷ》から帰った当座も、本丸のおそば衆の自分に対する感情をあれこれと気くばりしながらも、

――なあに、最後にはわしについて来ざるをえない。

と、一面たかもくくっていた。この豊臣家のすべてを切り盛りしてきたのは自分で

ありその功労は秀頼も淀殿《よどどの》もよく知っているはずだとおもい、また自分でなくてこれだけの大世帯をたれが宰領できるか、という自負もあった。大野修理《しゆり》についても、

「修理は、わしの弟分のようなものよ」

と、ひとにいったこともある。修理は且元の政敵のはずであった。その修理を、

——わしが弟と同然。

と、真顔で（相手は秀頼の近習の肥田庄五郎）語ったことがあるが、このことも且元という老政客の人のよさを示すものだったにちがいない。

——修理ハ別シテ御用ニ立ツ者ナレバ。

と、且元は語っている。だから加増についての口添えを、

——江戸や駿府にしたことがある。

というのだが、江戸とは徳川秀忠、駿府とは家康、要するに修理が関東に気に入られるようにというひきたての労を且元は修理のためにとってやったというのである。

それが、

「弟同然」

という意味であった。ところが且元は修理の心底を見あやまっていた。大野修理は家康を敵とし、豊臣家がふたたび天下を回復せねばならぬという、現実家の且元から

みれば「幻想」の緊張のなかに心を棲《す》まわせている人物であることを、うかつにも知っていない。

知らなかったからこそ、且元にとっては、修理はどうにでもなる男であった。御殿の空気はなるほど妖《あや》しい。が、やがては且元の「駿府案」に修理も加担し、大蔵卿局を通じて淀殿と秀頼を説得するであろうと、ひそかにたかをくくっていたのである。

その修理らが、

――且元を殺す。

という。

（あの修理めが）

と、且元は胆《はら》の煮えるおもいがした。

その密議の内容をつたえてくれた織田常真入道によれば、御殿の密議は、はじめ、

――且元を予定のごとく家康への返事をつたえるべく駿府へやる。その留守中に妻子を殺してしまう。

というものであった。むろん不覚人の常真入道のいうことだから、真偽のほどはよくわからない。そのあと、

――それよりもいっそ、且元をだまし、殿中におびき出し、おどりかかって刺し殺

してしまおう。

ということになったのだという。いずれにしても、豊臣家ははっきりと、その家老の片桐且元を家康側であると規定し、これを刑戮《けいりく》してしまうという意志をもったことはたしかであった。

「ばかなことになった」

と、且元は二十三日の夜があけてから、弟の貞隆《さだたか》にこぼした。

貞隆はすでに直垂《ひたたれ》を着て、鎧《よろい》を着るまでの姿でいる。邸内の警備についても、万全の指示をした。さらには兄の居城である摂津茨木《いばらき》城にも急使を送り、留守の者にすべてを申し告げてある。貞隆は、こういう点では事の処理の早い男であった。

「兄上、その平装ではまずい」

と、早く甲冑《かっちゅう》をつけよ、いつ本丸から人数が攻め降りてくるかもしれぬ、とせきたてたが、且元は、心気がやや朦朧《もうろう》とし、腰をあげる気力も失《う》せ、なにやら自分自身の身をどう処していいのかわからぬ心事でいる。

「加兵衛、加兵衛」

と、目の前にいる貞隆の名をやたらによぶのである。貞隆は秀吉のころに従《じゅ》五位下主膳《しゅぜんのしょう》正という大名格の官位をもらっていたが、且元はいつもかれの通り名である加

兵衛のほうでよんでいた。貞隆は、

「兄上、なにをうろたえておられる」

と、そのつどうんざりしたようにたしなめるのだが、一方では、

（これほどの人が）

と、内心おどろきを感じざるをえない。貞隆は年少のころは、この兄を神のように崇拝していた。長じてからはこの兄が存外処世の上での不器用人であることを知って、その面で輔佐《ほさ》してきたし、また戦場でも戦《いく》さ才覚にやや欠けるところがあった。そのつど、貞隆が助言した。ただ戦場で他の味方がくずれはじめたとき、そのときだけは且元の態度はきわだったもので、石像のようにうごかず、乱軍のなかでの指示がいちいち的確で、このため且元の隊だけは旗もみだれず、士卒の動揺もなかった。やはり兄だと、貞隆はそういうことを思いだしてはたがいに老境に入ったいまもなお、且元への尊敬心はゆらいでいない。

（が、いまのこのざまはなにか）

と、貞隆はおもうのである。戦場でのあの且元とはまるでちがっていた。

「兄上、これはむしろよろこぶべき事態です。豊臣家の腫物《ねぶと》がつぶれ、血膿《ちうみ》が流れ出た」

貞隆は、医師にたとえた。片桐兄弟は豊臣家の家運に関する医師であったというのである。医師としてお家の寿命が保《も》つように懸命に手当してきた。ところが、この切所《せっしょ》になって医師を放逐するという。いや放逐どころか、殺すというのはなにごとであろう。もはやこうなった以上、駿府どのにすがり、すべてをおまかせするしかない。

「かえって進退の自由を得たようなものではありませんか」

「そのとおりだ」

且元は、力なくうなずいた。貞隆がいうような理屈は、早くから且元の肚の中にあるもので、百もわかっている。しかしいざとなると、やはり秀吉からうけた恩義という、この厄介な感情がどうにも始末できず、足腰を萎《な》えさせる思いであった。且元は、少年のころから秀吉に近侍した。賤《しず》ヶ岳《たけ》ノ戦いでは、さほどの働きでもなかったのに、

――助作（且元の通称）、でかした。

秀吉は且元の頭上を軍扇であおぎ、かれを七人の最高殊勲者のなかにくわえてくれた。世に賤ヶ岳の七本槍《やり》といわれるのがそれであった。なるほど七本槍のなかまのなかでは加藤清正や福島正則《まさのり》は他の仲間をとびこえて大国のぬしになり、且元はひくい禄高《ろくだか》でとどめられたが、そのかわり秀吉は、

――これは助作と加兵衛だけにやるぞ。

といって、兄弟に対し、豊臣の姓をあたえてくれた。大国のぬしである清正や正則に対しては、かれらが秀吉の縁者であるというのに秀吉は豊臣の姓をゆるさなかったことをおもうと、且元はこの場になって、なにやら腰が抜けてしまったように呆然《ぼうぜん》とした。

「いや、そのことはわかっている」

と、且元は弟にいった。弟のいう功利的裁断だけがいまの自分を救う唯一《ゆいいつ》の道だということはよくわかっている。しかしすぐさま甲冑を着て本丸の楼上にいる秀頼にそむくということは、どうも為《な》しがたい。が、本丸からいまにも軍兵《ぐんぴょう》が駈《か》けくだってくるかもしれず、過去の感傷のために腰を萎えさせているわけにはいかなかった。

退去しなければならない。

それも人数を武装させ、鉄砲と玉薬を詰め、火縄に火を点じ、隊伍《たいご》をそろえて退去し、もし本丸の連中が攻めかけてくればひきかえして一戦し、はなばなしく蹴散《けち》らして退去せねばならない。

「この場合、そのはなばなしさこそ大切です」

と、貞隆はいった。もっともであった。城を退くのにおずおずと尾の垂れた病み犬のように出てゆけば、世間というのはこぞって片桐兄弟をまるで不義の奸臣《かんしん》であるかのようにふくろだたきにするだろう。が、ここを堂々と勇壮に出てゆけばどうか。世間は正義、不正義の判定よりも、爽《さわ》やかさや潔《いさぎよ》さというもので人の行動の美醜をきめたがる。堂々と戦闘序列を組みつつ退城すべきであった。であるのに兄上、そこに尻《しり》餅《もち》をおつきなされているそのざまはなんであるか、と貞隆はいうのである。

「加兵衛、わかっている」

と、且元はいった。且元はこのさわぎで朝食をまだ摂《と》っていなかった。このえたいの知れぬ懶《だる》さには、腹が空《す》ききっているという要素も入っているかもしれない。

「湯漬《ゆづけ》でも、食うか」

と、且元は貞隆へささやいた。

城内における片桐屋敷は、玉造門《たまつくりもん》のちかくにある。兵が籠《こ》められている。

当然、城内は、

——市正《いちのかみ》どのが戦さをはじめられる。

ということで、雑人や水仕《みずし》事の女どもまでさわぎまわった。

本丸のほうからは詰問《きつもん》の使者がきた。

——すぐ御殿へあがられよ。

と、上意であるとして且元に命じたが、且元は会わなかった。家来に言いふくめ、

「昨夜、月代《さかやき》を剃《そ》りましたるところ風邪をひき、臥《ふ》せっております」

と、病気であることを申したてた。

そのうち、本丸のほうでも且元が反乱をおこした場合にそなえて七手組の組頭たちに命じ、城内の各所に人数を籠《こ》めた。その配備の状況を、大野修理は巡視した。小幡《おばた》勘兵衛《かんべえ》も、つきしたがった。

（とてもこの連中は物の用に立ちそうにない）

と、勘兵衛がおもったのは、鉄砲組の足軽のくせに鉄砲のうちかたも知らぬ者がおり、弓組の足軽のなかにも、ろくに弦《つる》を引けぬ者がいることであった。士分の者の顔ぶれをみても、これはとおもわれるような面魂《つらだましい》のもちぬしはかぞえるほどで、これが天下に鳴る大坂城の七手組かとおもい、勘兵衛はあきれた。七手組とは豊臣家の直衛隊であり、まことにきこえはいいが、実体は日本最弱の武士団かもしれなかった。

「いったい、これはどうしたことです」

と、途中、櫓《やぐら》のかげに風をさけて休息したとき、勘兵衛は腹の底から憤《いきどお》りがこみあげてきた。

「むかしはこうではなかったはずだ」

　と、修理はいった。あたりまえのことで、むかしは秀吉がその麾下《きか》から精強の者をよりすぐって旗本である七手組をつくった。が、天下をとるとともに、世界のどの国の王室の近衛兵《このえへい》もそうであるように、儀典とか行列などのためにのみ使われ、武装や服装のみが華美になり、戦士として性根をうしないはじめた上に、すでにいまは秀吉が選抜した初期の士卒が老い、その子の代になっている。城下である大坂の殷賑《いんしん》の風に染まってもいた。

　そのうえ、この七手組が、他の諸大名の士卒とちがう点は——これは驚嘆すべきことだが——実戦の経験をもつ者がまるでいないことであった。豊臣家の親衛隊であるがためであった。かれらは朝鮮ノ陣にも秀吉に従って北九州の名護屋《なごや》まで行っただけで、渡海はしていない。関ヶ原ノ役には、ほんの一部石田三成の手に属して戦場に出たが、結果が敗戦であったためそのまま牢人《ろうにん》した者が多い。自然、武辺の伝統がうすれた。近年、家康でさえがこの様子を見かね、

　——交代して駿府番でもすればどうか。

　と、片桐且元にいったほどであった。

　その連中が、城内の要所々々に待機しているのである。

(且元に勝てるものか)

と、勘兵衛はおもった。

「――これではとても大事は」

成せませぬな――と勘兵衛はいった。この事態を救うのに勘兵衛に案があった。牢人を徴募することであった。関ヶ原の敗者の側に立った大名の家来は、ほとんどが牢人して野にかくれている。その数、二十万と踏んでいい。そのうちの将領級の牢人をまず招募することであった。名ある将が来ればかならずその名を慕って悍強《かんきょう》の士があつまってくるものである。修理はむろん、以前から牢人を招募していたが(それが関東が大坂を問罪した条々の一つになっているのだが)、しかしまだ将領級の者に目をつけていない。そういういわば英雄豪傑をまねき、かれらの手でこの城内の士風を変えてしまわねば、どうして関東の精兵と決戦することができよう、と勘兵衛は説いた。説きながら、勘兵衛は自分の構想に昂奮《こうふん》してきて、

(これは日本未曾有《みぞう》の合戦がみられるぞ)

と、語気までが針をふくようにするどくなった。本来、間諜《かんちょう》とは構想者であり、夢想家であるにちがいなかった。

修理は、何度もうなずき、すべて勘兵衛の意見を容《い》れようといった。

「ところで」

と、修理は現実の課題にもどった。且元を討つべきかということである。城内はいくつもの小城郭をふくんでいる。その小城郭同士の合戦になるわけであり、おそらく混乱は極に達するであろう。

「市正どのの人数は五百」

と、勘兵衛はいった。

当方は、使える者だけを使うとして五千人はいる。五千人で五百を討つのは一見たやすいようにみえるが、しかし大きな見地からみてどうであろう、合戦ともなればかならず火が出る、むろん片桐方は火を放つ、城楼が燃えてたかだかと火柱をあげる、その猛火をみて世間の者はどうおもうであろう。

「城方のあざやかな勝ちとは思いますまい」

と、勘兵衛はいった。それに片桐勢は玉造門をおさえているのである。いつでも城外へ脱出できる。逃げぎわに火を放って玉造門から走りだして茨木へ帰ってしまえば、片桐方の勝ちと世間が見るのは当然。

「ここはおとなしく退去させておしまいになるのが上分別と申すものでしょう」

というと、修理はうなずき、

「わしもそうおもっていた」

と、勘兵衛の案の尻馬《しりうま》に乗った。修理のくせであった。勘兵衛がいくら妙案を出しても、

――ああ、そのことはわしも気づいていた。

と、いう。勘兵衛の案を採用してくれるのはありがたいが、返事にはかならずそのひとせりふがつく。すこし構えている。勘兵衛のみるところ、古往今来のよき大将とは、配下に意見を出させると、そのことを大将みずから考えてはいても、

「何兵衛、よう気づいた」

と大ほめにほめるものなのである。であればこそ配下の者どもは智恵《ちえ》をしぼって策を考え、それを上申することをよろこぶ。修理のようでは、よき幕僚はできまいと勘兵衛はひそかにおもったが、しかし勘兵衛はみずから構想することに芸術的なまでの衝動とよろこびを感じているため、修理がどうであろうと、思いついたことは今後もすべて修理に話すつもりであった。

さて。――

淀殿のほうが、動揺した。片桐且元が玉造門をおさえつつ屋敷に兵を籠めていることについてであった。彼女は、戦火をよろこばぬあまり、この日の正午、修理にも相

談せず、且元にむかって妥協の使者を出した。

「なにか不満を抱いているようだが、なにごとであれ申し出よ、悪《あ》しきにははからわぬ」

と、口上させた。それに且元ですらおどろいたことに、淀殿と秀頼の名で、熊野大《くまのだい》権現《ごんげん》の熊野誓紙に、神々にちかってそのほう不為《ふため》なことをせぬ、という誓紙まで使者にもたせてやったのである。主人から家臣に誓紙を書くなど、かつて乱世のころわずかに先例はあるが、この程度のことで誓紙を差しくだしたという例はない。やることが、軽率すぎた。

且元は衣服をあらためて誓紙をおし頂き、拝見し、しかしながら拒絶した。自分を殺そうと企てている者がお側衆《そば》にいる、このことたしかな筋からききましたゆえ、武門の意地をもってこのように支度をしております、しかしながらお城内の要所々々にお籠めなされている人数を撤去なさるならば当方も考えましょう、と返答した。

折りかえし淀殿のほうから返事がきて、さっそくそのようにする、といってきて、ことばどおり人数を散らした。且元もそれをみて、屋敷の戦備を解いた。

ところが、この一夜のうちに淀殿の気持がかわった。

例の癇《かん》が、彼女の方針を変えさせた。腹が立ってきたのである。たかが豊臣家の使用人をなだめるのに誓紙まで書いたこと、且元のその返答が傲慢《ごうまん》であったこと、さらに且元が、主君を憚《はばか》らぬばかりかその城内で主君に対し戦闘準備をしたこと——それらのことどもについての怒りが、この婦人から戦争恐怖の感情を一時わすれさせた。修理も知らぬまに、淀殿の手もとで且元に対する断罪書がつくりあげられ、それが且元のもとにとどけられた。

淀《よど》堤《づつみ》

片桐且元《かたぎりかつもと》は、大坂城を退去しなければならない。もどるべきところはその居城茨木《いばらき》城だが、そのあとは、いまの大阪府茨木市にある。

大坂城からは北東の方角にあり、道のりにして二十キロ、直線距離で十五キロであり、途中は一望の淀川平野で、視界をさえぎる山がないため、晴れた日には大坂城の天守閣から茨木のこの小さな城を遠望することができる。

いまの茨木市の市街をあるいても、その城あとはほとんど住宅街になり、ここがおそらく本丸跡ではないかと推測された場所（茨木市片桐町の茨木小学校の校庭）に石碑がたてられている。ほかに痕跡《こんせき》としては、このあたりに延喜《えんぎ》式の古社（茨木神社）があって、その門が且元の茨木城の城門だったという。あとはなにもない。わずかに地名として、大手町とか二ノ丸という町名が生きているだけである。

且元は、まだ大坂城内の自邸にいる。屋敷に籠《こ》めておいた人数はひとまずは解散させ、城内はしずかになった。

が、それも数時間にすぎない。本丸の御殿のほうから、淀殿の使者がまたまた駈《か》け降りてきて、

「そのほう、出家せよ」

と、きびしく命じたのである。単に法体《ほったい》になれというだけではなかった。禄《ろく》も城もとりあげて放逐するということであった。

「これはまた手ひどい」

と、且元はここ数日来、はじめて笑った。且元の主観からすれば自分ほど豊臣家に対する忠臣はないとおもっており、関東との調整に骨身をけずり、ついに豊臣家永久の策を講じたつもりで大坂に帰ったところ、不忠むざんの賊臣あつかいをうけたばかりか、いのちまでとられそうになった。

——されば籠城《ろうじょう》（城の自邸で）あるのみ。

と凄《すご》んでみると、本丸のほうはよほどこわかったらしく（と、且元は推察している）あわてて大野修理《しゅり》らの兵を撤退させたから、且元もわが人数を平時の態勢にもどした。

（が、このままでは済むまい）

とおもっていると、「出家追放」という命令がくだってきたのである。それも淀殿の命令であった。淀殿の自筆の命令書をたずさえて彼女の使者がきた。

——筋がちがうではないか。

と、且元は腹が立った。自分はあの女につかえてきたのではない。前右大臣《さきの》秀頼につかえてきたのであり、たとえ追放されるにしても秀頼の使者が秀頼の命令書をたずさえてやってくるべきであった。あの女は、なんであろう。故太閤《たいこう》の側室であったにすぎない存在ではないか。あの女が、豊臣家の家老を処罰したり辞めさせたりする権能があるものかどうか。

（古往今来、こんなばかばかしい目に遭った者もあるまい）

且元はもう笑うしかなかった。

いまひとつ彼を笑わせたものは、

（これで済んだ）

ということであった。関東と大坂のあいだで板ばさみになりつづけたこの苦しい立場がこの追放命令によってくっきりと終止符が打たれるのである。むしろ且元は解放された。こうとなっては、追放という堂々たる事由をもってこの城を退転することができる。

且元は、淀殿へ返事を書かねばならない。しかし返事の書きようがあるだろうか。且元はすでにひらきなおっていた。

「ご随意に」

という意味の文章を書いた。文章は数行にわたっている。ちょっとおどろくべき内容で「私が駿府《すんぷ》から持ちかえった三カ条の条々はこれは大御所さまの御意ではない」と書いている。且元は、前言をひるがえした。前言とは、

——この三カ条（秀頼や淀殿を江戸住いにさせ、大坂の城をあけわたす。そのかわり、希望の国をあたえる）は家康の意向である。

ということであった。且元はこの期《ご》におよんであれは家康の意向ではありませぬ、

「自分の計らいでございます」

と、書いた。もし戦乱になったとき、家康を「非道な挑発者」にしたくなかったのである。且元は、芸のこまかい男であった。家康が世間から受けるであろう「非道」

の批判を、且元一個がこの正念場《しょうねんば》でひっかぶってしまうことによって、家康に対し忠義を売りつけておこうとおもった。かれはなるほど「忠臣」ではあったが、その保身を考えるために、行動がつねに複雑になった。豊臣家の忠臣から徳川家の忠臣に転換するそのかわり身の切所《せっしょ》は、この淀殿への返書であった。返書は、つづく。

「なるほど自分一個のはからいでありましたが、しかし御家がつづくためにはあの案以外にございませぬ（御為《おため》シカルベクモ御座アルマジキカト存ジ奉《たてまつ》リ、拙者ノ分ニテ申シ上ゲ候《そうろう》）」

さらにいう。

「でありますから、この上はいかようとも、御分別次第」

勝手になされよ、というのである。これほど主人に対して喧嘩《けんか》腰の返書を上呈した例もおそらくはすくない。且元にはその必要があった。かれはあとあとの保身（徳川家への仕官）を考えると、おなじ追放されるにしても、関東やら世間なりに、

「且元はたたきだされた」

と、はっきりと認めさせるほどのめざましさで追放されたかった。でなくしてあいまいに出てゆけば、あとあと、関東は、

——且元は大坂にも心を寄せているのではないか。

と、うたがうにちがいない。ここは、鮮やかさを必要とした。それには淀殿を怒らせることであった。できれば足蹴《あしげ》にされて追い出されたい。

案の定、淀殿はもう、目の前が暗くなるほどに立腹し、癇《かん》を顔じゅうに走らせ、

「市正《いちのかみ》裏切り、二心、これにて見えたり。主人を裏切る者は古来あれども、いかに悪人といえども後ろめたく裏切ったるに、市正のこの返書の無礼さ、憎体《にくてい》ぶり、古来これほどの者があろうか」

と、叫び、

「すぐ切腹させや」

と、左右に顔をはげしくふりたて、大蔵卿局《おおくらきょうのつぼね》にも言い、宮内《くない》卿局にも言ったが、大蔵卿局はまずまずまずまずと中腰になってなだめ、

「おことばではございますが、市正が関東の意を受ける者であることはこれで瞭然《りょうぜん》、それであればこそ彼を切腹せしめることはあぶのうございます、関東がそれを口実に戦《いく》さをしかけてくればどうなります」

と、この老女はこの期《ご》になっても、なお関東の機嫌を損じぬようにさえすれば戦さにはなるまいという観測からぬけきれなかった。このあまさは駿府での家康の機嫌が彼女ら淀殿の使節に対しあれほどによかったことをわすれきれずにいるためであった。

その一言で、淀殿は、われにかえったような顔になった。秀頼も、大いにうなずいた。

この場には男の奉公人はいない、大野修理もおらず、渡辺糺《ただす》、木村重成もいなかった。かれらがいれば、

「且元を追放すればもうそれだけで関東へ手切れを宣告したのも同然。追放が切腹になっても、戦さは必定のことでござる。いまはただ御城をあげて戦さ支度をするほかございませぬ」

といったであろう。そう言われれば言われたで淀殿はそちらに傾いたにちがいない。が、いまは男はいない。淀殿は、老女の道理に乗った。淀殿にすれば戦さへのおそろしさだけは、つねにかわらない。

「それももっとも」

ということで、さきに命令したように「出家追放」ということにとどめた。

が、且元には難事がある。

——どのようにしてこの城を出るか。

ということであった。うかうか出れば、大野らの人数があとを追ってきて城門付近で合戦が勃発《ぼっぱつ》せぬともかぎらない。いや、そうなるであろう。且元は戦国乱世の生き残りだけに合戦はおそれなかった。しかし数すくない士卒を無用の合戦沙汰《ざた》でうしなうことは得策でないとおもっている。

「武門のならいにより」

と、且元は殿中の知人に対し、あらかじめ全軍武装して退去することを告げた。武装退去は戦国のならいで、主君が重臣を追放するとき、追放された重臣は領外へ出るまで合戦支度をして出てゆく。そのわけは主君の追手がくればそこではなばなしく戦い、男たるの美を揚げてみせるためのもので、その先例は多い。

当然、大野修理らのほうも、

「市正の人数が火縄に火をつけ、鉄砲に玉ごめまでして御城を出てゆくというのを、楼上にあってだまって見すごすというのは世間のあなどりをまねく」

ということで、自分たちの手勢だけでふたたび戦備をととのえはじめた。城中、再度騒然となった。

が、勝てるか、ということである。大野、渡辺、木村、といった面々は石高もすくなく、したがって家来もわずかしかおらず、それらを掻《か》きあわせても且元の人数とくらべ、やや足りない。この場合、七手組をうごかせばその人数は且元のそれより圧倒的に多いため負けることはないが、七手組を動員するには、秀頼・淀殿の命令がなければならない。が、いまのところ淀殿は戦火をおそれることはなはだしいため、七手組の動員は決して承知しない。承知するほどなら、且元に切腹を命じているはずである。

自然、修理らは、私闘ということにして、自分たちの手持の人数をもって戦わねばならない。

「それは、むりでござろう」

と、大野修理をなだめたのは、七手組の将（組頭）である堀田図書助《ずしよのすけ》正高と伊東丹《たん》後守《ごのかみ》長次のふたりであった。

「かえって右大臣家をお悩ませすることになる」

と、言葉をつくしてなだめた。そのなだめ組のなかに、秀頼の側近衆のひとりである速水《はやみ》甲斐守《かいのかみ》守久がくわわった。速水家は淀殿の生家ですでに信長にほろぼされた浅井家の一族で、淀殿がその縁で大坂へよび、秀頼の側近衆にくわえた人物である。むろん、実戦の経験はない。

が、物のわかったような顔つきの出来る老人で、

「私が、仲立ちしましょう。いっさいをまかせてもらえるだろうか」

と、修理にいった。

修理もいったんは力んでみたものの、七手組がうごかぬ以上、古豪の且元と合戦して勝てる自信はやや薄い。そのうえ速水は淀殿の一族であり、かれの自薦をむやみにしりぞけることは、憚《はばか》られた。

「では、貴殿に」

というと、速水は双方のあいだをゆききして手ばやく話をまとめてしまった。双方から人質を交換しあって、たがいに合戦せぬことを保障しあうのである。速水はその人質としてまず、自分の息子の八つになるのを、みずから指定した。あとひとり要る。強硬派の代表である大野修理から人質を出さねば、且元が安心すまい。修理は、

「ことわる」

といったが、たまたま修理のもとへ、淀殿の使いとしてやってきていたためいいのお夏が、おじの修理にも相談せず、速水にむかい、

「私が、吉丸どのの手をひいて参りましょう」

と、いった。吉丸とは、速水が人質に出そうとしているかれの息子である。

速水は、よろこんだ。さっそく且元の城内屋敷へゆき、人質の名を告げた。

「お夏どのとは、大蔵卿局の孫娘か」

と、変に苦笑した。べつに深い意味があってのことではなく、なにやら事あるごとに賢《さか》しらに出てくるあの娘の顔を、ふと思いだしておかしくなったのである。

「よかろう」

且元は、その人質に承知した。かれの人質は自分の妻と弟貞隆《さだたか》の十三になる娘であった。双方、人質の重さを量りあって、双方了承した。

且元は、すぐ出てゆく。

「わたくしはこのままで」

と、お夏は言い、市女笠《いちめがさ》だけをとりよせ、吉丸の手をひいた。駕籠《かご》が用意されたが、それはあとからついて来させた。徒歩《かち》立ちでゆこうとおもったのは、

(市正がどういう顔つきで退転してゆくのか、とくと見さだめてやりたい)

という、娘らしい好奇心からであった。彼女の供は、駕籠の者のほか、女が二人、下僕が二人だけである。

お夏は、片桐屋敷の門前に立った。すでに門前では且元の家来がことごとく武装して列を組み、且元が出てくるのを待っている。

まず、且元の弟の貞隆が出て来た。貞隆はお夏をみて、

「ご苦労に存ずる」

と、会釈《えしやく》したが、目もとだけで笑っていてひどく好色な顔味《かおあじ》をしてみせた。貞隆は殿中などでお夏と擦《す》れちがうとき、つねにこの表情をした。そのつどお夏は身に粟《あわ》つぶが立つほど不快だったが、この貞隆という男のふてぶてしさは、主家を出てゆくというこれほどのときに立ち至っても、お夏を見れば反射的にみせるあの目つきをしてみせたのである。

（——この兄弟の退転は）

計画的なものだったのだというお夏のかねての見方が、この貞隆の表情でたしかなものになった。肉を啖《くら》ってやりたいという憎悪《ぞうお》の表現と習慣が中国《から》にあるというが、このときのお夏は貞隆をみてそうおもった。が、貞隆はすぐお夏のそばを通りぬけ馬上の人になった。

且元が出てきた。

お夏にとって意外だったのは、且元は貞隆とはちがい、退転ともなればさすがに想《おも》うことの重さがそうさせるのか、いつもの強《した》かさがなく、体つきも別人のように小さく萎《しぼ》んだ印象になっている。そばにいるお夏にも気づかなかったらしい。お夏が、

「市正さま」

と声をかけると、且元はふりかえり、二、三歩もどってきて、
「これはお局《つぼね》」
小さくいった。
「お見送り、かたじけのう存ずる」
この老人にすれば、はじめてみせるいんぎんさで会釈した。お見送りといったのは
むろん人質という言葉のもつむごたらしさを且元はやわらげてみせたのである。その
あたりの言葉づかいにまで、乱世からきょうまで生きのこってきたという老人の物事
に熟れたところがあった。
が、そのあと、お夏は市女笠をぬがねばならなかった。片桐家が用意した駕籠に吉
丸とはべつべつにのせられ、引戸に錠をおろされた。めくら駕籠で、そとはみえない。
駕籠の両側や前後を、抜き身の槍《やり》をもった片桐家の人数がかためていることだけは
わかった。いつ異変がおこっても駕籠のなかのお夏を駕籠ぐるみ串刺《くしざ》しにするつもり
らしかった。
玉造門は、現今《いま》の大阪でいえば森ノ宮の地下鉄の降り場あたりであろうか。
片桐勢が、その門を出た。その後尾と相接して、木村重成が指揮する豊臣方の人数
が、おなじく武装して追尾してゆく。

武者行列は、東へ折れ、

「河内街道《かわち》」

といわれている道をひとまずとった。やがて北へ折れると、もはや一望の田園が北にむかってひろがっている。まだあぜの草は青いが、田はすでにくろぐろとした刈り田であった。片桐勢は、鳥飼《とりかい》の渡しをめざしていた。その渡しから淀川を西へわたれば片桐領である。

が、お夏は鳥飼まではゆかずに済んだ。大坂の市街地を出て最初の宿駅が守口である。その守口へはふつう天満《てんま》の京橋門を出たばあい淀川堤をさかのぼってゆけば入れるのだが、この場合、玉造門から出たため、守口の背後地の寺方《てらかた》や大枝《おおえだ》の村道から入った。やがて双方の人数が淀堤にのぼると、そこで人質の返還がおこなわれた。

お夏が駕籠から出たとき、もう片桐の人数は十丁のかなたにあり、鉄砲の射程はとてもとどかない。

お夏は、吉丸の手をひいた。木村重成の手勢のもとにもどるにも、三丁はあった。ふりかえると、片桐且元の妻と同貞隆の娘も、小走りに走って片桐勢に追いつこうとしている。

（これで、切れた——）

と、お夏はおもった。且元は関東につくであろう。関東は且元の追放を手切れの宣告とみて天下の軍勢を動員するであろう。いまのところ大坂方には家康と戦えるほどの兵力はとうてい無い。豊臣家の儀仗兵《ぎじょうへい》ともいうべき七手組の人数がいるだけであり、このあと天下にむかって牢人《ろうにん》を招募することからはじめねばなるまい。お夏はやがてくるであろう戦いのことをおもうと堤の風のなかでさすがに立ち竦《すく》みそうになるほどの慄《ふる》えをおぼえた。が、負けるとはおもわなかった。豊臣家に対しては恩顧大名がかならず支援するという計算もあったが、それ以上に、まさか故太閤殿下の豊臣家が家康ごときに負けるとはどうしてもおもえず、このことはお夏をふくめて淀殿のまわりの女官たちの半ば信仰のようになっていた。

東風

「御城内は、片桐《かたぎり》兄弟の始末をめぐって大変なさわぎらしい」

ということは、雲間にはためく電光のようなはやさで四方にきこえた——というのも、大げさな表現ではない。どうも城内に間諜《かんちょう》がおおぜいいるらしい。

それも関東方の間諜だけでなく、間諜とまではいえないにしても、みずから情報の速報がかりを買って出ている京の公家《くげ》の縁者や、奈良あたりの貴族僧の縁者、それに大坂城のなりゆきを見守っている諸大名の縁者などがいて、且元《かつもと》兄弟をめぐってのさわぎがおこると、

「すわ、いくさぞ」

とばかりに色めき、その様子を、それぞれの縁者に速報した。城下の飛脚問屋をつかう者もあれば、下郎で足ばやの者をえらび三十里四十里というさきへ駈《か》けさせたりするむきもあり、あるいは騎馬が街道を八方に走り散り、中国筋や九州の諸大名などは木《き》津《づ》川尻《がわじり》や摂津西宮《にしのみや》あたりにつないである早船を発して速報させたりした。

「且元兄弟は切腹した」

ということを日記に書きしるした者もいる。豊臣家びいきの醍醐《だいご》三宝院門跡義演などがそうであった。もっとも数日経《た》ったあと、おなじ日記に、

「いやそうではないらしい。まだ城内の自邸で兵を籠《こも》らせ、本丸とにらみあっているようだ」

という意味のことを書いている。奈良の東大寺の僧は、その日記に、

「片桐兄弟はどうも死んだらしい」

と書いているが、しかし関東の上方における探題（京都所司代）である板倉勝重だけは、まだ大坂城内が紛糾中の二十八日、駿府《すんぷ》の家康の側近に急報し、

「このぶんでは、きっと御陣《ごじん》になる（東西の合戦がおこる）ことはまちがいない。内々ご用意なされるがもっともと存じます」

と、いっているところからみても、正確に情報をつかみ、かつ迅速《じんそく》にその情報を送っていたということがわかる。東海道の沿道のひとびとは、そういう早馬がつぎつぎに砂けむりをあげ東へむかってゆく光景を、毎日ながめている。ひとびとは、

――なにがおこったのか。

と、不安な気持で見ていたに相違ないが、すこしばかりでも世間に通じている者なら、

「早晩、東西は手切れよ」

と、さとったであろう。世間はそこまでこの風雲に対して過敏になっていた。豊臣家が、家康の隠し代官（と、世間のほうがみている）たる片桐且元を追放すれば、その追放というそれだけの行為が関東に対する宣戦布告になるということを知っていた。

このひろい世間で、かんじんの渦中の淀殿《よどどの》と秀頼《ひでより》だけが、

――さほどのこともあるまい。

と、この点に鈍感であった。淀殿は、大野修理《しゆり》にも相談せず、秀頼の名で駿府の家康に対し、

「片桐且元にふらちのことがあったので、これに暇《いとま》を出した」

という旨《むね》の文書だけを送った。淀殿の世界認識は、自分と秀頼を中心としてしか成立していない。且元は豊臣家の家老にすぎない、それを追っぱらうのは秀頼の自由で、他の者がとやかくいうべきすじではない、というつもりであった。なるほど形式的にはそうにはちがいなかった。しかし、且元は駿府から帰坂して「関東の御意向」なる三カ条を示した人物なのである。その人物を放逐してしまえば当然三カ条を蹴《け》ったことになり、そのことは宣戦布告を意味するということまで、どうにも理解できないらしい。淀殿は且元が退去してからも肚《はら》の煮えがおさまらず、

「茨木《いばらき》城を攻めよ」

と、大野修理をよび、さらに七手組の組頭（侍大将）どもをもよび、そう命じているのである。しかし、大野らにすれば、茨木は小城であるにせよ、それを攻めるとなれば三倍か五倍の兵力を準備せねばならず、さらにそのあいだに関東が攻めてくるとそれを迎撃せねばならぬので、茨木の小城などにかかずらわっているのは、このさい小策である、このさい大戦をおこなうに必要なだけの軍備をととのえねばならぬ、と

主張した。

「そういうものか」

と、淀殿は、一応はなっとくした。

一方、退去した且元のほうである。且元は、

――大坂方が茨木に攻めてくるかもしれぬ。

と、そういう可能性にそなえて、関東の京都所司代である板倉勝重に対し、

「そのときは、後《ご》詰め・後ろ巻（応援）をたのみ入ります」

という意味の使者を京へ走らせた。この段階での且元の心の色わけはもはや鮮明すぎるほどに鮮明で、関東方であった。この男は豊臣家にあるとき、「御家のため」という忠誠心やら擬態やら、芝居めいた思い入れやら泣きごとめいた弁明やらをしてきたが、要するに家康の諜者であったことを、この段階においてみずから知った。みずから知ったというのは奇妙であろう。しかし人間というのは自分が目下なにをやっているかということについてのその動機、もしくは理由、あるいは目的意識などといったもっとも重大であるべきすじが自分でもわからずにやっていることが多く、じつはその事態がおわってから自分ではっとして気づいたりする。且元は、そうであったにちがいない。

（――わしはじつは諜者であった）

と、ひそかに自分に驚いたが、弟の貞隆《さだたか》はこの点、感情が乾いていた。貞隆は、

「兄上、心をおひき締めなされ、片桐家にとってこれからの舵《かじ》とりがむずかしゅうござる」

と、この日、陽が落ちてから城内の奥の一室で灯をかこみながら、何度も兄をはげました。まず駿府の家康にこの結末になったことを急報しなければならない。この場合、急報することじたいが、政治であった。

「もし合戦になったときは、申すまでもなく御味方の一手にくわわり、大坂攻撃軍に参加する」

という且元の意思を、鮮明にしておかねばならない。こういうどさくさの事態のなかにあっては、よほど旗幟《きし》をあきらかにしておかぬと人が口々に虚報を流し、その正体をあやまって見られることが多い。むろん、正体を暈《ぼや》してしまうという政治的演技もそれが必要な場合はあるが、この場合はそうではない。陽が照らすごときあかるさで、

――片桐兄弟は関東方である。

ということを、くどいほどに家康に対して通じておく必要があった。貞隆はそれが

ために茨木城の城門に入るとき、城門のそばに五騎十人の使者を用意しておいた。駿府へ走らせるためにである。そのためには、兄の且元に自筆の手紙を書かさなければならない。

ところが兄の且元は、

「左様さな」

とつぶやきつつ、いっこうに筆をとろうとせず、ときに燭台《しょくだい》に燃える一穂《いっすい》の炎をみつめたり、ときに視線を虚空《こくう》にただよわせたりして、すでに行動の能力をうしなった人間であるかのような印象を貞隆はうけた。最後に且元は哀願するようにいった。

「わしは、だめだ」

「なぜ、だめなのです」

「胸痛が、ひどい」

なるほど、くるしげである。人が、自分の感情とはべつな行動をせねばならぬばあい、ときに胸痛がおこるというが、且元もそうなのであろう。

「駿府にはわしが病気であるとして、そなたの筆《て》で書いてくれ。花押《かおう》だけはする」

「つねならばそれでよい」

と、貞隆はいった。いま片桐家存亡の切所《せっしょ》にあるとき、兄上の一枚の自筆の手紙がこの切所を越させることになるのだ、と貞隆はいう。

且元は、やむをえなかった。しかし文面までは考える気力がおこらず、それは貞隆が口述した。

書信が、封印された。貞隆自身の手で蠟付《ろうづ》けされ、油紙に包まれ、さらにかれ自身が城門まではこび、五騎の士にわたしした。

「途中、どういうことがあってもこの封書だけは駿府にとどけよ」

と、入念なほどに注意した。五騎の士はいっせいに馬首を北にむけ、駈けだした。

――且元が茨木城へ退去した。

という報をまず得たのは、当然ながら京都所司代板倉勝重である。かれは、この短い期間のうちに上方の情勢に関するあらゆる風聞や確聞をあつめて駿府へしらせねばならない。それが、京都所司代というかれの重要な職務管掌であった。

(且元が退去したことはいい)

おそらくそうなるであろうと、この徳川家中《かちゆう》でもっとも智恵《ちえ》ぶかいといわれていた板倉勝重は、当然はじめからみていた。

——豊臣家も且元を追いだしたがっている、且元のほうもこのさい追いだされたい、両極たがいに呼吸が適《あ》い、引きあってこの退去事件がおきた。当然なことだ。

(ただ)

と、板倉勝重はおもっている。

(そのあと、大坂が関東と合戦をする意図をもっているかどうか、これを見確かめねばならない)

籠城《ろうじょう》の意図があるなら、兵糧米《ひょうろうまい》を城内へとりこむ、それだけでわかる。

——その点、ぬかりなく見確かめ、刻々報《しら》せてくるように。

と、勝重は、大坂城内の諜者に言い送ってやった。諜者というが、特別な存在ではなく、城内にいる千姫付の家来や侍女たちにそう言って送るだけでいい。豊臣家の側からいえば、公然たる大諜報団を城内に抱きかかえているようなものである。

折りかえし、

「大坂城内に、米が運びこまれている」

という、ゆゆしい報告が入った。

ここで触れねばならないことは、すでに徳川の世になっているというのに、なお諸大名たちは秀吉の時代にもっていた屋敷は捨ててはいない。その大坂屋敷の効用は、むろん時代の変化で、変りはした。かれらが江戸屋敷をもっているのは、徳川将軍に御機嫌伺いに江戸へくだったときの宿所としてであったが、しかし大坂屋敷（かつて秀吉のころはいまの江戸屋敷の役目をはたしていた）の機能は、すでにちがっている。秀吉のころ、秀吉は天下統一のなかでのひとつの事業として、全日本の規模における流通経済機構を確立した。秀吉の日本史上における画期的事業であった。天下のすみずみにいたるまで、そこで産する米や物産を、いったん大坂にあつめ、大坂の問屋がそれに値をつけ、ふたたび天下の津々浦々へ送るのである。日本国というものが、各地の自給自足経済を清算して天下経済を確立したのは、この秀吉の事業によってであり、大坂が、

「天下の台所」

といわれるようになったのは、このときからであった。家康は天下をとった。政治的には、とった。

しかしこの秀吉がつくった大坂を中心とする流通機構をこわすだけの勇気はなかった。家康は経済に関しては、

――すべて以前のまま。

という方針をとり、それによって大坂商人の動揺をしずめ、全国の流通機構に打撃

をあたえまいとした。

「政治は江戸、経済は大坂。——」

という、以後徳川三百年をつらぬくふたつの柱ができたのは、この家康が大坂の商権擁護の政策をとったためである（もっとも政策というほどの積極的なものではなかった。家康は事なかれの政治家であり、もし経済の中心を江戸にもってゆけば大坂の商人が大反乱をおこすかもしれず、かつ国家経済そのものが大混乱し、その間《かん》物価が昂騰《こうとう》、あるいは暴落をくりかえして社会不安をまねき、それにつけ入ってせっかくなびいた西国大名がまた立ちあがるかもしれない。また各地に一揆《いっき》やうちこわしがおこってとほうもない乱世がくることを家康はおそれた。大坂の豊臣政権がおわってもなお家康は大坂を流通の中心にし、日本を江戸と大坂の二元体制にしたのはそのためである）。

まあ、それはいい。

要するに、諸大名の大坂屋敷は、このころには自分の国もとから送ってきた余剰米（大坂で売るための）の倉庫になりはじめていたのである。のちこれが、大坂の川筋にいいなまこ塀《べい》をならべた「大坂蔵屋敷」というものになってゆく。

——その米がある。

ということは、主戦派の大野修理にとってこれは好都合であった。兵糧が潤沢にあるという点では、ひょっとすると世界中で（といっていい）大坂ほど都合のいい土地はないのである。

たとえば、大坂に福島正則《まさのり》の屋敷があり、そこに天下に良質をもって知られた安芸《あき》米《まい》が山と積まれていた。正則は関ヶ原で家康に味方したため、いまでは安芸・備後《びんご》（いまの広島県）四十九万八千二百石に封《ほう》ぜられている。じつはこれは表高で、実収は七十万石ほどもあろうと当時いわれていた。

「福島屋敷には、八万石の米が積まれている」

ということを知ったとき、大野修理は、

——もはや戦《いく》さに勝ったも同然。

とおもったのもむりはない。八万石といえば気の遠くなるほどの量である。

このころ福島正則は江戸へゆくべく広島から海路東航してたまたま大坂にきていた。大野修理は、自身、正則のもとにゆき、その交渉をした。

正則は即座に、

「この八万石は捨てたものだ。ひろいたければ勝手にひろうがよい」

と返事をした。剛愎《ごうふく》な男であった。徳川家に対して遠慮をせぬばかりか、惜しげもなく八万石をただでくれてやったのである。八万石といえば江戸期の大名分限《ぶげん》でいえば二十万石程度の藩の一年分の総収入であることをおもえば、正則の気前のよさがわかるであろう。

福島正則は秀吉の在世当時は、二十万石そこそこの大名であった。が、かれは元来門地もなく、浮浪の少年の身から秀吉にそだてられ、その小姓になり、たまたま秀吉とはまたいとこにあたるということもあって大名にとりたてられ、豊臣政権時代には加藤清正とならんで荒大名の双璧《そうへき》とされた。かれは秀吉の死後、石田三成が憎いあまりに家康に加担し、関ヶ原では家康の先鋒《せんぽう》になって奮戦し、家康の戦術的勝利の勝因をつくったために、一躍、前記の大封《たいほう》に封ぜられた。

「徳川殿にも恩がある」

というのが、正則の口ぐせであったが、本心はすこしも家康の恩を正則は感じていないということは、家康自身が死にいたるまで感じつづけており、正則の存在こそ自分の死後の不安のひとつであるとおもっていた。正則にすれば、

「家康に天下をとらせてやったのは自分であり、家康のほうこそ恩に着るべきで、四十九万余石という大封を家康が自分にあたえたのは当然なことだ」

とおもい、ときに公言している。

正則は、感情家であった。秀吉の恩をおもうとき、深酒をする夜などは酔《え》い泣きを

することもある。秀頼のゆくすえについても、かれはそれをどうすることもできぬ立場にあるとはいえ、苦慮しつづけていた。東西は合戦になるであろう。

正則は、そう予感していた。しかし徳川体制の大名である以上、正則は豊臣家をどのように救うというてだてもなく、せめてもの秀吉への恩返しとおもい、この八万石を大坂城にあたえてしまったのである。このことはのちに福島家取りつぶしの遠因のひとつになった。

ほかに、他の大名の米がある。

大野修理はそれらを買いあつめさせた。諸大名の屋敷から買いあつめた米は、あわせて二万石であった。他に市井《しせい》の米問屋がもっている米もある。それも買いあげた。これも二万石。

ところで。――

ここに、

「五万石」

という奇妙な米がある。家康の米である。

徳川家の直轄《ちよつかつ》領は関東だけでなく、畿内《きだい》にも西国にもある。それらの領地から大坂へ貢米としてあがってきた米で、修理はこれをもとりこんでしまいたかった。

「どうせ、敵になる側の米だ」

とおもうのだが、しかし目下はべつに正式に戦書を関東に発したわけではなく、関東と大坂とは外交上の交戦状態にはない。であるのに、家康の米を強奪して城中に入れることは、ややはばかられた。渡辺糺《ただす》などは、

「なんの遠慮がいるものか」

といったが、修理はややためらっていた。

（そこを目安にすればよい）

とおもったのは、智者といわれた京都所司代板倉勝重であった。かれは大坂城へ書状を発した。

「大坂には大公儀の税米が五万石蓄えられている。風説によれば、大坂は籠城の支度をなされているよし。しかもその税米五万石を城中にとり入れようとなされているよし」

と、勝重の書状はいう。

「私は籠城の風説などは信じないが、しかし本当に税米五万石を城中にとり入れられるとすれば、その風説信ぜざるをえない。この点、真否如何《いかん》」

と、やや恫喝《おどし》めいた内容をもって質問、というよりも詰問した。

大野修理はこの書状を見て、

（これは、まずい）

と、おもった。本来ならどさくさにまぎれてとりこんでしまってもよいのだが、しかしこうあらためて問われてしまうと、問われながらこの五万石をあたふたと取りこんではいかにも、城中兵糧が不足しているようで、天下への風聞にもよろしくない。合戦ともなれば天下への風聞が大事であった。風聞しだいで、大坂に味方すべきかどうか帰趨《きすう》に迷っているはずの諸大名が、結局は関東につくということになりかねない。修理はそうおもった。幸い、この五万石をとりこまなくても、城中の兵糧は十分であった。これによって修理は意を決し、

「べつに籠城の支度などはしていない。どうぞ税米五万石をとりに来られよ。淀舟をもってとりに来られよ。天満《てんま》の河岸《かし》に集積しておくであろう」

という返事をかいた。

板倉勝重はすぐさま伏見から二十艘《そう》ばかりの舟を大坂へくだらせた。この二十艘の舟を、淀川十三里のあいだ、昼夜織るように往復させ、この五万石の米をひきとってしまった。

——さすがは智恵者の伊賀守（勝重の官名）。

という評判が、この時期、関東で高かったが、しかしこの場合、智恵者は勝重だけではない。大野修理も、それなりによく思案し、よく断行した。

この家康の税米五万石が、淀の三十石船に分載されて何度も淀川を往復しているとき、天候はきわめて不順で、

——雷雨はげし。

という夜もあれば、

——雹《ひょう》降る。その大きさ棗《なつめ》のごとし。

という日もあり、いかにも大戦さがおこるがごとき予兆を、天も見せた。

人　情

「片桐《かたぎり》退去」

という大坂の変報は、つぎつぎに駿府《すんぷ》の家康のもとにつたわった。京都所司代板倉勝重の注進がもっとも早かった。

——すわ、いくさぞ。

と、駿府のひとびとがどよめいたのも当然であったろう。片桐退去というのは単なる退去ではなく、豊臣家内部にクーデターがおこり、和平派が追いだされ、主戦派が政権を牛耳ったとみていいのである。

この注進に接しての家康の態度が、なかなかたのもしく英雄的に（駿府記など徳川関係の記録には）記録されている。

この日、駿府城内において能が催されようとしていた。ところが前夜の雨が飛沫《しぶ》いたために舞台の板敷がぬれている。家康は出てきてぬれ縁から舞台をながめ、

「夜前《やぜん》の雨はこれほどひどかったのか」

と、板敷のぬれようにあきれ、近侍している松平正綱《まさつな》に、

「あの板敷をぬぐわせよ」

と、命じた。トンと踏む足が乾いた音を出さねばならないのに、あのぬれようではよい能がたのしめまいとおもったのである。命じて、家康は奥へ入った。

「このとき板倉が飛脚参りしかば」

と、記録筆者はいう。注進は順序として本多正純《まさずみ》にあてられていた。正純は書状を一見すると奥へ参上し、奥への柱近くまで家康の女性秘書である阿茶局《あちやのつぼね》にきてもらい、その内容を告げた。

家康は奥から出てきて、表座所にあらわれたが、さすがにいまからかれが演じねばならぬことに昂奮《こうふん》していたらしく、上段にすわらず縁をゆききしながら、

「すぐ諸国へ陣触れせよ」

と、正純に命じた。家康はこの機会を待っていた。そのために兵糧《ひょうろう》や鉛（弾丸）の用意をし、南蛮人の商社から攻城用の大砲まで買い、さらに諸大名から徳川将軍家の号令にしたがうべき旨《むね》の誓紙もとり、万全の準備をととのえていたのである。

が、片桐退去が、戦争の理由になるであろうか。豊臣家の内紛であるにすぎず、これをもって天下の諸侯に陣触れをするというところに、無理がある。

道理などは、もはや家康に必要はない。家康だけでなく、強大な側にはつねに道理は必要でなかった。自分の側の必要が道理になるだけのことであり、この一点だけは古今を通じてかわらない。

が、さすがに家康も面映《おもは》ゆかったにちがいない。こういうばあい、支配者がとるべき方法がひとつある。「激怒」することである。

——あれだけ豊臣家のためを思い、あれこれ温情もかけてやったのに、その恩をわすれ、自分が目をかけている片桐且元《かつもと》を追いだすとはなにごとか。

と、怒ることであった。正義の怒りというべきものであった。怒りの演技だけが、

道理を超越することができるのである。ばかばかしくもあるが、これが「強大」というものであった。

「（この片桐退去の注進を）大御所聞し召し、お憤《いきどお》りはなはだしく、ただちに御出馬あるべしとして、東海東山の国々にご陣触れあり」

と、べつな記録者は書いている。家康は怒っている。

「大坂の恩知らず」

として怒っているのである。怒りは漢民族にあっては低劣な感情表出ということになっているが、日本人にあっては一種の清らかさの表現であり、弱者の不正義への大批判の表現であり、神々のむかしから神々は怒るものとされ、神々の怒りを避けるために人間どもは物事を清浄にし、神域をきよめ、よろずの罪をつつしむ。強者は、日本人にとって神にひとしい。

——神怒りに怒り給うた。

と、記録者はいわんばかりであり、家康が怒ることによって弱者である大坂は不正・忘恩の徒になるのである。この場合の家康は、ただ怒ればよかった。

家康の軍隊部署についての指令は、ごく短時間におこなわれた。すでに練りに練った動員計画をかれが準備をしていた証拠であった。

まず、急速に近畿の大名をうごかし、大坂を包囲する。だけでなく伏見城を松平定勝に守らせ、井伊勢、藤堂勢、それに松平忠明の軍勢をもって京都南郊の鳥羽《とば》方面に進出させ、野陣を張らせるというものであった。

「幸い天気も晴れたり」

というのは、この注進到着の朝の天候のことである。能舞台を拭《ふ》かせることを命ぜられていた松平正綱はそのことに熱中していた。正綱はもともと三河人ではなく、相模甘縄《さがみあまなわ》の出身で、はじめ家康の鷹匠《たかじよう》であったが、俗才に長《た》けているので家康は政務職につけ、このころは従《じゆ》五位下右衛門佐《うえもんのすけ》という官位までもらっている。まだ齢《よわい》は四十になっていない。すでに板敷を拭き乾かしたのでいそぎ復命すべく家康をさがしていると、表座所の縁にこの老肥満漢が立っていることを発見した。

「よくよく拭きましてござりまする。さっそく御能お見物あそばされますや」

というと、家康は声をはげまし、

「これから上方へ出陣するのだ。能見物などしておれるものか」

といった。正綱は、片桐退去の注進の事実を知っていなかったのである。

家康はつぎつぎ指令をくだし、やがて疲れたのか座所にすわって渋茶を一服すすった。小姓たちがそのあいだに家康の具足櫃《ぐそくびつ》をかついできて、家康の背後にすえた。すぐ家康自身が甲冑《かっちゅう》を着て出かけるわけではなかったが、これが作法であり、いわば景気づけであった。

家康は茶をすすりながら、ふと、

「市正《いちのかみ》には、気の毒したな」

と、本多正純にいった。

こういうあたりがこの謀略家の人臭いところで、かれのこの情義ぶかさにひかれてひとびとはついてきていた。もっとも人臭いというより、他人に情義ぶかいということじたいが、大将たるものの資質で、かれ自身、ながいあいだそのように自己教育してきた。それが、政治的効果のある場面々々でごく自然に出るように家康はなっているのである。家康にとって人情も酷薄さもすべて政治であったが、かといって不自然でなく、かれ自身が作為しているわけでもない。そういう人間になってしまっている点、つまりかれの先蹤者《せんしょうしゃ》である信長や秀吉があれほどの政治家でありながらなおなまな自然人であったことにひきかえ、家康はかれらのように天才でなかっただけに自分を一個の機関に育てあげ、まるで政治で作られた人間のようになってしまっていた。

「且元兄弟は、生きているだろうか」

と、家康はつぶやいた。

第何報目かで、

「片桐市正どのご兄弟は、ぶじ摂津茨木《いばらき》城に退去なされたようでございます」

という注進が入ったとき、家康は心から（と側近はおもった）それをよろこんだ。

家康にすれば、且元を詐略《さりやく》のたねにつかって大坂を挑発した。大坂はみごとに乗ってきたのだが、そのたねに使った且元が死んでしまっていてはあわれである。その点のあわれさを、家康はおもった。声を出しておもった。

声をだしたために、のち側近者がそれを茨木城の且元につたえた。且元は感動し、

「あの君のためならば」

と、これまた声を出して思い入れし、げんに且元は前以上に家康の忠実な番犬になった。のち、家康が大坂城の天守閣その他の主要建造物を洋式砲でもって砲撃したとき、且元は、

――あれに右府（秀頼《ひでより》）がおられます。

と、秀頼のいる場所に砲弾が命中するよう、砲側にあっていちいち指示した。

「日本人はその主君に対して忠誠心がない」

と、戦国期に渡来した南蛮の宣教師がローマへ書き送った報告書のなかで語られている。「機会さえあれば主君の座をうばったり、敵に通じて寝返ったりする」という、

その観察は、多くの実例があるために不当であるとはいえない。家康はこの日本人に忠誠の倫理を教えるために儒教をとり入れ、やがて江戸教養時代がはじまるのだが、且元は南蛮人が指摘した観察の実例たるべき人物であった。

かれはもっと早くうまれているべきであったであろう。戦国乱世のまっただなかならば且元のような人物は多く、その裏切りもからりとして乾いている。ところが且元は乱世最後の裏切り者というべき存在で、その晩年は不幸にも忠誠教育時代の江戸期に入っていたため、家康の砲兵に秀頼のありかを教えるまでのことをしながら、そのくせ道徳的煩悶《はんもん》にもだえねばならなかった。

かれは大坂城砲撃の直後、鬱々《うつうつ》としていたがついに病を得、しばしば意識をうしない、うわごとをいった。ついに落城後二十日ほどして病床で短刀を戛《かっ》と抜き、しばらく青い刀身をみていたが、急にのどを突いた。覚悟の自殺というものではなく、憂悶《ゆうもん》のあげくの発作であったにちがいない。

家康の大名動員は、じつにすばやい。かれは諸大名の心情をよく心得ていた。秀頼は、諸大名にとって旧主である。

旧主を討つとなれば、諸大名にとって且元が自害にいたるほどの憂悶はないにせよ、多少その心々に翳《かげ》がさすにちがいない。あるいは大坂からそれぞれへ誘いの使者も飛ぶにちがいない。そのとき諸大名に迷いをおこさせぬためには、雷電のようなすばやさで号令し、予定戦場にむかって日時をちぢめて到着させるほどの忙しさを与えねばならなかった。猶予《ゆうよ》は諸大名に躊躇《ちゅうちょ》や狐疑《こぎ》を起さしめるもとということを家康はよく心得ていた。

「大坂から、諸大名に誘い入れの使者が走っているようでございます」

と、正純がくわしく状況をいった。どの大名でも後難をおそれ、秀頼自署の誘い状をそのまま封も切らず駿府の家康のもとに送った。

やがて池田家にも使者がきた。

この家はのちに岡山と鳥取に二大藩をおこすほどの大大名なのだが、藩主の輝政は去年病死し、いまは若い利隆《としたか》が世を継いでいる。この池田家は秀頼の書状だけでなく秀頼の使者までひっくくって駿府に送りつけてきた。

「池田もむごいことよ」

と、さすがの家康の旗本たちも声をひそめていったという。どの大名も家康の機嫌を損ぜぬよう、疑われぬよう、秀頼の勧誘状だけは送って来はするが、秀頼の使者まで縛って送りつけたのは、池田家だけであった。

――かりにも池田家にとって旧主の使者ではないか。たとえ旧主の使者でなくても、使者というのは罪人ではないのに、罪人のあつかいをするとは。

と、ひとびとはひそかにおどろいたが、強者に対する過度な阿諛《おもねり》というのは、もともと残忍な精神の裏打ちがなければできぬものであった。

「よい者を送ってきた」

と、家康はよろこんだ。この者を追放するのがふつうだが、家康はそうはせず、

――こうせよ。

と、側近に命じたのは、家康の過去の所行にあまりみられぬ残忍な内容のものであった。諸大名へのみせしめのためである、その者の両手の指をみな切ってしまえ。

そのうえ、

「そのひたいに秀頼という烙印《らくいん》をおせ」

と、命じた。その者こそいい面《つら》の皮であったが、同時に家康が、秀頼という天下にとってこの尊貴な名を、まるでならず者の名前のように烙印に使ったという点、

――秀頼も罪人である。

ということを天下に示したことであり、すでに太閤《たいこう》の遺児でも豊臣朝臣《あそん》でも前右大

臣でもなんでもないことを公然と示したつもりであった。家康が且元に対して情け深かったことをもって、この人物のすべてをはかることはできない。右の次第は、林道春が記録している。

さて。

大坂にとって、世間（諸大名）は酷薄なものであった。

——秀頼さまのお花押《かきはん》の入った御書状さえ発せられれば。

天下の大名どもは太閤の旧恩をおもって大坂に馳《は》せ参ずるであろうということは、淀殿《よどどの》やその側近の女官たちばかりでなく、大野修理でさえ幾分そのことに期待していた。甘いといえばおどろくべき甘さだが、大坂城内で世間狭く暮していると、人間の意識というものはついそうなるものらしい。

かれらがもっとも期待した大名のいくつかのなかで、長州の毛利家と薩摩《さつま》の島津家があった。

「毛利どのは律義《りちぎ》であり、薩摩どのは人情があつい」

考えてみれば妙なもので、薩摩の島津家はかつて九州全土を征服しようとしたところを太閤の島津征伐で征伐され、もとの薩摩に閉じこめられた家である。関ヶ原のときは石田方に味方したが、戦後、家康に詫《わ》びを入れてもとの所領を安堵《あんど》された。豊臣家には、べつに恩はない。第一、大名の成立からしても、島津家は鎌倉いらいの家とされており、その後衰微したが、戦国期に自力でもって薩摩、大隅《おおすみ》、それに日向《ひゅうが》のぬしになったから、太閤の取り立てということではない。しかし大坂が、

「島津どのならば」

と期待したのは、薩摩人がもっている風土的な人情であった。義に勇んでくれるかもしれぬとおもったのである。

秀頼の使者として薩摩へくだったのは、長崎往来の豪商高屋七郎兵衛という者であった。

島津家にはまだ関ヶ原に出陣した義弘《よしひろ》が存命している。当主は、家久《いえひさ》であった。家久は義弘と相談し、返答したのは、

「お味方できない」

ということであった。その理由を、秀頼への文書にした。返事を出した点、封もあけずに使者を追いかえしただけの他の大名よりも情義があった。返事というのは、

「存じもよらぬところ秀頼様より御書くだされ、まずもってかたじけなく存じ奉《たてまつ》ります」

という丁寧な文章からはじまっている。しかしわが島津家は関ヶ原のとき、太閤の

御恩報じとおもって出陣し、奮戦して千人が六十人になるまで戦い、命からがら国もとへ帰った。そのあと御所様の天下になったが、幸いにもこの西軍加担の罪をふかく追及されることなく、家も所領も安堵してくだされた。この大恩にそむくわけにゆかないから、大坂に御味方することはできない。

として、家久は使者がもたらした秀頼からの贈りものである政宗の脇差一口《わきざしひとふり》をいったんは押しいただき、そのまま返した。

島津家はこのあと、微妙な行動をとった。家康から大坂への出陣を命ぜられたとき、海路上方にむかったが、しかし途中船泊りをかさね、「風浪に遭った」として延着し、戦闘には間に合わなかった。秀頼に銃弾をうちこむことは、哀れで切ないというのが、この家のおよその気持であったらしい。

もっとも、これだけのことをするためには、外交上手の島津家は、家康の誤解をまねかぬよう、他の大名もおよばぬほどに打つ手繁《しげ》くやってのけている。秀頼の使いをうけた翌日には鎌田政喬《まさたか》以下の使者団を駿府の家康のもとに送っているし、島津義弘自身も書を京都所司代板倉勝重に送り、また一門の島津久国を家康のもとに送り、さらに出陣のときは老臣の三原重種らに小部隊をひきいさせて先船させ、家康の陣中を見舞わせている。

それでも家康は島津の態度をうたがい、

「秀頼の使者をそのまま大坂へもどしたのはどういうわけだ」

と、島津の使者になかば意地わるくきいてみた。使者が答えるのに、じつはあの使者は殿（家久）の蹴鞠《けまり》の師匠でございました、薩摩の国ぶりで物の師匠を大切にすることがございます、そういった。家康はそれ以上追及しなかった。

長州の毛利家のばあいも、やはりことわらざるをえなかった。毛利家には、秀吉の晩年豊臣家の大老をつとめた毛利輝元《てるもと》が隠居の身ながら生きていて、

「秀頼さまにすげなくするのも、どうかとおもわれる」

として、関ヶ原以後、窮乏しきっている財政のなかから米一万石と黄金五百枚を割《さ》き、ひそかに秀頼へ贈った。それだけでなく輝元は重臣のひとりの佐野道可《どうか》をよび、

「毛利家としては関東に味方するほかない。しかしそれだけではいかにも故太閤への寝ざめがわるい。そのほう、うわべ牢人《ろうにん》ということにして人数をひきい、大坂に籠《ろう》城《じよう》してくれぬか」

と、たのんだ。

佐野道可としては、主家をそのような理由で去ることを望まなかった。輝元は自分がこのようにしてたのむのだ、として、この家臣あて、わざわざ起請文《きしようもん》を書いてあた

えている。

「生々世々《しようじようせぜ》忘レ難ク、満悦セシメ候」

と、書いた。悪文だが、大坂がもし落城すればそのほうの子供、兄弟、血族のはしばしまでひきたてるから頼む、という意味のことも書かれている。事実、毛利家はそのようにした。

天下の諸侯がことごとく豊臣家に冷酷な態度を示したなかで、秀頼に対し、味方せぬまでも憐《あわ》れみを表明したのはこの薩摩と長州だけであり、これは関ヶ原のうらみというより、多分にその土地の風土にあるらしかった。

いまひとりいる。

福島正則《まさのり》である。

（中巻へ続く）

「司馬遼太郎記念館」への招待

司馬遼太郎記念館は自宅と隣接地に建てられた安藤忠雄氏設計の建物で構成されている。広さは、約2300平方メートル。2001年11月に開館した。

数々の作品が生まれた自宅の書斎、四季の変化を見せる雑木林風の自宅の庭、高さ11メートル、地下1階から地上2階までの三層吹き抜けの壁面に、資料本や自著本など2万余冊が収納されている大書架、……などから一人の作家の精神を感じ取っていただく構成になっている。展示中心の見る記念館というより、感じる記念館ということを意図した。この空間で、わずかでもいい、ゆとりの時間をもっていただき、来館者ご自身が思い思いにしばし考える時間をもっていただきたい、という願いを込めている。　（館長　上村洋行）

利用案内

所在地　大阪府東大阪市下小阪3丁目11番18号　〒577-0803
TEL　06-6726-3860，06-6726-3859（友の会）
HP　http://www.shibazaidan.or.jp
開館時間　10:00〜17:00（入館受付は16:30まで）
休館日　毎週月曜日（祝日・振替休日の場合は翌日が休館）
特別資料整理期間（9/1〜10）、年末・年始（12/28〜1/4）
※その他臨時に休館することがあります。

入館料

	一般	団体
大人	500円	400円
高・中学生	300円	240円
小学生	200円	160円

※団体は20名以上
※障害者手帳を持参の方は無料

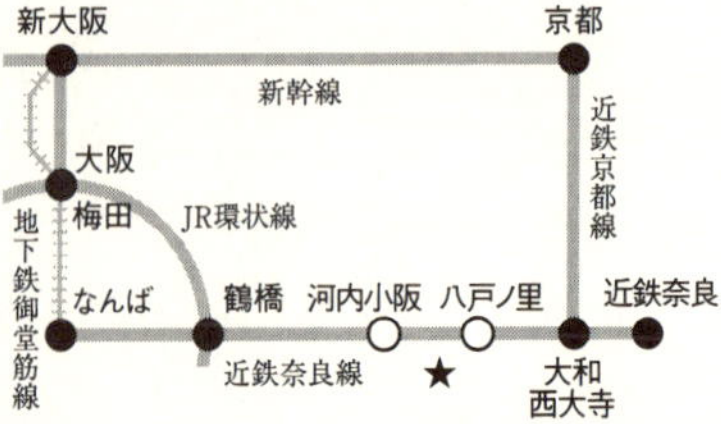

アクセス　近鉄奈良線「河内小阪駅」下車、徒歩12分。「八戸ノ里駅」下車、徒歩8分。
Ⓟ5台　大型バスは近くに無料一時駐車場あり。但し事前にご連絡ください。

記念館友の会　ご案内

友の会は司馬作品を愛し、記念館を支えてくださる会員の皆さんとのコミュニケーションの場です。会員になると、会誌「遼」（年4回発行）をお届けします。また、講演会、交流会、ツアーなど、館の行事に会員価格で参加できるなどの特典があります。

年会費　一般会員3000円　サポート会員1万円　企業サポート会員5万円
お申し込み、お問い合わせは友の会事務局まで
TEL 06-6726-3859　FAX 06-6726-3856

司馬遼太郎著　梟の城　直木賞受賞

信長、秀吉……権力者たちの陰で、凄絶な死闘を展開する二人の忍者の生きざまを通して、かげろうの如き彼らの実像を活写した長編。

司馬遼太郎著　人斬り以蔵

幕末の混乱の中で、劣等感から命ぜられるままに人を斬る男の激情と苦悩を描く表題作ほか変革期に生きた人間像に焦点をあてた7編。

司馬遼太郎著　国盗り物語（一〜四）

貧しい油売りから美濃国主になった斎藤道三、天才的な知略で天下統一を計った織田信長。新時代を拓く先鋒となった英雄たちの生涯。

司馬遼太郎著　燃えよ剣（上・下）

組織作りの異才によって、新選組を最強の集団へ作りあげてゆく〝バラガキのトシ〟――剣に生き剣に死んだ新選組副長土方歳三の生涯。

司馬遼太郎著　新史太閤記（上・下）

日本史上、最もたくみに人の心を捉えた〝人蕩し〟の天才、豊臣秀吉の生涯を、冷徹な史眼と新鮮な感覚で描く最も現代的な太閤記。

司馬遼太郎著　関ヶ原（上・中・下）

古今最大の戦闘となった天下分け目の決戦の過程を描いて、家康・三成の権謀の渦中で命運を賭した戦国諸雄の人間像を浮彫りにする。

司馬遼太郎著
覇王の家（上・下）
徳川三百年の礎を、隷属忍従と徹底した模倣のうちに築きあげていった徳川家康。俗説の裏に隠された〝タヌキおやじ〟の実像を探る。

司馬遼太郎著
花神（上・中・下）
周防の村医から一転して官軍総司令官となり、維新の渦中で非業の死をとげた、日本近代兵制の創始者大村益次郎の波瀾の生涯を描く。

司馬遼太郎著
果心居士の幻術
戦国時代の武将たちに利用され、やがて殺されていった忍者たちを描く表題作など、歴史に埋もれた興味深い人物や事件を発掘する。

司馬遼太郎著
馬上少年過ぐ
戦国の争乱期に遅れた伊達政宗の生涯を描く表題作。坂本竜馬ひきいる海援隊員の、英国水兵殺害に材をとる「慶応長崎事件」など7編。

司馬遼太郎著
歴史と視点
歴史小説に新時代を画した司馬文学の発想の源泉と積年のテーマ、〝権力とは〟〝日本人とは〟に迫る、独自な発想と自在な思索の軌跡。

司馬遼太郎著
胡蝶の夢（一〜四）
巨大な組織・江戸幕府が崩壊してゆく——この激動期に、時代が求める〝蘭学〟という鋭いメスで身分社会を切り裂いていった男たち。

新潮文庫最新刊

瀬戸内寂聴著
老いも病も受け入れよう
92歳のとき、急に襲ってきた骨折とガン。この困難を乗り越え、ふたたび筆を執った寂聴さんが、すべての人たちに贈る人生の叡智。

新井素子著
この橋をわたって
人間が知らない猫の使命とは？ いたずらカラスがしゃべった？ 裁判長は熊のぬいぐるみ？ ちょっと不思議で心温まる8つの物語。

近衛龍春著
家康の女軍師
商家の女番頭から、家康の腹心になった実在の傑物がいた！ 関ヶ原から大坂の陣まで影武者・軍師として参陣した驚くべき生涯！

片岡翔著
あなたの右手は蜂蜜の香り
あの日、幼い私を守った銃弾が、子熊《あなた》からお母さんを奪った。必ずあなたを檻から助け出す、どんなことをしてでも。究極の愛の物語。

町田そのこ著
コンビニ兄弟2
—テンダネス門司港こがね村店—
地味な祖母に起きた大変化。平穏を崩す美少女の存在。親友と決別した少女の第一歩。北九州の小さなコンビニで恋物語が巻き起こる。

萩原麻里著
巫女島の殺人
—呪殺島秘録—
巫女が十八を迎える特別な年だから、この島で、また誰かが死にます——隠蔽された過去と新たな殺人予告に挑む民俗学ミステリー！

城《じょう》塞《さい》（上）

新潮文庫　し - 9 - 20

昭和五十一年十二月十五日　発行
平成十四年四月二十日　六十一刷改版
令和三年十二月二十五日　九十三刷

著者　司《し》馬《ば》遼《りょう》太《た》郎《ろう》

発行者　佐藤隆信

発行所　株式会社新潮社

郵便番号　一六二―八七一一
東京都新宿区矢来町七一
電話　編集部(〇三)三二六六―五四四〇
　　　読者係(〇三)三二六六―五一一一
http://www.shinchosha.co.jp

価格はカバーに表示してあります。

乱丁・落丁本は、ご面倒ですが小社読者係宛ご送付ください。送料小社負担にてお取替えいたします。

印刷・錦明印刷株式会社　製本・錦明印刷株式会社

ISBN978-4-10-115220-2 C0193